くらべてわかる
日本語表現文型辞典

A Guide to Useful Japanese Sentence Patterns
– Comparing and Understanding the Differences

表現文型
765
収録

大阪YWCA専門学校／岡本牧子・氏原庸子

Jリサーチ出版

まえがき

　本書は上級を目指す日本語学習者、および、上級日本語学習者、そしてその指導に携わる日本語指導者、また日本語に興味を持つ方々を対象に作成したものです。

　上級レベルの日本語をマスターするためには、助詞を含めた表現文型の習得が大きな鍵になっています。しかし、これらの表現文型は国語辞典などで扱われることは少なく、また形の似た類型表現、意味の似た類義表現との違いは、学習者だけでなく、日本語指導者も頭を悩ませるところです。

　本書は、『くらべてわかる日本語表現文型ノート』（大阪YWCA日本語教師会発行）の説明をよりわかりやすく書き換え、例文を整理したものです。基本表現55項目を新たに加え、363の表現文型を見出し語としました。それぞれの表現は意味ごとに分類し、例文を付し、接続関係を明らかにしています。また基本表現のバリエーション、すなわち402の派生表現にも言及しています。意味ごとに、類型、類義表現との対比を行い、複雑な意味の違いがわかるよう解説しました。その対比数は延べ621表現に及びます。このように、一つの表現文型の意味を分析し、その一つ一つについて、似た表現との対比を行っていることが本書の特徴といえます。

　上級日本語の習得を目指す学習者の「そこが知りたい」という要望に答え、また日本語指導者にとっても、自然な日本語表現の習得に導くための例文を考える一助になることを期待しています。

大阪YWCA専門学校　　岡本牧子
氏原庸子

用語・表記・記号の説明

文法用語や動詞の接続表記は「日本語教育文法」の用語、表記を採用しています。形容詞や名詞の接続表記については、以下の説明を参考にしてください。

● 文法用語

[動詞]	一般動詞	食べる・読む・来る・する
[する動詞]	サ変動詞	勉強する・掃除する
[名詞]	一般名詞	先生・学校
[イ形容詞]	形容詞	おいしい・さむい・くらい
[ナ形容詞]	形容動詞	便利な・しずかな

● 動詞接続表記

[動詞]	動詞普通形	見る・見た・見ている・見ない
[動詞ーナイ形]	動詞未然形	見(ない)・書か(ない)・し(ない)
[動詞ーマス形]	動詞連用形	見(ます)・書き(ます)・し(ます)
[動詞ーテ形]	動詞連用形＋て	見て・書いて・して
[動詞ーテイル]	動詞連用形＋ている	見ている・書いている・している
[動詞ータ形]	動詞連用形＋た	見た・書いた・した
[動詞ール形]	動詞終止形／連体形	見る・書く・する
[動詞ー意向形]	動詞未然形＋よう／う	見よう・書こう・しよう
[動詞ー可能]	動詞未然形＋られる・可能動詞	見られる・書ける・できる
[動詞ー使役]	動詞未然形＋せる・させる	見させる・書かせる・させる
[動詞ー受身]	動詞未然形＋れる・られる	見られる・書かれる・される
[動詞ーバ形]	動詞仮定形＋ば	見れば・書けば・するえば

◆ 用例　[動詞ーマス形] かねない　　見かねない・書きかねない
　　　　[動詞ーテイル] 場合じゃない　見ている場合じゃない
　　　　[動詞ー意向形] が　　　　　 見ようが・書こうが
　　　　[動詞] ＋こと＋に対して　　 見る／見た／見ている／見ないことに対して

●イ形容詞接続表記

[イ形容詞①]		強い・強かった・強くない・強くなかった
[イ形容詞②]		強い
[イ形容詞③]		強くない
[イ形容詞④]		強く
[イ形容詞⑤]		強かった
[イ形容詞⑥]		強~~い~~
[イ形容詞⑦]		強けれ（ば）

◆用例　[イ形容詞①] ものの　　　強いものの・強かったものの・
　　　　　　　　　　　　　　　　　強くないものの・強くなかったものの
　　　　[イ形容詞②] ＋の＋はともかく　強いのはともかく
　　　　[イ形容詞⑥] かろうが [イ形容詞④] なかろうが
　　　　　　　　　　　　　　　　　強かろう強くなかろうが

●ナ形容詞接続表記

[ナ形容詞①]		静か~~な~~
[ナ形容詞②]		静かな・静かである・静かだった・静かではない
[ナ形容詞③]		静かだ・静かである・静かだった・静かではない
[ナ形容詞④]		静かな
[ナ形容詞⑤]		静かである
[ナ形容詞⑥]		静かだった
[ナ形容詞⑦]		静かではない
[ナ形容詞⑧]		静かだ
[ナ形容詞⑨]		静かなら
[ナ形容詞⑩]		静かに
[ナ形容詞⑪]		静かで

◆用例　[ナ形容詞①] ながら　　静かながら・便利ながら・ひまながら
　　　　[ナ形容詞③] とて　　　静かだとて・静かであるとて・静かだったとて
　　　　[イ形容詞⑥⑧] っけ　　静かだっけ・静かだったっけ

● **名詞接続表記**

［名詞①］		先生・かばん
［名詞②］		先生の・かばんの
［名詞③］		先生である・かばんである
［名詞④］		先生ではない・かばんではない
［名詞⑤］		先生だ・かばんだ
［名詞⑥］		先生だった・かばんだった
［名詞⑦］		先生な・かばんな
［名詞⑧］		先生なら・かばんなら
［名詞⑨］		先生（＋助詞）

◆ **用例**　　［名詞①］を中心に　　　　先生を中心に
　　　　　　［名詞①⑨］こそ　　　　　先生こそ・先生にこそ
　　　　　　［名詞③④⑥］かのようだ　先生である／ではない／だったかのようだ
　　　　　　［名詞③④⑥⑦］＋のに＋ひきかえ　先生である／ではない／だった／
　　　　　　　　　　　　　　　　　　　なのにひきかえ

● **疑問詞**　　だれ／どこ／なに／どのように…
● **する動詞**　いわゆるサ変動詞　掃除する・勉強する…

● 基本表現（見出し語）の表記

A ○○○ B A…B／A…B	上段は基本表現　（見出し語） 下段はその派生表現
A○○B○C	A、B、Cは文、句、語など
(Xは) A○○B (Y)	X、Yは文型以外の文の構成要素
A1　○○　A2	A1、A2は同じ品詞で、違う活用形
A　○○○　A	A、Aは同じ品詞で、同じ活用形

● 説明部分の表記

意味1　基本表現の意味の解説。意味が複数ある場合は、意味1、意味2…となる。同じ意味の場合、以下の例文・注意・対比・接続に同じ数字を付す。

例文1　意味解説に対応する例文。①〜④まで4文提示。

注意1　意味に付け加える注意事項。

対比1　類型表現や類義表現と比較し、その違いを解説。
・「A…B」(意味1　P○)
対比表現。(意味1)は何番目の意味であるかを、(P○)は掲載ページを表す。(意味1　P○)とないものは、本書では見出し語として取り上げていない。対比表現の下に説明がないものは、示したページに説明がある。
○・・・正しい例文
×・・・誤用例文
・「A…B」(意味2　P○)
「A…B、C」(意味1　P○)
対比表現が複数ある場合は、まとめて解説している。

目　　次

	基本文型／派生	対　比	ページ
あ	**Aあげくに B** Aあげくに B Aあげくが B	A（の）結果 B、Aた末 B、Aあまり B、Aにもかかわらず B、Aうえに B	26
	Aあたり B Aあたりの B Aあたり	Aにつき B、Aごとに B、Aくらい（ぐらい）、AからするとB	28
	Aあっての B		30
	Aあまり B Aあまりに B Aたあまり B Aのあまり B	Aあげく B	30
い	**Aいかんで B** Aいかんだ Aいかんでは B Aいかんによって B Aいかんによらず B Aいかんにかかわらず B		31
	A以上 B A以上は B Aない以上 B	Aてまえ B、Aうえは B、Aからには B、Aかぎり B	31
	A一方 B A一方で B	Aかたわら B、A反面 B	33
	A一方だ A一方で B A一方の B	Aばかり、Aてばかり	34
	いまひとつAない いまひとつA		35
	A以来 B	AてからというものB	35
う	**Aうえで B** Aうえ B Aうえでは B	Aてから B、A際に B、Aにあたり B、A上 B	36
	Aうえに B Aうえ B そのうえ B	Aさらに B、Aしかも B、Aあげく B、AにくわえてB	38
	Aうえは B	A以上 B、Aからには B、Aてまえ B	39
	Aうちに B Aないうちに B	Aあいだに B、Aうちは B、Aまえに B、Aなかで B	39
	Aうちに入らない	Aとは言えない	42
	Aうる（える） Aえない		43
お	**Aおかげで B** Aおかげだ	Aせいで B	44

基本文型／派生	対　比	ページ
AおきにB	AごとにB	45
Aおそれがある		46
おなじAならB		47
A折りにB	A際にB、A時にB	47
A折りB		
A折りにはB		
か　AかAないかのうちにB	AたとたんにB、Aが早いかB、Aや否やB	48
AがAだからB	AもAならBもB	49
AがAだとB		
AがAだからBもB		
AがAだとBもB		
AかえってB	A反対にB、A逆にB	50
AかぎりB	AからにはB、A以上B、Aに限りB、AたところB	51
AかぎりはB		
Aかぎりだ		
AかぎりでB		
AかぎりのB		
Aかぎりだ		53
Aかける	Aはじめる、Aだす、Aかかる	53
Aがたい	Aにくい	55
AかたがたB	AをかねてB	55
AがためにB	AばかりにB、AためにB	56
AがためのB		
AかたわらB	AながらB、A一方B	57
Aがちだ	Aぎみだ、Aっぽい、Aきらいがある	57
AがちにB		
AがちのB		
AがてらB	AついでにB、AをかねてB	58
Aかと思うとB	Aと思うとB、AたとたんにB	60
Aかと思ったらB		
Aかねない		61
Aかねる		61
Aかのようだ	AようにB	62
AかのようなB		
Aかのように		
Aが早いかB	Aや否やB、AかAないかのうちにB、AたとたんにB	63
AからBにかけて	AからBまで	64
AからBにかけての		
AからBまで	AからBにかけて	64
Aからある	A以上だ、AものB	65
Aからいる		
Aからする		
AからのB		

基本文型／派生	対 比	ページ
AからいうとB AからいってB	AからするとB、AからみるとB	66
AからしてB	AからするとB	67
AからするとB AからすればB AからしたらB	AからみるとB、AからしてB、AからいうとB、AあたりB	68
AからといってB AからとてB	AといってもB、AとはいうもののB、AとてB	69
AからにはB AからはB	AうえはB、AてまえB、A以上B、AかぎりB	69
AからみるとB AからみればB AからみてB AからみてもB	AからいうとB、AからするとB、AにしてみればB	70
AかわりにB AがわりにB		71
Aきどり AきどりでB		72
Aぎみだ AぎみのB AぎみでB	Aがちだ	72
疑問詞＋Aことか	疑問詞＋Aやら	73
疑問詞＋Aやら	疑問詞＋Aことか	74
疑問詞＋AようがB 疑問詞＋AようとB 疑問詞＋AようともB	疑問詞＋AてもB、疑問詞＋AようともB、AようがBようがC	75
Aきらいがある	Aがちだ	75
Aきる AきってB	Aつくす、Aぬく	76
Aきわまりない Aきわまる	Aのきわみ	77
Aくさい	Aっぽい	78
AくせにB	AのにB	78
Aくらい（ぐらい）B Aくらい（ぐらい）Bはない Aくらい（ぐらい）ならB Aくらい（ぐらい）だ	AほどB、A (数詞) ばかり、A (数詞) ほど、AあたりB	79
Aげだ AげなB AげにB	Aそうだ	81
AこそB AばこそB Aこそすれ（なれ・あれ）Bない AからこそB	AてこそB、AこととこそB、AからこそB、AばこそB、AゆえB	82

基本文型／派生	対比	ページ
AてこそB		
AにこそB		
AことこそB		
AことからB	AことでB	84
AごときB		85
AごとくB		
AがごときB		
AごときにB		
Aごとし		
Aことだ	AことだからB、Aものだ、	86
Aこと		
Aのことだ		
（Xは）Aことだ		
AことだからB	Aのことだ。B。、AことだしB	88
AことなくB	AことなしにB	89
AことなしにB	AことなくB、AなしにB、AなしでB	89
AことにB		90
AことにはB		
AべきことにB		
AごとにB	AたびにB、AおきにB	91
Aことにする	Aことになる	93
Aことにしている		
Aことになる	Aことにする、Aことになる	94
Aたことになる		
AことはA（がB）	Aないことはない、Aには違いない、AといったらB	95
AはA（がB）		
Aことはない	Aないことはない、Aまでもない	96
Aこともない		
Aことはある		
これといってAはない		97
これといったAはない		
さ	Aさ	Aみ	97
A最中（さいちゅう）にB	A途中にB	98
A最中（さなか）にB		
A際にB	Aに際してB、A時にB、A折りにB、AうえでB	99
A際はB		
A際B		
AさえB	AもB、AすらB、AだにB	100
AでさえB		
AとさえB		
AにさえB		
Aさえしない		
AさえBば	Aが（を・に…）BさえすればB	102
AさえBたら		

基本文型／派生	対 比	ページ
Aざるをえない	Aずにいられない、Aなければならない、Aわけにはいかない、Aを余儀なくされる	103
し Aしかない 　XはAしかない 　Aでしかない	Aよりほかない	104
A次第B		105
A次第だ	Aというしまつだ	105
Aしまつだ 　Aというしまつだ	A次第だ	106
A上(じょう)B	AうえでB	107
す Aずくめ	Aだらけ、Aづくし	107
Aずじまい		108
Aずにいられない 　Aずにはいられない 　Aないではいられない	Aざるをえない、Aないではすまない	108
AすらB 　A(に・から・で・と・へ)すらB 　Aようとすらしない	AさえB、AだにB	109
せ AせいでB 　AせいかB	AおかげでB、AためにB	110
そ AそばからB		110
た Aが最後B 　Aたら最後B		111
Aたきりだ 　AたきりBない	AままB、AっぱなしでB、AなりB	112
A1たくてもA2ない 　A1たくともA2ない	A1ようにもA2ない、A1にA2ない	112
AだけあってB 　Aだけのことはある	AだけにB、AとあってB	113
AだけにB	AばかりにB、AだけあってB、AとあってB	114
Aだす	Aはじめる、Aかける	115
Aた末B 　Aた末にB 　Aの末(に)B	Aの結果B、AあげくにB	116
ただAのみB 　ただAのみだ	ただAだけだ	117
Aたためしがない	Aたことがない	118
たとえAてもB 　たとえAようともB 　たとえAとしてもB 　たとえAだとしてもB	もしAてもB	118
AたところB 　AたところではB	AたはずみにB、AかぎりB	119
AたところでB 　AといったところでB	AとしたところでB、AとはいえB	120

基本文型／派生	対 比	ページ
AたとたんにB AたとたんB	Aかと思うとB、AたはずみにB、AなりB、AとともにB、Aや否やB、 AかAないかのうちにB、Aが早いかB、Aたら、とたんにB	121
AだにB AにだにB	AさえB、AすらB	122
AたはずみにB AたはずみでB	Aた勢いでB、AたところB、AたとたんにB	123
AたびにB AたびごとにB	AにつけB、AごとにB	124
AためにB AためB	AんがためにB、AようにB、AべきだB、AせいでB、AがためにB	126
AたらAたでB	AならAでB	127
Aだらけ	Aまみれ、Aずくめ	128
AたりともBない	AもBない	129
AたるB AたるものB		129
AたるやB	AといったらB、Aといったらない	130
ちょっとしたA		131
AつBつ		131
AついでにB	AがてらB	132
Aっきり Aぽっきり		132
Aつくす Aつくせない Aつくし	Aきる、Aぬく	133
Aづけ	Aぴたり、Aまみれ	133
Aっけ	Aものだ	134
Aっこない		135
AつつB AつつもB	AながらB	135
Aつつある	Aている	136
Aっぱなし AっぱなしでB	AままB、AたきりBない	137
Aっぽい AっぽくB	Aがちだ、Aらしい、Aくさい	138
A1てA2ないことはない（がB） A1てA2ないこともない（がB）	Aしようと思えばできる	139
AであれBであれC	AにしてもBにしても、AといいBといいY、AといわずBといわずC	140
AてからでないとB		141
AてからというものB AてからというものはB	AてからB、A以来B	141
Aてしょうがない	Aてやまない、Aてたまらない、Aてならない	142
Aてたまらない	Aてしょうがない、Aてはたまらない、Aてやまない	143
Aてならない	Aてしょうがない、Aてやまない	144

ち
つ
て

基本文型／派生	対比	ページ
AてはB、AてはB		144
AてはB、BてはA		
AちゃB、AちゃB		
AではあるまいしB		145
AじゃあるまいしB		
AわけではあるまいしB		
Aてはかなわない	Aてはたまらない	145
AてはじめてB		145
AてはじめてのB		
Aではなくてなんだろう		146
Aでなくてなんだろう		
AてまえB	AからにはB、A以上B、AうえはB	146
AでもなくB	AともなくB	147
AでもなしにB		
疑問詞＋AでもなくB		
Aてやまない	Aてしょうがない、Aてならない、Aてたまらない	148
と AとBがあいまってC		149
AはBとあいまってC		
AとあってB	AだけあってB、AだけにB、AとあってはB	149
AとあってはB	AとあってB、AにあってはB	151
Aと知ってはB		
Aと聞いてはB		
AといいBといいY	AであれBであれC、AといわずBといわずC	151
Aということだ	Aそうだ、AとかB、Aわけだ、Aというものだ	152
Aのことだ		
Aという		
Aというところだ		153
Aといったところだ		
Aというものだ	XはAものだ、Aということだ	154
Aってものだ		
Aというものではない		155
Aというものでもない		
AというよりBだ		155
AといえどもB	AといってもB、AとはいえB	156
AといえばB	AといったらB、AときたらB	157
AといえばAがB		
そういえばB		
AといったらB	AたるやB、AことはA、AといえばB	158
AといったらA（がB）		
Aといったらない	AたるやB	160
Aったらない		
Aといったらありゃしない		
AといってもB	AとはいうもののB、AとはいえB、AといえどもB、AからといってB	160
AといわずBといわずC	AといいBといいY、AであれBであれC	161

基本文型／派生	対　比	ページ
Aと思いきやB Aかと思いきやB		162
AとおりにB AとおりB Aどおり(に)B	AままB	163
AとかB AとかBとか	Aということだ、Aそうだ、AなりBなり、AやらBやら	164
AときたらB	AといえばB	165
Aところ(に・へ・で・を)B Aようとしたところ	Aばかり	166
AどころかBも AどころかBまで Aどころか	AばかりでなくBも、AばかりかBも、Aはおろか、Aどころではない	167
Aところだ		169
Aどころではない Aどころじゃない Aどころの騒ぎではない	AどころかB、Aなんてものではない、A場合ではない	170
Aところとなった		171
AところによるとB Aところによる AところによってB AところによればB	AによってB	171
AとしたところでB AとしたってB AにしたところでB	AたところでB	172
AとしたらB AとすればB	AたらB	173
AとしてB AとするB AとしたB AものとしてB AはAとしてB		174
AとしてはB AとしてB	AにしてはB、AなりにB、A割にB、AにしてはB	176
AとしてもB A1ようとしてもA2ない	AにしてもB、AとてB、A1ようとしてもA2ものではない、 A1ようにもA2ない、A1にA2ない	177
AとてB AこととてB AからとてBない AとてBない Aない(ぬ)こととてB	AからといってB、AとしてもB	179
AとともにB	AたとたんにB、AにしたがってB、AにつれてB、AにともなってB、 AをもってB	181
Aとは		183

基本文型／派生	対　比	ページ
AとはいいながらB	AとはいうもののB、AといいながらB	183
AとはいえB	AにもかかわらずB、AとはいうもののB、AといえどもB、	184
いくらAとはいえB	AたところでB、AといってもB	
Aとはかぎらない		186
Aないとはかぎらない		
Aないともかぎらない		
AとばかりにB	AんばかりにB	187
Aとばかりはいえない		188
AともBともつかない	AともBともいえない	188
AともBともつかないC		
AともなくB	AでもなくB	189
AともなしにB		
疑問詞（から・へ・に）ともなくB		
AともなるとB	AとなるとB、AになるとB	189
AともなればB		
AとなるとB		
な AないことにはBない		191
AないことにはB		
Aないことはない（がB）	Aことは（も）ない、AことはA	191
AないこともないがB		
Aないではおかない	Aないではすまない	192
Aずにはおかない		
Aないではすまない	Aずにいられない、Aないではおかない	193
Aずにはすまない		
AないまでもB		194
Aないものでもない		194
Aないでもない		
AながらB	AままB、AつつB、AかたわらB、ATB	195
AながらのB		
AながらにB		
AながらもB		
AなくしてB	AなしにB	197
AなくしてはB		
AなくしてBない		
AなしでB	AことなしにB、AなしにB、AぬきでB	197
AなしではBない		
AなしにB	AなしでB、AぬきでB、AことなしにB、AなくしてB	198
AなしにはBない		
AもなしにB		
Aなど	AなんかB、AなんてB	200
AなどのB		
Aなみ		201
Aなみの		
Aなみに		

基本文型／派生	対比	ページ
AならAでB AないならAないでB	AたらAたでB	201
AならいざしらずB AはいざしらずB 疑問詞＋AかはいざしらずB Aかどうかはいざしらず		201
AならではのB BはAならではだ		202
AなりB	AたとたんにB、Aや否やB、AたきりBない、AままB	203
AなりBなり	AとかBとか、AようがBようがC	204
AなりにB AなりのB	AとしてはB	205
なんかA		206
AなんかB AかなんかB	Aなど、AなんてB	206
なんてA なんとA		207
AなんてB	Aなど、AなんかB	208
Aなんてものではない Aなんてもんじゃない	Aどころではない	209
A1にA2ない	A1たくてもA2ない、A1ようとしてもA2ない、A1ようにもA2ない	210
AにBもなにもあったものではない AにBもなにもない		210
Aにあたらない Aにはあたらない	AにはおよばないB	211
AにあたりB AにあたってB AにあたってのB	Aに際してB、Aに臨んでB、AうえでB、AにおいてB	212
AにあってはB AにあってB	AにおいてはB、AとあってはB	213
Aに至る Aに至るまでB Aに至ってB Aに至ってはB Aに至ってもB		214
AにいわせればB AからいわせればB	AがいうにはB、AにしてみればB	215
AにおいてB AにおいてはB AにおいてもB	Aに関してB、AにかけてはB、AにあってはB、AにあたりB	215
Aに応じてB	AによってB	217
AにかかってはB AにかかったらB		217
AにかかわらずB	AにもかかわらずB、Aを問わずB	218

基本文型／派生	対　比	ページ
Aにかかわる AにかかわるB	Aに関してB	219
Aに限ったことではない	Aだけではない、Aに限らずB	219
Aに限ってB Aに限ってはB		220
Aに限らずB（もC）	AだけでなくB、AのみならずB、Aに限ったことではない	221
Aに限りB	AかぎりB	221
AにかけてはB	Aに関してB、AにおいてB	222
Aにかたくない		222
AにかわりB AにかわってB		223
Aに関してB Aに関するB	AについてB、Aに対してB、AにかかわるB、AにおいてB、AにかけてはB	223
Aにきまっている	Aことにきまっている	224
Aにくい AにくいB	Aがたい	225
AにくらべてBはC それに比べてBはC	Aに対してB、AにひきかえB	226
AにくわえてB AにくわえB	AだけでなくB、AうえにB	227
Aに越したことはない		228
AにこたえてB AにこたえるB	AにそってB	228
Aに際してB Aに際しB	Aに臨んでB、A際にB、AにあたりB	229
Aに先立ってB Aに先立つB Aに先立ちB		230
AにしたがってB AにしたがいB	AにともなってB、AとともにB、AにつれてB、AにそってB	230
AにしてB		231
AにしてはB	AとしてはB、A割にB、AにしてもB	233
AにしてみればB	AからみるとB、AにいわせればB	234
AにしてもB AにしたってB それにしてもB	AにしてはB、AにつけB、AとしてもB、AにしてもBにしても、AにとってもB	235
AにしてもBにしても AにせよBにせよ AにしろBにしろ	AであれBであれC、Aにしても、AてもBても	239
Aにしのびない	Aにたえない	240
Aにすぎない AにすぎないB	Aにほかならない	241
Aに相違ない	Aに間違いない、Aに違いない	241

基本文型／派生	対　比	ページ
Aに即してB Aに即したB	AにそってB	242
AにそってB AにそったB	Aに面してB、AにしたがってB、Aに即してB、AにこたえてB	242
Aに対してB Aに対するB それに対してB	Aに向かってB、Aに関してB、AについてB、Aに反してB、 AにひきかえB、Aに比べてBはC、AにつきB	244
Aにたえない AにたえるB Aにたえる AにたえないB	Aにしのびない	245
Aに足る		245
Aに違いない	Aに相違ない、Aには違いない	246
AについてB AについてのB AについてはB	Aに対してB、Aに関してB、AにつきB、AをめぐってB	247
AにつきB	Aに対してB、AあたりB、AについてB	247
AにつけB A1につけA2につけB AにつけてもB それにつけてもB なにかにつけB	AたびにB、AにしてもB	249
AにつれてB	AとともにB、AほどにB、AにしたがってB、AにともなってB	250
AにとってB AにとってもB AにとってはB	AにしてもB	251
AにとどまらずB	AばかりかBも、AだけでなくB	251
AにともなってB AにともないB AにともなうB	AとともにB、AほどにB、AにつれてB、AにしたがってB	252
Aに臨んでB Aに臨みB Aに臨んだB	AにあたりB、Aに際してB、Aに面してB	253
AにはおよばないB AにもおよばないB AもおよばないB	Aにあたらない、AはもちろんBもC、Aほどでもない、Aもつかない	254
Aには違いない Aには違いないがB	AことはA、Aに違いない	255
Aに反してB Aに反したB Aに反しB	Aに対してB	256
AにひきかえB それにひきかえB	Aに比べてBはC、Aに対してB、	257
Aにほかならない Aからにほかならない	Aにすぎない	259

基本文型／派生	対　比	ページ
Aに向かってB	Aに面してB、Aに対してB、	259
Aに面してB Aに面したX	Aに向かってB、AにそってB、Aに臨んでB	261
AにもかかわらずB	AとはいうもののB、AのにB、AとはいえB、AにかかわらずB、AあげくB、AもかまわずB	262
Aに基づいてB Aに基づきB	AによってB	263
AにもましてB それにもましてB		263
AによってB AによるとB AによればB AによってはB AによるB	Aに基づいてB、AところによるとB、Aに応じてB	264
AにわたってB AにわたりB AにわたるB AにわたったB	Aを通じてB	265
ぬ	AぬきでB AぬきのB AぬきではBない AぬきにしてB	AなしでB、AなしにB、	265
Aぬく AぬいたB	Aきる、Aつくす、Aとおす、Aあげる、Aこむ、Aつづける	266
の	AのAないのって AのAないののB		268
Aの至り		269
Aのきわみ	Aきわまりない	269
AのみならずB（もC） ひとりAのみならずB	AにかぎらずB	270
AのもとでB Aの名のもとに（で）B		270
は	AばBものを	Bのに	271
A場合ではない A場合じゃない	Aどころではない	271
Aはいなめない Aもいなめない		272
AはおろかB(もC) AはおろかBすら AはおろかBさえ	AばかりでなくB（もC）、AばかりかBも、AどころかBも	272
Aばかり Aばかりだ AばかりのB Aたばかり	A一方だ、Aてばかり、AほどB、Aまでだ、Aたところ、Aばかり	273

基本文型／派生	対 比	ページ
Aてばかり		
Aてばかりもいられない		
Aばっかり		
A（数詞）ばかり	Aくらい（ぐらい）B、Aほど	276
AばかりかBも	AばかりでなくB、AにとどまらずB、AはおろかB、AどころかBも	277
AばかりかBまで		
AばかりがBではない	AばかりでBない	278
AばかりでBない	AばかりがBではない	278
AばかりでなくB（もC）	AばかりかBも、AはおろかB、AどころかBも	279
AばかりしていないでB		
AばかりにB	AだけにB、AがためにB	280
AばっかりにB		
AはさておきB	Aは別にしてB、AはともかくB	280
AはさておいてB		
AかはさておきB		
Aはずがない	Aわけがない	282
Aはずはない		
Aないはずがない		
AはずのないB		
Aばそれまでだ		283
Aたらそれまでだ		
AはともかくB	AはさておきB	284
AはともかくとしてB		
AならともかくB		
AはもちろんBもC	AはもとよりB、Aは言うにおよばずB	285
AはもとよりB	AはもちろんBもC	285
A反面B	A一方B	286
ふ Aぶり		286
AぶりにB		
AぶりのB		
Aっぷり		
へ Aべきだ	AためにB	287
AべきB		
Aべきではない		
Aべし		
AべくB		
Aべからず		
AべからざるB		
AべくしてB		
Aべくもない		
ほ AほどB	Aくらい（ぐらい）B、AばかりのB、A(数詞)ばかり	289
AほどのB		
AほどBない		
A（数詞）ほど		

	基本文型／派生	対　比	ページ
	AほどにB AほどB A1ばA2ほどB	AにつれてB、AにともなってB	291
ま	Aまい Aでは(じゃ)あるまいか	Aものか	292
	Aまくる A1てA1てA2まくる		292
	AまじきB		293
	Aまでだ Aまでのことだ	Aだけだ、Aばかり	293
	Aまでもない AまでもなくB	Aことはない	294
	AままB Aまま Aのまま Aがまま	AとおりB、AてB、AながらB、AなりB、AたきりB、Aっぱなし	295
	Aまみれ	Aだらけ、Aづけ	296
み	Aみ	Aさ	297
む	A向きのB (Bは)A向きだ	A用のB、A向けのB	298
	A向けB A向けのB A向けにB	A向きのB	298
め	Aめく AめいたB AめいてB		299
も	AもAならBもB AもBならCもD AもBばCもD	AがAだからB	299
	AもかまわずB AてもかまわずB AにもかまわずB	AにもかかわらずB	300
	AもさることながらB		301
	AもそこそこにB Aもそこそこにする	Aもほどほどにする	301
	Aもの Aもん		302
	AものB	Aからある	303
	Aものか Aもんか Aたものか 疑問詞＋Aものか Aてなるものか A(が)ないものか	だれがAものか、なにがAものか、Aまい、Aものか、Aものではない、Aものかどうか	303

基本文型／派生	対比	ページ
Aものがある		306
Aだけのものがある		
Aものかどうか	Aものか	307
Aものだ	Aっけ、Aこと	308
AものだからB		309
AもんだからB		
Aものではない	Aたものか	310
Aもんじゃない		
AものならB		311
AものならBてみろ		
AものならBてみたい		
AもののB	AにもかかわらずB、AとはいえB、AといってもB、	311
AとはいうもののB	AとはいいながらB、Aからといって	
や Aや否やB	AかAないかのうちにB、AたとたんにB、AなりB、Aが早いかB	312
AやらBやら	AとかBとか、AだのBだの	313
AのやらBのやら		
ゆ AゆえB	AからこそB	315
Aゆえ（に・の）B		
Aがゆえ（に・の）B		
よ A1ようがA2まいがB	AようがBようがC	316
A1ようとA2まいとB		
A1かろう（が・と）A2なかろう（が・と）		
A1だろう（が・と）A2でなかろう（が・と）		
AようがBようがC	A1ようがA2まいがB、疑問詞＋AようがB、AなりBなり	317
AようとBようとC		
Aようがない		318
Aようもない		
Aようのない		
Aようではないか		318
Aようじゃないか		
Aてもらおうでは（じゃ）ないか		
AようにB	Aかのようだ、AためにB	319
Aようだ		
AようなB		
Aようにする		
Aようになる		
A1ようにもA2ない	A1にA2ない、A1たくてもA2ない、A1ようとしてもA2ない	322
AようによってはB		323
Aようによる		
AようものならB		323
Aよりほかない	Aしかない	324
Aよりほか（に・は）ない		
Aほか（に・は）Bない		
Aほか（は）ない		

基本文型／派生	対比	ページ
わ AわAわ 　AわBわ（で）C		324
A わけがない 　A わけはない 　A ないわけがない 　A わけない	A はずがない、A わけにはいかない、A わけもない	325
A わけだ 　A わけ	A はず（だ）、A ということだ	327
A わけではない 　A というわけではない 　A わけではないがB 　A ないわけではない	A ない	328
A わけに（は）いかない 　A わけにもいかない 　A ないわけに（は）いかない 　A のようなわけに（は）いかない	A わけがない、A ないわけがない、A ざるをえない	330
A わけもない 　わけもなくB	A わけがない、A わけでもない	331
A 割にB 　A 割にはB	A にしてはB、A としてはB	333
を **A をおいてBない** 　A をおいてほかにない 　B はA をおいてない		333
A を限りにB 　A の限り（に・を）B 　A の を限りにB	A を最後にB	334
A をかねてB 　A とBをかねる	A がてらB、A かたがたB	335
A を皮切りにB 　A を皮切りとしてB 　A を皮切りにしてB	A を最初にB	336
A をきっかけにB 　A がきっかけでB	A を契機にB	336
A を禁じえない		337
A を契機にB 　A を契機としてB	A をきっかけにB	337
A をこめてB		337
A を最後にB	A を限りにB	338
A をしりめにB	A をよそにB	338
A を中心にB 　A を中心としたB 　A を中心としてB		339
A を通じてB	A を通してB、A にわたってB	339

基本文型／派生	対 比	ページ
Aを問わずB	AにかかわらずB	340
AをはじめB		341
AをはじめとするB		
AをめぐってB	AについてB、AまわりB	342
AをめぐるB		
Aめぐり		
AをもってB	AでもってB、AとともにB	343
AをもってしてもB		
AをもってすればB		
AをもとにB		344
AをもとにしてB		
AをものともせずB		344
AをものともせずにB		
Aを余儀なくされる	Aざるをえない	345
AをよそにB	AをしりめにB	345
AんがためにB	AんとしてB、AためにB	346
AんがためB		
AんがためのB		
AんとしてB	AようとB、AんがためにB、Aようとしている	347
AんとB		
Aんとしている		
AんばかりにB	AとばかりにB	348
AんばかりのB		
Aと言わんばかりにB		

注：疑問詞で始まる文型は「ぎ」のところにあります。

A　あげく　B
Aあげくに B／Aあげくが B

意味1 AがエスカレートしてマイナスのB結果を招いてしまった。

例文1
①社長は悩み抜いたあげく、競合会社との合併を決断した。
②彼は度重なる校則違反のあげく、ついに退学処分となった。
③彼らは夫婦げんかを繰り返したあげくに、とうとう離婚した。
④彼女はさんざん迷ったあげく、子どもを預けて働きに出ることにした。

注意1 ・「～あげく」は「あげくの果て」という言葉の副詞的な使い方である。
○　彼は働きもせず遊んでばかりいて、あげくの果てに家をなくした。

対比1 「A（の）結果 B」
「A（の）結果 B」では、「AあげくB」にみられるAがエスカレートしてマイナスのBになるという制約はない。
○　一生懸命勉強した結果、大学に合格した。　　　（プラスの結果）
×　一生懸命勉強したあげく、大学に合格した。　　（マイナスの結果）
また、AとBの主語がちがっても文は成立する。
○　会議の結果、法案は可決された。
×　会議のあげく、法案は可決された。

「Aた末 B」(意味1　P.117)
「Aた末 B」は、Aが最終的にBという状態になったという意味でBはマイナスでもプラスでもよい。
○　何回も手術を繰り返した末、彼は健康な体になった。
×　何回も手術を繰り返したあげく、彼は健康な体になった。

「AあまりB」(意味2　P.30)

意味2 あんなに努力や金銭などの代償を払ってAをしたのに期待はずれのBになってしまった。話し手の驚き、落胆、あきれなどの気持ちを伴う。

例文2
①親の反対を押し切って結婚したあげくに、2カ月で離婚した。
②彼は会社を設立するといって、親類や友人から金を借りまくったあげく、行方をくらましてしまった。
③母は安いといって特売品を買い込んだあげく、冷蔵庫で腐らせてしまうのが常だ。
④二浪までして大学に入ったあげくに、面白くないからやめるなんて思

慮がなさすぎる。

対比2「AにもかかわらずB」(意味1　P.262)
「AにもかかわらずB」はAから予想される結果がBにこない。単純に「AなのにB」という意味を示す。「AあげくにB」はAに「あんなに代償を払ったのに」という気持ちが含まれる。
　○　彼は国立大に合格したにもかかわらず、私立大学を選んだ。
　×　彼は国立大に合格したあげくに、私立大学を選んだ。

意味3　どんな過程を経てBという結果になったかを表す。
例文3　①プレゼントは考えたあげく、花束にした。
　②彼女はためらったあげくに、ドアをあけた。
　③このチケットは6時間並んだあげくにやっと手に入れたものだ。
　④会社が倒産し、一家離散のあげくに、いま彼は公園で暮らしている。
対比3「Aた末B」(意味1　P.117)
「AあげくB」からの置き換えは可能である。

意味4　Aに引き続きBという不幸が積み重なる。Aだけでも十分不幸なのにBまで起こり、かわいそう、ついていない…などの話し手の気持ちを表す。
例文4　①マスコミにさんざん叩かれたあげくに、仕事も失った。
　②病気になり、リストラのあげく、妻にも逃げられた。
　③知らない男たちに囲まれ殴られたあげくに、金もとられた。
　④疲れて帰ってきたあげくが、妻のグチじゃたまらん。
注意4　AとBは関連のない不幸でもいいが、AからBへの時間の流れが必要。
対比4「AうえにB」(意味1　P.38)
「AうえにB」はAとBが独立したものにも使えるが、「AあげくにB」はAからBへの時間の流れが必要である。
　○　あの学生はテキストを忘れたうえに、宿題も持ってこなかった。
　×　あの学生はテキストを忘れたあげくに、宿題も持ってこなかった。
「Aた末B」(意味1　P.117)
「AあげくB」はAだけでも十分なのに、そのうえBもだという意味。
「Aた末（に）B」はAの最後にBになったというニュアンス。
　○　全財産を巻き上げられたあげく、負債も抱え込まされた。
　　　　　　　　　　（財産を取られ、そのうえ借金させられた）

○ 全財産を巻き上げられた末に、負債も抱え込まされた。
　　　　（財産を取られるという、その経過の最後に借金させられた）

(接続1~4) ［動詞ータ形］あげく
　　　　　［名詞②］あげく

A　あたり　B
AあたりのB／Aあたり

(意味1)　Aの単位に割り当てるとBになる。

(例文1)　①パーティーの会費は一人あたり3000円だそうだ。
　　　　②この番号に電話すると1回あたり10円が寄付される仕組みだ。
　　　　③我が家の1カ月あたりの食費は5万円だ。
　　　　④オリンピックメダルの獲得数は人口100万人あたりに換算するとバハマが米国を上回る。

(注意1)　・Aは基本的には1＋助数詞だが、大きい数字はその限りではない。また、慣習的に「1」と認識されているものは「1」を省略することもある。
　　　　○　ジャガイモがキロあたり200円で売られていた。

(対比1)　「AにつきB」（意味2　P.248）
　　　　「AにつきB」のAは1単位であると考えられれば半端な数でもよいが、「AあたりB」のAは基本的には「1」のみ。
　　　　○　買い物500円につき1枚抽選券がもらえる。
　　　　×　買い物500円あたり1枚抽選券がもらえる。
　　　　また、「AにつきB」はAという単位でBが付加されていくという概念を伴う。「AあたりB」は単位に対応した数値のみを表している。
　　　　○　この菓子は1袋あたり80カロリーなので、ダイエットしている人向き。
　　　　×　この菓子は1袋につき80カロリーなので、ダイエットしている人向き。

「AごとにB」（意味4　P.93）
「AごとにB」は長い線上のものをAという単位で区切るという考え方なので変化のあるものにも使えるが、「AあたりB」のAは一つのまと

まりで、そのまとまりに対応する数字がBなので変化を伴うものには使えない。
- ○ 山を上ると100メートルごとに0.6度気温が下がる。
- × 山を上ると100メートルあたり0.6度気温が下がる。

接続1　[名詞①] あたり

意味2　Aの前後、周辺のだいたいのころ、時点、場所、もの。

例文2　①彼は昇進したあたりから体調を崩していたらしい。
②学校は駅から10分ほど歩いたあたりにあった。
③今日あたり、彼女から連絡があるはずだ。
④今度の宴会は、あの店あたりが適当じゃないか。

対比2　「Aくらい（ぐらい）」（意味5　P.81）
だいたいの地点という意味では「Aぐらい」と「Aあたり」は同じ。
- ○ マラソンでは37キロぐらいから勝負をする。
- ○ マラソンでは37キロあたりから勝負をする。

「Aあたり」は限定した期間や距離に使えない。「Aぐらい」は使える。
- ○ 大阪から東京までは550キロメートルぐらいだ。
- × 大阪から東京までは550キロメートルあたりだ。

接続2　[動詞ータ形] あたり
　　　　[名詞①] あたり

意味3　AからBが推測できる。Aという状況や様子が普通ではなかったり、気になったりしてBで何か憶測する表現。

例文3　①我々の話に入ってこないあたり、彼は何かを隠しているみたいだ。
②私の顔を見て目を背けるあたり、何かやましいことがあるに違いない。
③顔を見て会釈したあたり、彼らは以前から知り合いだったのだろう。
④恋人にもらった指輪をはずしているあたり、彼女とは別れたのだろう。

対比3　「AからするとB」（意味1　P.68）
「AからするとB」は推測の根拠は視覚に限らず、五感のいずれでもいいし、伝聞でもよく、接続は名詞のみだが、「AあたりB」の根拠は視覚のみで、接続は動詞のみである。
- ○ このにおいからすると、今晩はカレーライスだな。
- × このにおいがするあたり、今晩はカレーライスだな。

接続3）[動詞] あたり

A あっての B

意味1）Aが存在するからBが存在する。もしAがなければBも存在しないと話者が思っている。
　　　Aから多くの世話、愛、加護、恩恵などを受けていることを表すことが多い。
例文1）①ご両親あっての君なんだ。もっとご両親を大切にしないとだめだよ。
　　　②お客様あってのわが社です。何なりとお申し付けください。
　　　③親会社あっての下請けだから、指示には従わざるをえない。
　　　④この成功は皆さんのご協力あってのことです。
接続1）[名詞①] あっての [名詞①]

A あまり B
AあまりにB／AたあまりB／AのあまりB

意味1）Aの状態が極限に達した次の状態がBにくる。
　　　Aには感覚・感情を表す名詞がくることが多い。
例文1）①彼は新人賞の授賞式で、感激のあまり、泣きだしてしまった。
　　　②息子の死を知り、老母は悲しみのあまり、その場に倒れた。
　　　③人々は喜びのあまりに、歌いだした。
　　　④痛みのあまり、ついに失神してしまった。
接続1）[名詞②] あまり

意味2）Aの程度が強すぎ、好ましくない結果や状態Bを招く。
例文2）①利益を追求するあまり、安全性が軽視されている。
　　　②彼女は酒を飲みすぎたあまりに、動けなくなってしまった。
　　　③親がかわいがるあまりに、子どもがわがままになるケースが多い。
　　　④勉強しすぎたあまりに、病気になってしまった。
注意2）・Aが単なる動作を表す動詞の場合は「〜すぎる」をつける。
対比2　「AあげくB」（意味1　P.26）
　　　「AあまりB（AあまりにB）」はAに程度を伴う言葉が来る。またBに

主体的判断で行うものは来ない。
- ○ 彼女は悩んだあげくに、とうとう病気になってしまった。
- ○ 彼女は悩んだあまりに、とうとう病気になってしまった。
- ○ いろいろ迷ったあげく、大学を中退することにした。
- × いろいろ迷ったあまりに、大学を中退することにした。

(接続2) [動詞ール形／タ形] あまり

A　いかんで　B
Aいかんだ／AいかんではB／AいかんによってB／AいかんによらずB／AいかんにかかわらずB

(意味1) AがどのようであるかでBが決まる。

(例文1)
①この商談は相手の決断いかんで決まる。
②このテストの点数いかんでは、進級できない場合もある。
③結果がわかったら、合否のいかんにかかわらず、連絡してくれ。
④今回の検査の結果いかんによって、入院するかどうかがわかる。

(接続1) [名詞①②] いかんで

A　以上　B
A以上はB／Aない以上B

(意味1) Aだったら当然Bと、Bで一般論や話し手の意思を表す。

(例文1)
①引き受ける以上、責任をもって行うつもりだ。
②留学した以上、言葉だけでなくその国の文化も学ぶつもりだ。
③防犯に対する住民の不安が大きい以上、対策が必要だ。
④機械が相手である以上、故障は避けられない。

(注意1) ・「ル形以上」か「タ形以上」かは、話し手の決断する前か後かによる。後文は「～なければならない」「～当たり前だ」「～当然だ」「～べきだ」や、「～つもりだ」「～ようと思う」など、主張や意志を表す文。

対比1　「AてまえB」(意味1　P.147)
　　　　「AうえはB」(意味1　P.39)

「AからにはB」（意味1　P.69）
ほぼ言い換え可能だが、ニュアンスは違う。「A以上」は規則や建前を述べるのにも使うのに対し、「Aからには」には話し手の感情や意気込みが感じられる。
　○　酒を飲んだ以上、運転してはいけない。
　○　酒を飲んだからには、運転はさせられない。

(接続1)　[動詞] 以上
　　　　[イ形容詞②③] 以上
　　　　[ナ形容詞④⑤⑦] 以上
　　　　[名詞③④] 以上

(意味2)　Aという状態・身分・立場の場合、当然Bとなるべきだ、はずだ。
(例文2)　①こんな生活を続けている以上、あなたの病状はよくならないでしょう。
　　　　②日本人である以上、正しい日本語が話せるのは当然のことだ。
　　　　③医者である以上、常に患者の生命を第一に考えなければならない。
　　　　④夫婦である以上、お互いに助け合うべきだ。

(接続2)　[動詞ール形／テイル] 以上
　　　　[名詞③] 以上

(意味3)　「Aない以上B」の形で。Aない状態が続くのなら、Bの状態も続く。
(例文3)　①社長の承諾が得られない以上、計画を進めることはできない。
　　　　②雨が降らない以上、給水制限は仕方のないことだ。
　　　　③大学や専門学校に進学しない以上、学生ビザでは滞在できない。
　　　　④彼のほうから謝ってこない以上、許すつもりはありません。

(対比2,3)　「AからにはB」（意味1,2　P.69,70）
「AからにはB」との置き換えは可能であるが、「AからにはB」は個人的な気持ちが強く感じられるので、相手や場面によっては相応しくない。
　○　お客様、チケットをお持ちでない以上、ご入場していただくわけにはまいりません。
　×　お客様、チケットをお持ちでないからには、ご入場していただくわけにはまいりません。

(対比1~3)　「AかぎりB」（意味1　P.51）
(接続3)　[動詞ーナイ形] ない以上

A 一方 B
A一方でB

意味1 AとBの行為・状態が、並列して成立する。

例文1 ①子どもが川に落ちたのを見て、警察に連絡する一方、救助に走った。
②希望校の受験準備を進める一方、滑り止めの大学も受けておく。
③妻が一生懸命節約している一方で、夫は酒だゴルフだと浪費している。
④新車に心をひかれる一方、今乗っている車も手放せずにいる。

対比1「AかたわらB」(意味1 P.57)

「AかたわらB」はAが主でBが従の関係であるが、「A一方B」はAとBは並列的な関係である。

○ 彼は作家活動をする一方、サラリーマンをしている。
（両方に重点がある）

○ 彼は作家活動をするかたわら、サラリーマンをしている。
（作家活動を主にしている）

「A反面B」(意味1 P.286)

「A反面B」は一つのものの相反する性質を表すが、「A一方B」は二つの動作・行動が並行して行われることを表し、AとBは必ずしも相反することとは限らない。

○ この子は親の言うことをよく聞く反面、一度こじれると頑固だ。
× この子は親の言うことをよく聞く一方、一度こじれると頑固だ。

感情を表す文で二つの相反する気持ちが存在する場合は言い換え可能な文もあるが、ニュアンスに違いがある。

○ 彼なら大丈夫と思う一方で、心配な気持ちもある。
（Aの気持ちが大半を占めるが、少しBの気持ちも存在する）

○ 彼なら大丈夫と思う反面、心配な気持ちもある。
（AとBがほとんど同じ比率で存在する）

接続1 ［動詞ール形］一方（で）

意味2「A。一方、B。」の形で。AとBは関連のあることで、もう一つの見方をする、目を転じるとB。

例文2 ①この辺は冬はスキー客で賑わう。一方、夏は避暑地として有名である。
②冬休み最後の日曜日、太平洋側は青空が広がった。一方、日本海側で

は大雪に見舞われ、各地で交通が寸断された。
③首相は続投に意欲を示している。一方、野党側は退陣を迫る構えだ。
④Ａデパートの４月期の売り上げは好調であった。一方、Ｂデパートも売場面積の拡張により、順調な伸びを示している。

(注意2)・事実を客観的な視点から見て述べる報道などの硬い文に使われる。
・「一方〜、他方〜」という形で、二つの見方を表すこともある。この場合の「他方」はもう一方という意味で使う。
○ 最近はペットブームだが、ペットが、一方では家族同様に扱われ、他方では簡単に捨てられている現状がある。

(接続2)［文］。一方［文］。

Ａ 一方(いっぽう) だ
Ａ一方(いっぽう)でＢ／Ａ一方(いっぽう)のＢ

(意味1) Ａという傾向だけが変わらず進んでいく様子。
(例文1) ①働いても働いても、貯金は減る一方だ。
②病気になってからの父は、どんなに食べても痩(や)せる一方だ。
③雨は強くなる一方で、やみそうにない。
④晴天続きで、琵琶湖の水位は下がる一方だ。

(注意1)・Ａは変化を表す動詞であり、現実には限度があることでも現時点で終わりがないように感じるほど変化を強調する表現であるため、次のようには使わない。
× 子どもは大きくなる一方だ。

(対比1)「Ａばかり」(意味1 P.274)
意味は同じ。置き換え可能。

(接続1)［動詞―ル形］一方だ

(意味2) Ａという傾向・状態だけになってしまうこと。
(例文2) ①あの人にはお世話になる一方だ。
②夫は娘を甘やかす一方で、悪いことをしても叱ろうとしない。
③金儲(もう)け一方の医者には診てもらいたくない。
④相手チームの圧倒的な攻撃に味方は防戦一方を強いられた。

__対比2__ 「Aばかり（Aてばかり）」(意味5　P.276)

「A一方」から「Aばかり」への置き換えは可能だが、逆は不可。「A一方」はAの状態だけという意味だが「Aてばかり」は全体から見てAの頻度が目立つ状態。

　○　寝てばかりいると太りますよ。
　×　寝る一方だと太りますよ。

__接続2__ ［動詞－ル形］一方だ
　　　　　［名詞①］一方だ

いまひとつ　A　ない
いまひとつA

__意味1__ 100％に何か少し欠けるものがある。

__例文1__ ①新築の家に合わせて家具を買ったがいまひとつしっくりこない。
②話題の映画だったがいまひとつ迫力に欠けるように思う。
③バーチャルといわれてもいまひとつピンと来ない。
④「昨日行ったレストラン、どうだった？」「う～ん。いまひとつだった。」

__注意1__ ・「Aない」の形でなくてもAが否定的な意味ならよい。また、省略されることも多く、くだけた会話では「いまいち」という形になる。

　○　あの人の説明はいまいちだ。

__接続1__ いまひとつ ［文］

A　以来　B

__意味1__ A（になって）からずっと、Bという状態が続いている。

__例文1__ ①生牡蠣で食中毒を起こして以来、牡蠣が嫌いになった。
②交通事故を起こして以来、運転はしていません。
③この店は開店以来、連日満員だ。
④法律の改正以来、飲酒運転による事故が減っている。

__対比1__ 「AてからというものB」(意味1　P.142)

「A以来B」のAは名詞でも成立するが、「AてからというものB」は、

テ形のみである。「AてからというものB」のBには以前とは一変した状態が来るが、「A以来B」にはその制約はない。
　　○　この車は、発売して以来、すごい人気だ。
　　×　この車は、発売してからというもの、すごい人気だ。

意味2　Aという状態になってからの回数を述べる。
例文2　①去年、来日して以来、初めての帰国をした。
　　②横綱になって以来、8度目の全勝優勝を成し遂げた。
　　③昨日、結婚して以来、2度目の大喧嘩(げんか)をした。
　　④父の葬式以来、2週間ぶりに家族全員が顔を合わせた。
注意2　・Bに回数がないものは、Aのあと今回が初めてであることを表す。
接続1,2　[動詞ーテ形] 以来
　　　　　[名詞①] 以来

A　うえで　B
AうえB／AうえではB

意味1　Aをきちんとした後でB。Aが完了したことを前提にB。
例文1　①ご予約のうえでご来店ください。
　　②申し込む際は、電話で確認のうえ、書類を提出してください。
　　③商品を見たうえで、買うかどうか決めます。
　　④利用目的を特定したうえで、個人情報を取り扱う。
注意1　・次のような慣用的表現もある。
　　○　首になるのは覚悟のうえです。
　　○　お怒りは承知のうえの行動です。
対比1　「AてからB」
　　「AてからB」は時間的にAが先であることを強調し、「AうえでB」はAを条件にBをすることになる。
　　○　私は朝ご飯を食べてから、歯をみがきます。
　　×　私は朝ご飯を食べたうえで、歯をみがきます。
接続1　[動詞ータ形] うえで
　　　　　[名詞②] うえで

意味2 Aをする前に必要となる事柄をBで表す。

例文2 ①彼を我が社に採用するうえで、ひとつ難点がある。
②外国生活をするうえで、注意するべきことをいくつか述べます。
③この本には社会人になるうえで役立つ知識が多く載っている。
④ビルを建てるうえで必要な構造計算をしていなかった。

対比2 「A際にB」（意味1　P.100）
「A際にB」はAの動作をするときBという意味で、「AうえでB」はAという状態になる前にという意味がある。ともに、「とき」を表す意味では同じなので、置き換え可能な文もある。

○　共同生活をするうえで、わがままは禁物だ。
○　共同生活をする際に、わがままは禁物だ。

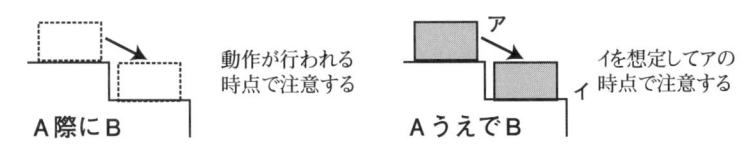

動作が行われる時点で注意する
A際にB

イを想定してアの時点で注意する
AうえでB

○　バスを降りる際には、足元に注意してください。
×　バスを降りるうえでは、足元に注意してください。

「AにあたりB」（意味1　P.212）
「AにあたりB」のAは、話し手にとって確定したことで、「AうえでB」のAは、未確定としてとらえている。

○　採用していただくにあたり、こちらからお願いがあります。
×　採用していただくうえで、こちらからお願いがあります。

意味3 Aを進めていく途中、過程でB。

例文3 ①子どもを育てていくうえで、親もさまざまなことを学ぶ。
②彼には事業を始めるうえで、ずいぶんお世話になった。
③議論を重ねていくうえで、結論はおのずから見えてくる。
④反抗期は、人が成長していくうえで必ず通り抜ける関門だ。

接続2,3 [動詞ール形]　うえで

意味4 「Aのうえでは」の形で。Aという範囲ではBである。

例文4 ①校則のうえでは禁止となっているが、ほとんど守る学生はいなかった。
②まだ寒いけれども、暦のうえではもう春だ。

③彼とは書類のうえでは夫婦だが、実際には離婚しているのも同然です。
④成績のうえでは彼が一番だが、実力では彼女のほうが上だ。

注意4 ・慣用的表現もある。
　○　酒のうえでの失敗を重ねる。
　○　仕事のうえでのつきあいだ。

対比4 「A上B」(意味1　P.107)
接続4 [名詞②] うえでは

A　うえに　B
AうえB／そのうえB

意味1 Aだけでも十分なのにまだBもあるとAにBを付け加える表現。

例文1 ①叱られたうえに反則金まで払わされた。
②ご馳走になったうえに、お土産までもらった。
③彼女は頭がよいうえ、実行力もあるからみんなに信頼されている。
④彼は仕事が完璧なうえに能力もあるので、上司に気に入られている。

注意1 「A。そのうえB。」の「そのうえ」は接続表現である。
　○　警官に叱られた。そのうえ、反則金まで払わされた。
　○　警官に叱られたうえ、反則金まで払わされた。

対比1 「AさらにB」
「AさらにB」はAの次にBが続くという時間的な流れがあるが、「AうえにB」はない。
　○　彼は日本の大学を卒業し、さらに米国の大学院をめざしている。
　×　彼は日本の大学を卒業したうえに、米国の大学院をめざしている。

「AしかもB」
「AしかもB」は、AとBが同じ主題について述べていて、BがAの説明である場合にも使える。
　○　彼は誕生日に指輪をくれた。しかも、それはダイヤモンドだった。
　×　彼は誕生日に指輪をくれたうえに、それはダイヤモンドだった。

「AあげくB」(意味4　P.27)
「AにくわえてB」(意味1　P.227)

接続1 [動詞] うえに

[イ形容詞①] うえに
[ナ形容詞②] うえに
[名詞②] うえに

A　うえは　B

意味1 Aが決定的となった時の限られた選択肢や強い決心をBで述べる。

例文1 ①この仕事を引き受けるうえは、全責任を負う覚悟だ。
②仕事に失敗してしまった。こうなったうえはクビも覚悟している。
③秘密を知ったうえは、生かしてはおけない。
④医者に見離されたうえは、もうあきらめるしかない。

注意1 ・「かくなるうえは〜」は慣用的で古い表現で、決意表明などに使われる。
　○　3年続きの不況で我が社も倒産の危機に陥っている。かくなるうえは、全社一丸となってこの難局を乗り切るしかない。

対比1　「A以上B」(意味1　P.31)
「AからにはB」(意味1　P.69)
「AうえはB」のBはAの厳しい状況をふまえた限られた選択肢や決意文で、追いつめられた状況や厳しい覚悟を述べる文に多く使われるのに対し、「A以上B」「AからにはB」には、そのような悲壮感はない。
　○　お互いに愛し合っている以上、結婚するのが自然だろう。
　○　お互いに愛し合っているからには、結婚するのが自然だろう。
　×　お互いに愛し合っているうえは、結婚するのが自然だろう。
「AてまえB」(意味1　P.147)

接続1 [動詞] うえは

A　うちに　B
AないうちにB

意味1 Aの状態ではなくなるまでにBを完了する。

例文1 ①明るいうちに、帰ったほうがいい。
②元気なうちに、世界一周旅行がしたい。

③この商品が話題にのぼっているうちに、在庫処分をしよう。
④朝のうちに、洗濯しないと乾かないよ。

<u>対比1</u>　「AあいだにB」

「AあいだにB」はAという決められた期間（始まりから終わりまでがはっきりしている期間）の中で、Bということをする、あるいは起こるという意味である。「AうちにB」は、始まりの部分ははっきりせず、それよりもAという状態が終わってしまうので、それまでにBをしてしまわなければBをするチャンスがなくなるというニュアンスを持つ。

○　学生の間に、したいことを決めておきなさい。
　　　　　　　　　　　　（社会に出てからのことを決める）
○　学生のうちに、したいことをしておきなさい。
　　　　　　　（社会に出たら自由がなくなるから、今、したいことをする）

「AうちはB」

「AうちはB」は、Aという状態の続く間に限ってBであり、その後のことは関知しないという意味。「AうちにB」は、Aという状態のその後のことを考えて、Aの状態の続く間にBするのが一番いいという判断が入る。

○　体が動くうちは、働いたほうがいい。（今後はともかく、今は働け）
○　体が動くうちに、働いたほうがいい。
　　　　　　　　　　　　　　（いずれダメになる。働くのは今）

<u>接続1</u>　[動詞ール形／テイル] うちに
　　　　[イ形容詞②③] うちに
　　　　[ナ形容詞④⑤] うちに
　　　　[名詞②] うちに

<u>意味2</u>　「AないうちにB」の形で。必ずAという状態になることを想定し、その前にBをする。

<u>例文2</u>　①先生が来ないうちに、黒板の落書きを消そう。
　　　　②雨が降らないうちに、急いで帰ってきなさい。
　　　　③かぜをひかないうちに、早く服を着なさい。
　　　　④冷めないうちに、召し上がってください。

<u>対比2</u>　「AまえにB」

「AないうちにB」は、いつかはわからないが、状況から見てAが起こる

可能性があるので、それまでにBをしておかなくてはならないという意味。「AまえにB」は、BについてAとの前後関係を客観的に述べる文。
　　○　桜が散らないうちに、花見に行きましょう。
　　×　桜が散る前に花見に行きましょう。

接続2 [動詞ーナイ形] ないうちに

意味3 「AないうちにB」の形で。普通はAからBの順なのに、Aの前にBという意味で、Bが早いというニュアンスがある。

例文3 ①この商品は宣伝もしないうちに、予約が殺到した。
②立地条件がよいので、ビルが完成しないうちにテナントが埋まった。
③彼は自分の計画の成果を見ないうちに、死んでしまった。
④先生の説明が終わらないうちに、質問するのはよくない。

対比3 「AまえにB」
「AまえにB」はAとBの前後関係を述べる文だが、「AないうちにB」はBになる（する）のが早いというニュアンスを持つ。
　　○　あの人は父が死なないうちに、葬式の用意をした。
　　　　　　　　（まだ死んでいないのに、早すぎるというニュアンス）
　　○　あの人は父が死ぬ前に、葬式の用意をした。
　　　　　　　　（葬式の用意をしたのは、死んでからでなく、死ぬ前だ）

接続3 [動詞ーナイ形] ないうちに

意味4 Aの状態が続いている間に、自然に（いつのまにか）B。

例文4 ①先生の話を聞いているうちに、眠くなってしまった。
②地下街を歩いているうちに、方角がわからなくなった。
③昔の写真を見ているうちに、気がついたことがある。
④ぼんやりしているうちに、友達はみんな就職してしまった。

注意4 ・「見る見るうちに」は「見ているうちに」という意味の慣用的な表現で、Bに急速な変化の表現がくる。
　　○　大雨が降って、見る見るうちに川の水かさは増していった。
　　　Aがル形、ナイ形でも状態を表す場合は続けられる。
　　○　知らないうちに影響を受けている。
　　　　　　　　　　　　（知らない状態が続いている間に〜）
　　○　読み進めていくうちにわかるようになった。　（読んでいる間に〜）

(接続4) [動詞ーテイル] うちに

(意味5) Aという雰囲気に包まれてB。
(例文5) ①葬儀は悲しみのうちにも厳かにとり行われた。
②新車の展示会は、成功のうちに終わった。
③大相撲（おおずもう）は、期待と興奮のうちに千秋楽を迎えた。
④首脳会談は大成功のうちに終わった。
(注意5) ・Aは主に感情を表す名詞で、慣用的な表現である。
(対比5) 「AなかでB」
「AなかでB」は具体的にAという状態が続いている間にBという意味。「AうちにB」のAは具体的状態ではなく、全体的な雰囲気を表し、Bにはその雰囲気で終了したことがくる。
○　人々の歓声のなかでゴールを決めた。
×　人々の歓声のうちにゴールを決めた。

(接続5) [名詞②] うちに

（Xは） A　うちに入（はい）らない

(意味1) 現状XはAという言葉の持つ条件を満たしていない。Aとは言えない。
(例文1) ①これぐらいの練習量では練習のうちに入らないぞ。
②おにぎり一つでは食べたうちに入らないよ。
③私は熱い風呂が好きなので40度じゃ熱いうちに入らないなぁ。
④漫画なんて100冊読んでも読書のうちに入らない。
(注意1) ・X＜Aという概念なのでAが高い評価の言葉であれば、Aほどではないというニュアンスになり、悪い評価の言葉であれば、Aよりましだという意味になる。
○　あの映画は名画のうちに入らない。　　　（名画より低い評価）
○　あの映画は駄作のうちに入らない。　　　（駄作より高い評価）
(対比1) 「Aとは言えない」
「Aとは言えない」はXがAではないときにも使えるが、「Aうちに入らない」は、XがAであっても「A」という言葉の範囲に入らないと話し手は思っている。

○　1億円のマンションは安いとは言えない。
×　1億円のマンションは安いうちに入らない。
また、どちらも現状の描写には使える。
○　これぐらいの雨では、雨とは言えない。
○　これぐらいの雨では、雨のうちに入らない。
「Aとは言えない」はAと予想できない場合にも使うが、「Aうちに入らない」は未来のことには使えない。
○　明日、雨が降るとは言えない。
×　明日、雨が降るうちに入らない。

接続1　[動詞] うちに入らない
　　　　　[イ形容詞①] うちに入らない
　　　　　[ナ形容詞④] うちに入らない
　　　　　[名詞②] うちに入らない

A　うる(える)
A　えない

意味1　Aができる、あるという可能性を表す。

例文1　①彼女は受験のために集めうるかぎりの情報を集めた。
　　　　　②彼の成功は妻の協力なしでは、実現しえなかったことだ。
　　　　　③現時点で考えうる最高の方法でやってみたが、駄目だった。
　　　　　④あの銀行が倒産すれば、中小企業の連鎖倒産も起こりうる。

注意1　・「ある・起こる」などにつく場合は、実現の可能性があるという意味で使われるが、その可能性の高低については文脈による。
　　　　　・「得る」はできるという意味であるが、能力を表すものではない。
　　　　　×　私はフランスに住んでいたので、フランス語を話しうる。
　　　　　・「得る」の読み方は、肯定のル形のみ「うる」で、ほかは「えない／えます／えません」となる。
　　　　　○　そのときの感動は言葉では言い表しえない。

接続1　[動詞ーマス形] 得る

A　おかげで　B
Aおかげだ

意味1　AによってBといういい結果になった。
　　　　　AはBといういい結果になった理由・原因である。

例文1　①先生のおかげで、合格することが出来ました。
　　　　　②親が言葉遣いに厳しかったおかげで、社会人になっても困らない。
　　　　　③交通事故を起こしたが保険に入っていたおかげで経済的には助かった。
　　　　　④ガンの早期発見ができたのも、定期検診を受けていたおかげだ。

注意1　・「Aによって」の部分がなくても、慣用的なあいさつとして「おかげさまで〜」という表現を使う。
　　　　　○　おかげさまで元気にしております
　　　　　○　おかげさまで合格しました

意味2　AによってBという悪い結果になった。AはBという悪い結果になった理由・原因である。皮肉やユーモアを込めて使う表現である。

例文2　①授業に出なかったおかげで、さっぱりわからない。
　　　　　②バスに乗り遅れたおかげで、遅刻してしまった。
　　　　　③息子が二人とも元気なおかげで、毎日クタクタだ。
　　　　　④新しいゲームソフトのおかげで、毎日寝不足だ。

対比2　「AせいでB」（意味1　P.110）
　　　　　「AせいでB」と「AおかげでB」（意味2）は、同じ意味だが、「AせいでB」には相手を責める気持ちが込められており、「AおかげでB」には皮肉・ユーモアなどが込められていることが多い。
　　　　　○　君のせいで、叱られてしまった。　　　　（どうしてくれるんだ）
　　　　　○　君のおかげで叱られてしまった。　　　　（全くついていないなあ）
　　　　　同じ事態でも「おかげ」ととるか「せい」ととるかは、話し手がBの事態をどうとらえているかによる。
　　　　　○　雨のせいで、授業が中止になった。　　　　（残念だ）
　　　　　○　雨のおかげで、授業が中止になった。　　　　（うれしい）

接続1,2　[動詞]　おかげで
　　　　　　[イ形容詞①]　おかげで
　　　　　　[ナ形容詞②]　おかげで

[名詞②] おかげで

A　おきに　B

意味1 Bという動作や状態が繰り返される間隔をAで表す。

例文1 ①この薬は6時間おきに飲んでください。
②本を速読するときは、1行おきに読むそうです。
③スタート地点から10メートルおきに、旗を立ててください。
④「君は毎月、散髪屋にいきますか？」
　「いや、2カ月おきぐらいかな。」

注意1 ・Aが時間的な区切り、特に「週間・カ月・年」では解釈の揺れがある。その理由については次の三つが考えられる。

(ア) Aの区切りをBが行われる一つの単位と考えるか、またはBの事象をAの区切りの中の一点ととらえるか。

○ 1週間おきにゴルフにいく。　　　　　　（毎週か隔週か）

ゴルフ　・　・　　・　　・　　・　ゴルフ　・
月　　火　水　　木　　金　　土　　日　　月

（月曜日はゴルフをする日ととらえて、その日から1週間をあける）

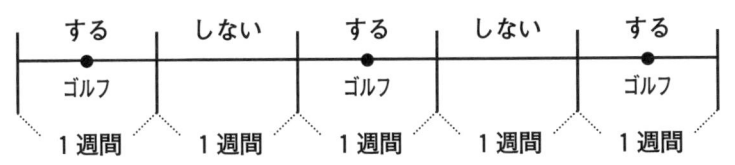

する	しない	する	しない	する
ゴルフ		ゴルフ		ゴルフ
1週間	1週間	1週間	1週間	1週間

（今週はゴルフをする週ととらえて、1週間の間隔をあける）

(イ)「AおきにB」の文以外の情報や場面、また聞き手の体験によって左右される。

○ 「田中さんっていつもおしゃれね。」
　「本当ね。1カ月おきに美容院へ行くんですって。」
　「へぇー。すごいわね。」　　（頻度の多いことをのべている＝毎月）

○ 「ヘアー・スタイル、いつもきれいね。よく美容院へ　行くの？」
　「いいえ、自分でするのよ。美容院へは1カ月おきぐらいかしら。」
　　　　　　　　　　　　　（頻度の少ないことをのべている＝隔月）

(ウ) 固定観念に影響される場合。（ただし、Aの区切りを一つの単位と

　　　　　　　　してとらえられる文をのぞく)
　　○　運転免許の更新は3年おきにしなければならない。
　　　　　　　　　　　　　　　　　　　　　　　　(2年おき・3年ごと)
　　○　オリンピックは4年おきに開催される。　　(3年おき・4年ごと)
　　○　うるう年は3年おきにある。／4年ごとにある。

(対比1)「AごとにB」(意味4　P.92)
　　距離・時間などのように区切りを意識しない、継続したものについては、「AごとにB」と「AおきにB」は、同じ意味になるが、ニュアンスは少し違う。「AおきにB」は間隔をあけることに焦点があるが、「AごとにB」はAの時点に焦点がある。
　　○　この薬は6時間ごとに　飲んでください。　　(6時間目に飲む)
　　○　この薬は(強い薬なので)6時間おきに　飲んでください。
　　　　　　　　　　　　　　　　　　　　　　(6時間間隔をあけて飲む)

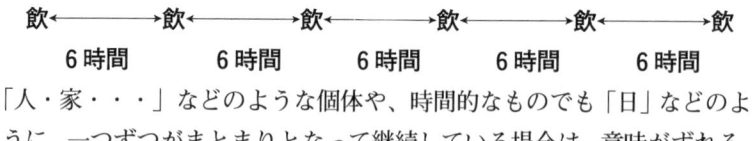

飲←──→飲←──→飲←──→飲←──→飲←──→飲
　　6時間　　6時間　　6時間　　6時間　　6時間

　　「人・家・・・」などのような個体や、時間的なものでも「日」などのように、一つずつがまとまりとなって継続している場合は、意味がずれる。
　○2軒ごとに赤い屋根の家がある。　○●●○●●○●●○●●
　○2軒おきに赤い屋根の家がある。　○○●○○●○○●○○●
　○3日ごとに電話をかける。　　　　☎○○☎○○☎○○☎○○
　○3日おきに電話をかける。　　　　☎○○○☎○○○☎○○○

(接続1)[数詞] おきに

A　おそれがある

(意味1)　Aという悪い事態になる可能性がある。

(例文1)　①台風がこのまま北上すると、日本を直撃するおそれがある。
　　　　②この地域は崖崩れが起きるおそれがあるので厳重に注意してください。
　　　　③彼は顧客情報を洩らしてしまったおそれがある。
　　　　④あの鳥は絶滅のおそれがある。

(注意1)　・「おそれ」は、もともと心配という意味であり、「Aおそれがある」のほか、「おそれを抱く・おそれが強まる」など色々な表現ができる。

○ 彼は裏切られるのではないかというおそれを抱いている。
○ 日本は世界選手権で二位転落のおそれが強まってきた。

(接続1) ［動詞］おそれがある
　　　　［名詞②］おそれがある

おなじ　A　なら　B

(意味1) Aを前提とすると、Bが一番。Aが変えられないのならその範囲ではBが一番いい。

(例文1) ①おなじ泊まるならホテルより温泉のあるところのほうがいい。
②おなじ家賃なら、多少狭くても便利なところに住む。
③おなじ見るなら、楽しくておもしろい夢を見たいものだ。
④おなじ贈り物なら、相手が喜ぶものを選びたい。

(注意1) ・Aが名詞なら「おなじAなら」は「Aがおなじなら」と置き換え可能。
○ 東京までおなじ値段なら早く着くほうがいい。
○ 東京まで値段がおなじなら早く着くほうがいい。

(接続1) おなじ［動詞ール形］なら
　　　　おなじ［名詞①］なら

A　折りに　B
A折りB／A折りにはB

(意味1) たまたま起こったAという機会にBをする、Bになる。

(例文1) ①この貯金を何かの折りに役立てなさい。
②先日先生にお目にかかった折りに、あなたの様子を聞かれましたよ。
③近くまで来られた折りには、ぜひお立寄りください。
④お暇な折りに、この書類に目を通しておいてください。

(注意1) ・慣用的な、決まった形で使われることもある。
○ 亡き父の忠告を折りにふれて思い出す。

対比1　「A際にB」(意味1　P.100)
「A折りにB」は習慣的・定期的なことや、何度か起こることが、たま

たま起こるというニュアンスがある。
　　　○　非常の際に落ち着いて行動する。
　　　×　非常の折りに落ち着いて行動する。
　　　○　後ろの物を取ろうと腰をひねった際に、筋肉を痛めた。
　　　×　後ろの物を取ろうと腰をひねった折りに、筋肉を痛めた。
「A時にB」
注意1のような決まった形以外は「A時にB」で置き換えられる。ただし、「A折りにB」は「A時にB」より丁寧なニュアンスがある。
　　　○　ご用命の折りは、ぜひ当社へ。
　　　　　　　　　　→（広告として、控えめな日本人的な表現である）
　　　×　ご用命の時は、ぜひ当社へ。

(接続1)　[動詞] 折りに
　　　　　[イ形容詞②] 折りに
　　　　　[ナ形容詞④] 折りに
　　　　　[名詞②] 折りに

(意味2)　Aという状態の時だから、Bだ。
(例文2)　①水不足の折り、節水にご協力ください。
　　　　　②資源節約が叫ばれている折り、リユースが脚光を浴びている。
　　　　　③お忙しい折にお邪魔致しまして、申し訳ございませんでした。
　　　　　④残暑厳しき折り、いかがお過ごしでしょうか。
(注意2)　・手紙のあいさつや書きことばに使われることが多い表現である。
(接続2)　[動詞ーテイル] 折り
　　　　　[イ形容詞②] 折り
　　　　　[名詞②] 折り

　　　Ａ　か　Ａ　ないかのうちに　Ｂ

(意味1)　Aの直前に、あるいは完全にAし終わる前にB。
(例文1)　①ベルが鳴るか鳴らないかのうちに、子供たちは教室を飛び出した。
　　　　　②たまごが固まるか固まらないかのウチに、火を止めてください。
　　　　　③その話に触れるか触れないかのうちに「その話はよそう」と言われた。

④試験用紙を全員に配るか配らないかのうちに、始めている学生がいた。

対比1　「**AたとたんにB**」（意味2　P.122）

「AかAないかのうちにB」は完全にAし終わる前にという意味であり、「AたとたんにB」はAが終わってからという意味であるため、置き換えられない文もある。

○　受話器を置いたとたんに、またかかってきた。
×　受話器を置くか置かないかのうちに、またかかってきた。

ただし、話し手がAの行為とBに時間差がないことを強調したいときは、「受話器を置くか置かないかのうちに～」も使う場合がある。

「**Aが早いかB**」（意味1　P.63）

「**Aや否やB**」（意味1　P.313）

意味2　ほぼAという短い時間内にB。

例文2　①新しい学年になって1週間経つか経たないかのうちに、友達ができた。
②彼は来日して半年過ぎるか過ぎないかのうちに、国へ帰ってしまった。
③3、4カ月経つか経たないかのうちに、もう次の新製品が出ている。
④あの店は5分待つか待たないかのうちに、席に座れるのでいい。

接続1,2　[動詞－ル形] か [動詞－ナイ形] ないかのうちに

AがAだから B
AがAだとB／AがAだからBもB／AがAだとBもB

意味1　Aが普通ではないことを理由にすると、Bの特別な状況も理解できる。

例文1　①あのホテルは値段が値段だから、宿泊客も各界のＶＩＰばかりだ。
②季節が季節だと、夏にはあんなに混み合っていた海も静かなものだ。
③店員が店員だとサービスもサービスだ。あんな店、二度と行かない。
④材料が材料ですから、この料理は多くの方にはご提供できません。

対比1　「**AもAならBもB**」（意味1　P.299）

「AもAならBもB」はABが入れ替わっても意味はあまり変わらないが、「AがAだからBもB」はAがAであることが理由になってBもBという状態になっているので、置き換えることはできない。

○　親も親なら子も子だ。　　　　　（親も子も悪い）

○　子も子なら親も親だ。
○　親が親だから子も子だ。　　　（親が悪いから子も悪い）
×　子が子だから親も親だ。

(接続1)　［名詞①］が［名詞①］

A　かえって　B

(意味1)　いい結果を期待してAしたが、反対に悪い結果Bになった。

(例文1)　①喜ばせようと思って言った言葉が、かえって彼を怒らせてしまった。
　　　②頭が痛いのでこの薬を飲んだら、かえって痛みがひどくなった。
　　　③痩せるために運動していたら、おなかが空いてよく食べるのでかえって太ってしまった。
　　　④100点を取ろうと一生懸命がんばったのに、かえって考えすぎていつもより悪い点数だった。

対比1　「A反対にB」
　　　「A逆にB」
　　　「AかえってB」のBはAで期待した結果と反対の結果になるのであって、単に予想外の結果ではない。「A反対にB」「A逆にB」のBは単純に反対の結果。
　　　×　彼にペンをあげたら、かえって本をもらった。
　　　○　彼にペンをあげたら、反対に／逆に本をもらった。
　　　○　日本語を一生懸命勉強したのに、反対に／逆に下手になってしまった。
　　　○　日本語を一生懸命勉強したのに、かえって下手になってしまった。
　　　　　　　（上手になることを期待して勉強した→下手になった）

(意味2)　Aからは考えられない悪い結果Bが現れる。

(例文2)　①自分に合わないめがねを使うと、かえって視力が落ちる。
　　　②いつも厳しい父が何も言わないと、かえって怖い。
　　　③お見舞いに伺ったのに、かえってご馳走になり申しわけございません。
　　　④安いものを買うと、かえって故障が多くて損をすることがある。

(接続1,2)　［句（文の区切り）］かえって

A　かぎり　B

Aかぎりは B／Aかぎりだ／Aかぎりで B／Aかぎりの B

意味1　Aの間はBだ。Aという限定された範囲のうちはBが成立している。AだからBだ。

例文1　①夢があるかぎり、科学技術は進歩するだろう。
　　　　②酒をやめないかぎり、この病気は治らない。
　　　　③規則を守っているかぎり、罰せられることはない。
　　　　④社会人であるかぎりは、自分の行動に責任を持つべきだ。

対比1　「AからにはB」(意味1,2　P.69,70)
　　　　「A以上B」(意味1,2,3　P.32)
　　　「AからにはB」はAを根拠にその内容を相手に迫っていく、あるいは自分の中で強く自覚するという主観的な文に使うことが多い。「A以上B」はAが成立したら半ば自動的にBになるという客観的な文に使われることが多い。

　　　○　ここにいるかぎり、安全だ。
　　　　　（今はAの条件があるからBだが、AからはずれればBは成立しなくなるというニュアンス）
　　　○　ここにいる以上、安全だ。　　　　　　　　　（だから当然Bだ。）
　　　○　ここにいるからには、安全だ。
　　　　　（ほかでもないAだから絶対Bだと、Bを強める。話し手の視点はBにある。）

　　　これらの文は、表している意味に違いはないが、ニュアンスは違う。

接続1　［動詞ール形／テイル］かぎり
　　　　　［名詞③］かぎり

意味2　「Aかぎりだ」［AかぎりでB］の形で。
　　　　長く続いていたこと（もの）の最後をAで表す。

例文2　①学生でいられるのも今日かぎりだ。
　　　　②この映画の上映は今週かぎりだ。
　　　　③今年かぎりでこのコースは終了します。
　　　　④この商品は入荷しません。在庫かぎりです。

注意2　・Aは「時」を表すことばがよく使われる。

(対比2)「Aに限りB」（意味1　P.221）
　　　「Aに限りB」はBが適用されるのはAだけであるという意味で、「Aかぎりだ」は長く続いたこと（もの）の最後がAだという意味である。
　　　○　本日に限り無料。　　　　　　　　　　　　（無料は今日だけ）
　　　○　バーゲンセールは本日かぎりだ。　　（本日でバーゲンが終わる）
(接続2)［名詞①］かぎり

(意味3) Aは自分の感覚・知覚、得た情報の及ぶ範囲を示し、Aの範囲においてBの判断ができる。
(例文3)①遠くから見たかぎり、トイレとは思えないような美しいトイレが多い。
　　　②長い間会っていないが、電話で声を聞くかぎり、元気そうだった。
　　　③辞書で調べたかぎりでは、この単語にこんな意味はないんだけどなぁ。
　　　④私の知っているかぎり、彼はうそをついたことがなかった。
(対比3)「AたところB」（意味2　P.120）
(接続3)［動詞］かぎり

(意味4) Aという事実を前提に、Bで覚悟を迫ったり、決意を述べたりする。
(例文4)①この話を聞いたかぎりは、生かしてはおけない。
　　　②僕は約束したかぎり、必ず守るよ。
　　　③ご注文いただいたかぎり、代金はお支払い願います。
　　　④一度引き受けたかぎりは、最後まで責任をもってやりとげます。
(対比4)「A以上B」（意味1　P.31）
　　　「AからにはB」（意味1,2　P.69,70）
　　　Aが「～なかった」という形の場合、「A以上B」「AからにはB」では言えるが「AかぎりB」では置き換えられない。
　　　○　手続きをしなかったからには、入学は認められない。
　　　○　手続きをしなかった以上、入学は認められない。
　　　×　手続きをしなかったかぎり、入学は認められない。
　　　Bで覚悟を迫ったり、決意を述べない文は「AかぎりB」では言えない。
　　　○　大雪が降ったからには、今日のゴルフは無理だ。
　　　○　大雪が降った以上、今日のゴルフは無理だ。
　　　×　大雪が降ったかぎり、今日のゴルフは無理だ。
(接続4)［動詞ータ形］かぎり

意味5 「Aかぎり（の）B」の形で。Aできる範囲内のすべてが（で）B。
例文5 ①彼は力のかぎり叫び続けた。
②見渡すかぎり一面の銀世界だ。
③各自、思いつくかぎりのアイデアを口々に発表した。
④今の医学ででき得るかぎりの手はつくした。
注意5 ・Aには可能の表現を使うことが多い。
・「Aのかぎりを尽くす」は存分に、精一杯したという慣用的表現。
　○　彼女はぜいたくのかぎりを尽くして、世界中の宝石を買い集めた。
　○　知恵と力のかぎりを尽くして、ゲームを戦い抜いた。
接続5 ［動詞ール形］　かぎり
［名詞②］　かぎり

A　かぎりだ
Aかぎりのb

意味1 話し手が心からAと思っていることを表す。とてもA。
例文1 ①彼が味方になってくれたら、心強いかぎりだ。
②優秀な君が国に帰ってしまうなんて、残念なかぎりだ。
③同じ失敗を二度も続けてするなんて、我ながら情けないかぎりだ。
④あんなに頼りなかった弟が、社会人として頑張っている姿を見ると、まったく頼もしいかぎりだ。
注意1 ・Aは心情を表す形容詞
接続1 ［イ形容詞②］　かぎりだ
［ナ形容詞④］　かぎりだ

A　かける

意味1 Aの動作を始めた、している途中であることを表す。
例文1 ①論文を書きかけてはいるが、なかなか先に進まない。
②せっかく眠りかけていたのに、大きな声で話さないでよ。
③編みかけのセーターが部屋にあった。
④灰皿に吸いかけのタバコが置いてあった。

対比1「Aはじめる」
「Aはじめる」は継続する動作の最初の部分に話し手の視点がある。
　○　5時になったので、食事の支度をしかけた。
　○　5時になったので、食事の支度をしはじめた。
名詞として使う時は意味が異なるため、言い換えができない。
　○　灰皿に吸いかけのタバコが置いてあった。(吸っている途中のタバコ)
　○　タバコを吸いはじめの頃は、よくむせたものだ。
　　　　　　　　　　　　　　　　(吸うという習慣のはじめの部分)

「Aだす」(意味1　P.116)
「Aだす」は継続する動きの最初の部分に話し手の視点がある。「Aかける」はその動作が途中であることを意味する。
　○　彼女は話しだしたら、とまらない。　　　　　(長く続く)
　○　彼女は話しかけたが、やめた。　　　　　　(途中でやめた)
「〜出し」と名詞で使う場合は最初の部分という意味になり、「〜かけ」で言い換えはできない。
　○　手紙の書き出しが難しい。
　×　手紙の書きかけが難しい。

意味2　Aの事態が実現する寸前、Aという状態になる直前を表す。
例文2　①自転車に乗っている時にトラックとぶつかり、もう少しで死にかけた。
②治りかけのときに無理をして、また悪化させてしまった。
③あきらめかけた夢をもう一度追いかけることにした。
④風が強くて、ろうそくが消えかけている。

意味3　相手・対象に対してAという行為を及ぼす。
例文3　①私が話しかけたら、彼は気軽に答えてくれた。
②ドアの外から呼びかけたけれども、返事がなかった。
③この洗剤をシュッと吹きかけるだけで汚れがとれます。
④高齢者を狙った悪徳商法が多発していると注意を呼びかけた。

対比2,3「Aかかる」
「かかる」は自動詞であり、「Aかかる」は「XにAかかる」と、助詞「に」を取る。一方「かける」は他動詞であり、「XをAかける」となる。
　○　田中さんが佐藤さんに殴りかかった。　　　　(佐藤さんを殴った)

○　田中さんが佐藤さんを殴りかけた。　　　　　（殴りそうになった）
ただし、次のように行為の対象者を必要としない動詞の場合は、「Aかかる」と「Aかける」（意味2）はほとんど同じ。
○　火が消えかかっている。／消えかけている。
○　ボタンが取れかかっている。／取れかけている。

(接続1～3)　[動詞ーマス形] かける

A　がたい

(意味1)　Aをしようと思っても、することができない。
(例文1)　①あの真面目な彼が犯人だなんて、信じがたいことだ。
　　　　②これは正解ではないが、まちがっているとも言いがたい。
　　　　③この小説を読んで、言葉では形容しがたい感動を受けた。
　　　　④日本にきて、色々と得がたい経験をした。
(注意1)　・能力や事情によってできない場合は、この形では使えない。
　　　　×　私はフランス語が話しがたい。
　　　　×　怪我をしているので、歩きがたい。
　　　　・「甲乙つけがたい」「筆舌に尽くしがたい」「いかんともしがたい」「何物にも代えがたい」などの慣用的な表現もある。
対比1　「Aにくい」(意味1　P.225)
(接続1)　[動詞ーマス形]　がたい

A　かたがた　B

(意味1)　AとBが同程度の目的であることを示す。主に改まった場面や手紙などに使われる表現である。
(例文1)　①仲人さんの家へお礼かたがた新年のご挨拶にうかがった。
　　　　②社長の病院へ毎週お見舞いかたがた会社の様子を報告にいく。
　　　　③先生、大変お世話になりありがとうございました。おかげさまで大学に合格いたしました。ご報告かたがたお礼まで。
　　　　④建築中はいろいろと近所に迷惑をかけたので、お詫びかたがた引っ越

しの挨拶に行ってきた。

対比1「AをかねてB」(意味1 P.335)
意味は変わりがないが「AかたがたB」のAに使われる言葉は限られる。
○ 家族旅行をかねて、現地を視察してきた。
× 家族旅行かたがた現地を視察してきた。

接続1［名詞①］かたがた

A　がために　B
AがためのB

意味1 Aが重大な原因・理由となってB。BはAが原因となって起こるひどいこと、悪いこと。

例文1 ①私は強引であるがために、よく誤解される。
②彼女は世間を知らないがために、だまされることも多い。
③インスタント食品は便利であるがために、安易に食されすぎている。
④禁煙をしたがためのストレスで、かえって体調を崩した。

対比1「AばかりにB」(意味1 P.280)
「AばかりにB」はAの行為をした人を責めるニュアンスがあるので、謝罪文にも使えるが、「AがためにB」にはそのニュアンスはなく、Bの結果となった原因・理由を強調する表現である。
○ 私がいたらなかったばかりに、申し訳ございません。
× 私がいたらなかったがために、申し訳ございません。
「AためにB」(意味2 P.127)

接続1［動詞］がために
　　　　［イ形容詞①］がために
　　　　［ナ形容詞⑤⑥⑦］がために
　　　　［名詞③④⑥］がために

意味2「Aたいがために（の）B」の形で。Aが目的でB。

例文2 ①彼は金を手に入れたいがために、親友を裏切った。
②妹はフラダンスを極めたいがために、仕事をやめてハワイに移住した。
③女性はいつまでも美しくありたいがための努力と出費はいとわない。

④上司にほめられたいがためのゴマすりでは、昇進は無理だ。

(接続2)［イ形容詞②］がために（の）

A　かたわら　B

(意味1) Aを主としながら、B。

(例文1) ①父は仕事のかたわら、日曜日は少年野球の監督をしている。
②彼女は子どもを育てるかたわら、大学院に通っている。
③あの店は米を売るかたわら、たばこも扱っている。
④あの先生は研究のかたわら、ボランティアとして世界の子どもたちの支援も行っている。

(注意1) ・接続詞的に使う場合もある。
　　○　彼は演劇評論家として広く活躍した。かたわら、内外の演劇資料の収集にも努めた。
・「かたわら」は「〜の近く／そば」という意味の名詞もある。
　　○　妻がケーキを焼くかたわらで、子どもが遊んでいる。

対比1　「AながらB」(意味2　P.195)
「AながらB」とは、並列動作の場合、置き換え可能な文も多いが、「AかたわらB」は主となる本業と従となることを表す文に使うことが多い。
　　○　働きながら、学校に通う。
　　○　働くかたわら、学校に通う。
　　○　最近は便利になって、洗濯しながら、掃除ができる。
　　×　最近は便利になって、洗濯するかたわら、掃除ができる。
「A一方B」(意味1　P.33)

(接続1)［動詞ール形］かたわら
［名詞②］かたわら

A　がちだ
Aがちにβ／AがちのB

(意味1) ある状態になるとAという事態・状態になるのが一般的だ。Aはマイナ

スの事態になることが多い。

例文1 ①人間、ほめられると、とかくうぬぼれがちだ。
②雨の日が続くと、家にこもりがちだが、健康にはよくない。
③他人の噂話はついうっかりとしゃべりがちだ。
④誰でも、自分の失敗は棚にあげて、人のせいにしがちだ。

注意1 ・「とかく〜がちだ」の形で使われることが多い。

意味2 マイナスの状態Aになる傾向や頻度が高い。
例文2 ①来週1週間は曇りがちの天気が続くでしょう。
②一応時刻は合わせたけど、この時計は遅れがちなので気をつけてね。
③この地方は夏になると水が不足しがちのため、住民の節水意識が高い。
④彼女は子どものころから病気がちだから、激しい運動は無理だ。

対比2 「Aぎみだ」(意味1　P.72)
「Aっぽい」(意味1　P.138)
「Aきらいがある」(意味1　P.75)

意味3 「AがちにB」の形で。Aのようなようすでする。
例文3 ①彼女は振り向くと、恥じらいがちにほほえんだ。
②伏し目がちに話すところが、お姉さんそっくりだ。
③彼女はためらいがちに返事をした。
④彼は遠慮がちに金を貸してくれといった。

接続1〜3 ［動詞ーマス形］がち
　　　　　［名詞①］がち

A　がてら　B

意味1 Aの機会を利用してBをする。Aが主目的である。
例文1 ①父を駅まで迎えに行きがてら、ビデオを借りてきた。
②図書館の庭の桜がきれいなので、本を返しがてら花見をしてきた。
③毎朝、散歩しがてら、朝刊を買うのが父の日課です。
④部長を見舞いがてら、会議の報告をしてきた。

注意1 ・Aは移動動詞でなくても、移動の意味が含まれる。

○ 買い物（へ行き）がてら、新しいマンションを見にいった。

対比1 「AついでにB」(意味1 P.132)

「AがてらB」は移動を伴う文に使われるが、「AついでにB」にはこの制約がない。

○ 顔を洗うついでに、歯をみがいた。
× 顔を洗いがてら、歯をみがいた。

移動を伴う文でも「AがてらB」はAとBが同じ場所で達成されることではないが、「AついでにB」は同じ場所でもよい。

○ 手紙を出しに郵便局へ行ったついでに、年賀はがきを買ってきた。
× 手紙を出しに郵便局へ行きがてら、年賀はがきを買ってきた。
　　　　　　　　　　　　　（年賀はがきを郵便局以外の場所で買うのならいい）

意味2 Aという目的でB。AはBの場所で達成される目的である。BはAの目的場所へ向かうという意味だが、Aの達成だけでなくそれ以外の目的も含んでいる。

例文2 ①涼みがてら、夜の町に出た。
②母の見舞いがてら、実家に帰った。
③休養がてら、温泉に行った。
④孫の顔を見がてら、東京を訪れた。

対比2 「AをかねてB」(意味1 P.335)

「AをかねてB」はAとBの主・副の関係が弱く、同じ程度の力を持つ目的である。

○ 林さんの見舞いがてら、山田さんの病室にも寄ってきた。
　　　　　（林さんの見舞いが第一の目的で、山田さんの見舞いもした）
○ 林さんの見舞いをかねて、山田さんの病室にも寄ってきた。
　　　　　（病院へは林さんと山田さんの二人を見舞うためにいった）

接続1,2 [動詞ーマス形] がてら
　　　　 [名詞①] がてら

A かと思うと B
Aかと思ったらB

意味1 Aの事態とBの事態が瞬時の差で続けて起こることを表す。

例文1 ①稲妻が光ったかと思うと、雷鳴がとどろきわたった。
②彼は立ち上がったかと思うと、突然倒れた。
③地鳴りが聞こえたかと思うと、激しい揺れに襲われた。
④彼は布団に横になったかと思ったら、いびきをかいて寝てしまった。

対比1 「Aと思うとB」
「Aと思うとB」との置き換え可能。
「AたとたんにB」(意味1　P.121)

意味2 AとBは対立する事態であり、AからBへの極端な変化が速いと話し手が感じている表現。

例文2 ①あの子はお菓子が食べたいといったかと思うと、もういらないと言う。
②給料が入ったかと思ったら、すぐに借金返済に取られる。
③夏休みになったかと思ったら、もう始業式だ。
④玄関の電気はついたかと思うと消え、消えたかと思うとつきを繰り返し、とうとう消えてしまった。

注意2 ・「〜かと思うと」「〜かと思ったら」「〜と思うと」「〜と思ったら」の順で「硬い表現→柔らかい表現」になる。

接続1,2 [動詞ータ形] かと思うと

意味3 （Bに感情表現が来て）Aということを思い浮べると、B。

例文3 ①あの嵐の中から生還したかと思うと、我ながら信じられない。
②一生懸命働いて、手にした給料がこれかと思うと、情けない。
③また怒られるのではないかと思うと、正直に言えない。
④彼とは二度と会えないのかと思うと、涙が止まらなかった。

接続3 [動詞]（の）かと思うと
[名詞①]（なの）かと思うと

A　かねない

意味1 Aという事態にならないとはいえないというあいまいな表現。自分のことには使わないが、自身でコントロールできないことには使える。

例文1 ①無責任な彼のことだから、約束していても忘れかねないよ。
②あのビルを早く撤去しなければ、倒壊しかねない。
③コンセント付近はまめに掃除しておかないと、火災を起こしかねない。
④俺は短気だから、カッとなったら辞表を出しかねないぞ。

注意1 ・Aの事態は話し手が好ましくないと思っている場合に使うことが多いが、望んでいる事態に皮肉・ユーモアを込めて使うこともある。
　○　このままの勢いでいけば、今年は阪神が優勝しかねないぞ。
・意味1のような「これから起こる可能性」だけでなく、過去の事実に対して可能性が大いにあると納得する場合にも使う。
　○　「昨日のパーティーで田中さんったら、殴り合いの喧嘩をしたのよ。」
　　「あいつなら、やりかねないなぁ。」　　　　　（するだろうな）

接続1 ［動詞ーマス形］かねない

A　かねる

意味1 「できない」ことを控えめに述べる表現。「Aできない」という表現が直接的で強すぎる場合に使うあいまいな表現。

例文1 ①このような仕事はお引き受けしかねます。
②私ではちょっとわかりかねますので、担当の者を呼んでまいります。
③一度お買い求めになった商品はお取り替えしかねます。
④最近の父は、ますます頑固になり家族中、扱いかねている。

注意1 ・「Aかねる」は話し手側の事情でできない場合に使い、能力的にできない場合は使えない。
　×　私、フランス語は話しかねるんです。
　○　ここでその話はちょっとしかねます。
・「愛す・笑う・悲しむ・憎む・喜ぶ」などの感情動詞には使いにくい。
・慣用的に派生して一語のように使う場合もある。
　○　見るに見かねて、救いの手を差し伸べた。　　（見ていられなくて）

○ 待ちかねていた便りが届いた。　（待てないほど長い間待っていた）
○ たまりかねて、泣きだした。　　　　　（我慢の限界をこえて）

接続1）[動詞ーマス形] かねる

A　かのようだ
AかのようなB／AかのようにB

意味1）（Aは事実ではないかもしれないが）まるでAみたいだと話し手が感じる。

例文1）①彼の話し方はその事件を実際に見ていたかのようだ。
②彼女はぼくのことを好きであるかのような態度をとる。
③弟はまるで私がいじめたかのように母に告げ口をする。
④彼女はまるで母親であるかのように優しく私を慰めてくれた。

対比1　「AようにB」（意味4　P.320）
「AようにB」のバリエーションの一つ「A（の）ようだ」には、はっきりわからないが、という推量の意味があるが、「Aかのようだ」にはこの意味がない。

○ 雨が降っているようだ。（雨の音などによって、降っていると思う）
○ 雨が降っているかのようだ。
　　　　　　　　　　（本当は降っていないが、降っているように感じる）

意味2）実際は分からないが、話し手はBをAだと思っている、感じている。

例文2）①彼は出て行けというかのような目で私を見た。
②その部屋には心が癒されるかのような音楽が流れていた。
③部下のわがままを黙認するかのような部長の態度は許せない。
④彼女は「たくさん別荘があると管理が大変よ」と、自慢しているかのように話した。

対比2　「AようにB」（意味2　P.319）
「AようにB」のバリエーションの一つ「A（の）ようだ」と「Aかのようだ」は、話し手がその事態をAと感じているという意味では同じだが、「Aかのようだ」の方があいまいな感じが強い。

○ いくら大臣でも女性を軽視するような発言は許せない。
○ いくら大臣でも女性を軽視するかのような発言は許せない。

(接続1,2) ［動詞］かのようだ
［名詞③④⑥］かのようだ
［ナ形容詞⑤⑥⑦］かのようだ

A　が早いか　B

(意味1) Aするのとほとんど同時にB。すぐにBということが言いたい。

(例文1) ①男は私のハンドバッグを奪うが早いか、逃げだした。
②電車の扉が開くが早いか、乗客が我先に乗り込んできた。
③彼はパスポートを置き忘れたと気づくが早いか、さっきまでいた店に向かって駆け出していた。
④「嘘つき」と言うが早いか、平手打ちが飛んできた。

(注意1) ・Bに意向文・命令文はこない。
× 私は家に帰るが早いか、テレビを付けよう。

対比1 「Aや否やB」(意味1　P.313)
「Aや否やB」の後文が意志表現のものは、置き換えても文意は変わらないが、同時という感じが「Aが早いかB」のほうが強く、スピード感に差がある。また、実際にはAとBの間に時間の経過を伴う場合は、「Aが早いかB」は使わない。
× 彼は新しい部署に配属されるが早いか、ベテラン並みの働きをした。

「AかAないかのうちにB」(意味1　P.49)
AとBとの時間の関係が異なる。
○ 部屋に入るが早いか、カバンを投げ出した。
（入るとほぼ同時に投げ出す）
○ 部屋に入るか入らないかのうちに、カバンを投げ出した。
（入る前に投げ出している）

「AたとたんにB」(意味2　P.122)
「AたとたんにB」はBに何らかの意外な変化がくるが、「Aが早いかB」はAとBの同時性が述べたいのであり、Bに無意志動詞はこない。
○ 立ちあがったとたんに、目まいがした。
× 立ちあがるが早いか、目まいがした。

(接続1) ［動詞―ル形］が早いか

A　から　B　にかけて
AからBにかけての

(意味1) AとBを含む大体の範囲を表す。その範囲は厳密なものではなく大きくAとBにまたがっていることを示す。

(例文1) ①関西から関東にかけての広い範囲で、地震の揺れが感じられた。
②今週から来週にかけて、冷込みが厳しくなりそうだ。
③首から肩にかけて激痛が走った。
④この歌手は中学生から高校生にかけての若い世代に支持されている。

(注意1) ・「Aから」を省略した使い方もある。
○　明日夕方にかけて、大雪になる恐れがあります。

(対比1) 「AからBまで」(意味1　P.64)
「AからBまで」は「AB間」というはっきりした範囲を表す。
○　10時から12時まで、授業です。
×　10時から12時にかけて、授業です。
○　昨夜から今朝にかけて、風が強かった。
×　昨夜から今朝まで、風が強かった。

(接続1) [名詞①] から [名詞①] にかけて

A　から　B　まで

(意味1) Aを出発点として、帰着点がBというはっきりした範囲を表す。

(例文1) ①勤務時間は朝9時から夕方5時までです。
②ここからあの木まで何メートルありますか。
③去年の9月から今年の8月まで日本に住んでいました。
④あの人は北海道から九州まで、自転車で走ったそうだ。

(対比1) 「AからBにかけて」(意味1　P.64)

(意味2) Aを出発点として終点Bの範囲ですべて。Aを基本とし、Aから発展したBの範囲ですべて。

(例文2) ①ご妊娠からご出産まできめ細かなケアでご満足いただいております。
②このスタジオは録音からCD製作まで行える。

③泥棒に入られ、お金から靴下までとられてしまった。

④通勤から行楽まで、私たちは普段、交通機関には世話になっている。

(注意2)・「何から何まで」「一から十まで」「隅から隅まで」は慣用的な表現。

○ 何から何までお世話になってありがとうございました。

○ 彼は物分かりが悪いから、一から十まで説明しなければならない。

(接続1,2) ［名詞①］から［名詞①］まで

A　からある
Aからいる／Aからする／AからのB

(意味1) Aには話し手がそれだけでも十分多い（大きい）と思う数値がきて、実際はそれ以上であることを示す。

(例文1) ①彼の作品の中で大きなものは10メートルからある。

②コンサートに集まった人は500人からいる。

③150ページからの論文を全部英訳しなければならない。

④あの歯医者で1万円からする電動歯ブラシを買わされた。

(注意1)・Aは区切りのいい数である。

対比1 「A以上だ」

「A以上だ」のAは数以外でも使える。話し手にとって多いという感覚はなく、単にAというレベルや数・量より上だという意味を表す。

○ 彼の実力は先生以上だ。

× 彼の実力は先生からある。

○ 日本の法律ではたばこを吸えるのは二十歳(はたち)以上だ。

× 日本の法律ではたばこを吸えるのは二十歳(はたち)からある。

「AものB」(意味1　P.303)

(意味2) Aが最低ラインでそれ以上のものがあることを示す。

(例文2) ①あの店のランチは1500円からある。

②小学生用の辞書ならカンタンなもので1000語からのものがある。

③A社のパソコンは軽いものでは900グラムからあります。

④当スイミングスクールのクラスは生後2カ月からあります。

対比2 「A以上だ」

「A以上だ」はAより下は「ない」ということを示し、「Aからある」は低い数なのに「ある」ことを示す。
  ○ あの花屋はバラ1本が80円からある。
　　　　　　　　　　　(80円という安い値段のバラがある)
  ○ あの花屋はバラ1本80円以上だ。　(80円より安いバラはない)

接続1,2 [数詞] からある

A　からいうと　B
AからいってB

意味1　Aという視点、面で考えたらBだ。Bで話し手の意見・主張を述べる。

例文1　①色彩感覚からいうと、彼の右に出るデザイナーはいない。
　　　②環境破壊という点からいうと、ゴルフ場などを作るべきではない。
　　　③使いやすさからいって、この商品が一番だ。
　　　④「あの映画とこの映画と、どっちがおもしろい？」
　　　　「内容からいうとあの映画の方がおもしろいけど、私の好みからいうとこっちだね。」

注意1　・「AからいってB」は、会話体のくだけた言い方。

対比1　「AからするとB」(意味1　P.68)
　　　「AからみるとB」(意味1　P.70)

「AからするとB」「AからみるとB」はともに、Aを判断材料としてBを推測、または導くが、「AからいうとB」は、XのAという面から意見を述べるとBという意味。

　○　彼は平社員だが、給料 { ○からいうと / ×からすると / ×からみると } 社長と同額だ。

　○　この空模様 { ×からいうと / ○からすると / ○からみると } 嵐(あらし)になりそうだ。

意味2　Aという立場からの意見・主張をBで述べる。
例文2　①医者からいうと、彼のような患者がいちばん扱いにくい。

②輸入業者からいうと、円安は大いに歓迎すべきことだ。
③採用する側からいうと協調性のある人がいい。
④私のような年代のものからいうと、今の若者にはもっとしっかりしてもらわなければ困る。

(注意2) ・「AからいってB」では置き換えられない。
(接続1,2) [名詞①] からいうと

（Xは）　A　からして　B

(意味1) XはAを例としてすべてBである。
(例文1) ①あの人は目付きからして怪しい。
②最近の若者は言葉遣いからしてなっていない。
③この会社は会社案内からしてユニークだ。
④あの店の料理はソースからして違う。

(注意1) ・「XがすべてB」ではなく、Xの程度を言いたい時にも使う。
　　○　彼の家は犬小屋からして冷暖房完備だ。　　（それほど金持ちだ）

(意味2) Aという面から想像するとBという推測ができる。AはBの属性である。
(例文2) ①この手紙は筆跡からして彼が書いたものに違いない。
②「どの人が社長でしょうか？」
　「私も知らないんですが、服装からして彼ではないでしょうか。」
③よくわからないが、話し声からして隣の部屋にいるのは課長らしい。
④彼はアクセントからして、東北出身ではないだろう。

対比2 「AからするとB」(意味1　P.68)
「AからしてB」のAはBの属性であるが、「AからするとB」のAはBを導き出す判断材料である。
　　○　彼の考え方からするとこの理論は正しいということになる。
　　×　彼の考え方からしてこの理論は正しいということになる。

(接続1,2) [名詞①] からして

A　からすると　B
AからすればB／AからしたらB

意味1　AはBの判断材料。Aという点から判断するとB。

例文1　①この空模様からすると、一雨来そうだな。
②公平性の観点からすると、彼の考えは間違っていた。
③海外の基準からしたら、日本のタバコはまだ安い。
④例年の傾向からすれば、今年の冬物は期待以上の売れ行きだ。

注意1　・Aが感覚的になるとBは推測になる。
　　　　　〇　階段を上がってくる足音からすると、夫は何かいいことがあったにちがいない。

対比1　「AからみるとB」（意味1　P.70）
「AからみるとB」はAの判断材料とBの関係が密で、Bの判断を下す根拠がAに明確に表れていなければならず、客観的な根拠ほど「AからみるとB」がよく使われる。「AからするとB」のAは客観的・主観的両方の根拠が可能である。
　　〇　私の考え方からすると、君の意見はまちがっていると思う。
　　×　私の考え方からみると、君の意見はまちがっていると思う。
　　〇　彼の考え方からみると、君の意見はまちがっていると思う。
　　〇　彼の考え方からみると、君の意見はまちがっていると思う。
「AからしてB」（意味2　P.67）
「AからいうとB」（意味1　P.66）
「AあたりB」（意味3　P.29）

意味2　Aという立場や観点からの判断をBで述べる。

例文2　①教師からすると、よく勉強する学生がいい学生であり、学生からすると、やさしい先生がいい先生ということになる。
②わが国からすると、この協定は不公平といわざるをえない。
③消費者からすると、円高で輸入品が安くなるのは歓迎すべきことだ。
④有権者からすると、魅力的な政党がないことが問題だ。

接続1,2　　［名詞①］からすると

A　からといって　B
AからとてB

意味1 Aということを理由にBをするのはよくないことだ、Bにはならない。

例文1 ①何でも知っているからといって、大きな顔をするな。
②嫌いだからといって、野菜を食べないと体に悪いよ。
③手紙がこないからといって、事故にあったとは限らない。
④古い本だからとて内容が古いわけではない。

注意1 ・「AからとてB」は、古い、改まった表現。

対比1 「AといってもB」(意味1 P.161)
「AといってもB」はAは事実であるが、そのAの一部分をBで否定する言い方であるため、Aが必ずしも理由にならなくてもいい。
○　若いといっても、彼ももう30歳です。
×　若いからといって、彼ももう30歳です。

「AもののB（AとはいうもののB）」(意味1 P.312)
「AもののB」はAをすると、当然の結果・流れとしてCになるはずなのに、Cにはならずbとなったという意味であり、Bには事実を述べる文がくるが、「AからといってB」はBで意見を述べる。
○　一生懸命勉強しているものの、成績が伸びない。
○　一生懸命勉強しているからといって、成績は伸びるものではない。

「AとてB」(意味2 P.180)

接続1 [動詞] からといって
[イ形容詞①] からといって
[ナ形容詞③] ＋だ＋からといって
[名詞④⑤⑥] からといって

A　からには　B
AからはB

意味1 Aと決心した／Aしたのだから、Bをするのは当然のことだ。Bには覚悟を迫る表現や個人的感情を表す文がくる。

例文1 ①一度引き受けたからには、どんなことがあっても最後までやります。

②オリンピックに出場するからには、何が何でも金メダルをとりたい。
③約束が守れなかったからには、覚悟はできています。
④家賃が払えないからは、出て行ってもらいます。

(注意1) ・「～からは」は意味は同じだが硬い表現。
　　○　国民の期待を担って当選したからは、公約を果たす義務がある。
　　○　国民の期待を担って当選したからには、公約を果たす義務がある。

(対比1) 「AうえはB」(意味1　P.39)
　　　　「AてまえB」(意味1　P.146)

(接続1) [動詞] からには

(意味2) Aを前提としたら、当然Bとなる。
(例文2) ①医者であるからには、患者の命を助ける義務がある。
②日本に住んでいるからには、日本の法律に従わなければならない。
③これだけ車体が大きいからには、かなり燃費もかかるだろう。
④彼が犯人だと決めつけるからには、重大な証拠を握っているのだろう。

(対比2) 「A以上B」(意味1,2,3　P.32)
　　　　「AかぎりB」(意味1,3　P.51,52)

(接続2) [動詞] からには
　　　　[イ形容詞①] からには
　　　　[ナ形容詞⑤] からには
　　　　[名詞③④⑥] からには

A　からみると　B
AからみればB／AからみてB／AからみてもB

(意味1) Aという客観的な判断材料からBが導かれる。
(例文1) ①学生時代の成績からみると、彼はとても優秀な人だ。
②この記録からみると、間違いなくオリンピックに出場できるだろう。
③企業の成長力からみれば、まだこの株価は安すぎる。
④輝きからみても大きさからみてもこのダイヤが一番高そうだ。

(注意1) ・判断の根拠が目で見て確認できるものでなければ成立しにくい。
　　×　この匂いからみると、今晩はカレーだな。

|対比1| 「AからいうとB」（意味1　P.66）
　　　 「AからするとB」（意味1　P.68）

|意味2| （全体像は見ずに）Aという立場や視点からの判断をBで述べる。
|例文2| ①歌がうまいといっても、プロからみると話にならない。
　　　 ②内気な彼はいじめっ子からみると、格好の獲物だった。
　　　 ③世界からみれば、日本の国土は決して狭くないのだ。
　　　 ④株主からみて期待を裏切らない企業とは、配当が安定している企業だ。
|対比2| 「AにしてみればB」（意味1　P.235）
|接続1,2| ［名詞①］からみると

A　かわりに　B
AがわりにB

|意味1| はじめはAを予定していた／Aが普通だが、それができなくなって／したくなくてB。
|例文1| ①大雨だったので映画に行くかわりに家でビデオを見ていた。
　　　 ②姉はダイエットだといって、ご飯を食べるかわりに果物を食べている。
　　　 ③彼女は病気の夫のかわりに仕事に出ている。
　　　 ④値段が高かったので、牛肉のかわりに豚肉を買った。
|接続1| ［動詞ール形］かわりに
　　　 ［名詞②］かわりに

|意味2| Aの交換条件としてBを出す。
|例文2| ①バイトを代わってあげるかわりに、食事をごちそうしてちょうだい。
　　　 ②彼は出世して不動の地位を手に入れたかわりに、家庭生活を失った。
　　　 ③私があなたに日本語を教えます。かわりに英語を教えてください。
　　　 ④父は自分が行かないかわりに、兄をあいさつに行かせた。
|注意2| ・「かわりにと言ってはなんですが～」という表現は、「Aのかわりにはならないけれども～」と、謙遜して言う表現で、会話でよく使われる。
　　　 ○　申し訳ございませんが、この商品は新作ですので値引きできません。
　　　 　　かわりにと言ってはなんですが、粗品を付けさせていただきます。

(接続2) [動詞] かわりに

(意味3) 「AがわりにB」の形で。本来AでないものをAとしてB。
(例文3) ①彼女は香水を芳香剤がわりにトイレで使っている。
②彼は水がわりに牛乳を飲んで大きくなったらしい。
③山頂はあまりにも寒くて、持っていた新聞紙をコートがわりに羽織って寒さをしのいだ。
④まずはごあいさつがわりに新年の抱負を述べます。
(接続3) [名詞①] がわりに

A　きどり
AきどりでB

(意味1) Aではないのに、さもAであるかのような言動をし、それが周りに不快感を与えるようす。なりたいAになったつもりでB。
(例文1) ①まだ結婚もしていないのに、もう夫婦きどりだ。
②あの芸能人は文化人きどりでテレビの討論会によく出演している。
③作家きどりで小説を書き始めたが、三日で挫折した。
④彼女とは一度食事をしただけなのに、恋人きどりで毎晩電話してくる。
(接続1) [名詞①] きどり

A　ぎみだ
AぎみのB／AぎみでB

(意味1) 現在Aという傾向・状態が少し現われている。Aは話し手の感覚ではマイナスの事態が多い。
(例文1) ①我が校のコンピュータ化は当初の計画よりやや遅れぎみだ。
②この1週間、仕事が忙しくて疲れぎみなんだ。
③味は少しこってりぎみのほうが、弁当に向いている。
④今日はどうも風邪ぎみで、調子が悪い。
(対比1) 「Aがちだ」(意味2　P.58)

「Aがちだ」も「Aぎみだ」も共にマイナス状態への傾向を表すことが多いが、「Aがちだ」は、現在は違うが条件がそろうとAになりやすいという意味で、「Aぎみだ」は現在がAの状態ということを表している。
○　うちの子はほめると気が抜けて、成績が下がりがちになる。
　　　　　　　　（今は下がっていないが、ほめると下がることが多い）
○　うちの子は最近、成績が下がりぎみなので、心配だ。
　　　　　　　　　　　　　　　　　　　（現在、下がりつつある）

(接続1)　[動詞ーマス形] ぎみ
　　　　 [名詞①] ぎみ

疑問詞　＋　A　ことか

(意味1)　疑問詞とともに用い、とてもAだと強調する表現。
(例文1)　①彼女の歌声はなんと美しいことか。
　　　　②毎年、悲惨な交通事故でどれだけの人が犠牲になることか。
　　　　③一人で暮らすというのがどんなに厳しいことか君はわかっていない。
　　　　④あの子はいくら言ってもきかないので、一日に何回注意することか。
(注意1)　・Aの疑問詞は「いかに・いくら・どれだけ・どれほど・なんと・なんて・何（回／時間／人…）」など程度や頻度を表すもの。
(接続1)　疑問詞＋［動詞］ことか
　　　　疑問詞＋［イ形容詞①］ことか
　　　　疑問詞＋［ナ形容詞②］ことか
　　　　疑問詞＋［名詞③④⑥］ことか

(意味2)　疑問詞とともに用い、予想できず、困惑したり、期待したりする気持ちを表す。
(例文2)　①友達に金を貸したが、いつ返してくれることか。
　　　　②うちの猫は今頃、どこで何をしていることか。
　　　　③上司から話があると言われた。いったい何を言われることか。
　　　　④恋人を連れてくると娘は言ったが、どんな人を連れてくることか。
(注意2)　・Aは「どれ・どこ・いつ・だれ・どんな・なに」などの疑問詞である。
対比2　「疑問詞＋Aやら」（意味1　P.74）

「疑問詞＋Aやら」も文末に使われ、まったく見当がつかないことを表すという意味では同じ。「Aことか」は予想できないという気持ちを表し、目の前で現在行われていることには使えないので、「Aことか」を「Aやら」に置き換えは可能だが、逆はできないこともある。

○ 何を言うやら、この子は…。
× 何を言うことか、この子は…。

「**疑問詞＋Aやら**」(意味2　P.74)
「疑問詞＋Aやら」のAが動詞の場合は置き換え可能。

(接続2) 疑問詞＋［動詞─ル形／テイル／タ形］ことか

疑問詞　＋　A　やら

(意味1) 相手の言葉や行動やその場の状況に対して、軽く相手を非難したり、責めたり、あきれたりする表現。

(例文1) ①あの男はごみの日でもないのにごみを出して、何をするやら…。
②入社面接の日にジーパン姿で現れた。今の学生は何を着てくるやら。
③朝からこの子は泣き続けて、どれだけ泣いたら気が済むのやら。
④社長が今日中にこの仕事をしろと言った。できるはずがないのに、なんてことを言い出すやら。

(対比1) 「疑問詞＋Aことか」(意味2　P.73)
(接続1) 疑問詞＋［動詞］(の)やら

(意味2) はっきりわからないという話し手の気持ちを表す。
(例文2) ①いつになったら日本語が上手に話せるやら、努力が報われない。
②それぞれの言い訳を聞いているとどっちが悪いのやらわからない。
③霧が出てきて、どこが頂上やら見えなくなってしまった。
④どんな話が聞けるやら、楽しみでわくわくしています。

(対比2) 「疑問詞＋Aことか」(意味2　P.74)
(接続2) 疑問詞＋［動詞─ル形／テイル／タ形］のやら
　　　　疑問詞＋［イ形容詞①］(の) やら
　　　　疑問詞＋［ナ形容詞④⑥］のやら
　　　　疑問詞＋［名詞①］(なの) やら

疑問詞 ＋ A ようが B
疑問詞＋AようとB／疑問詞＋AようともB

意味1 Aの程度や範囲を限定せず、とにかくB。話し手の述べたいことはB。

例文1 ①料理がどんなにまずかろうが、夫はおいしいと言ってくれる。
②この機械がどんなに便利だろうが、高すぎて私には買えない。
③いかに難関校だろうが、あの大学を受けてみたい。
④この金で何を買おうと私の自由でしょ。

対比1 「疑問詞＋AてもB」
「疑問詞＋AようともB」
「疑問詞＋AてもB」と「疑問詞＋AようがB」は置き換え可能である。「疑問詞＋AようともB」はさらに強調される感じがある。「疑問詞＋AてもB」は会話でよく使われる表現で、文の緊張感が薄れる。
　○　どんなことが起ころうが、ついてきてください。
　○　どんなことが起ころうとも、ついてきてください。
　○　どんなことが起こっても、ついてきてください。
「AようがBようがC」(意味1　P.317)

接続1 ［動詞－意向形］が
［イ形容詞⑥］かろうが
［ナ形容詞①］だろうが
［名詞①］だろうが

A　きらいがある

意味1 Aという傾向・性格がある。

例文1 ①彼女は美人だが、自分の意見を主張しすぎるきらいがある。
②彼はすぐ感情を顔に出すきらいがある。
③その結論は無理やり考えたきらいがある。
④昨日の会合は主催者側の意図が十分浸透していないきらいがあった。

注意1 ・Aは主に悪い傾向である。

対比1 「Aがちだ」(意味2　P.58)
傾向を表す場合は置き換えできるが、頻度を表す場合は「Aがちだ」の

みである。
　○　来週1週間は、曇りがちの天気だろう。
　×　来週1週間は、曇るきらいがある。

(接続1) ［動詞］きらいがある

A　きる
Aきって B

(意味1) 全部・完全にA。
(例文1) ①力を出しきることができたから、優勝できなくても後悔しません。
　②レストランを借りきって、パーティーを開いた。
　③空には数えきれないほどの星が輝いていた。
　④有り金を使いきってしまい、どうすればいいかわからない。
(注意1) ・「Aきり」の形で「名詞」として使うこともある。
　○　貸しきりバスで、遠足にいった。
　○　続き物より、読みきりの漫画の方が好きだ。
対比1　「Aつくす」（意味1　P.133）
「Aつくす」は一定の限度のものを残らず・すべてAするという意味で、残りがないという意味が強いのに対し、「Aきる」は完全に完了するという意味が強い。
　○　こんなにたくさんの料理を一人では、食べきれません。
　○　遭難2日目で、持っている食料を食べ尽くしてしまった。
「Aぬく」（意味1　P.266）

(意味2) 自信を持ってAという強調表現。
(例文2) ①彼は「ぼくは無実だ」とはっきり言いきった。
　②警察は犯人逮捕に踏みきった。
　③S社は自社方式を押しきったが、消費者に受け入れられなかった。
　④目撃者がいるといっても、彼女が犯人だとは言いきれない。

(意味3) 大変・非常にA。
(例文3) ①澄みきった青空のもと、競技会は開催された。

②二人の冷えきった愛情は、もうもとには戻らないだろう。
③今更、分かりきった話は聞きたくない。
④妻は出張から疲れきって帰ってきた。

接続1～3）[動詞ーマス形] きる

A　きわまりない
Aきわまる

意味1　これ以上ないくらいAだと、Aを強調する表現。

例文1　①いきなり商品を売り付けようとするとは失礼きわまりない。
②あの深夜番組は、不健全きわまりない。
③この数式は、複雑なこときわまる。
④あの評論家の意見はいつも痛快きわまる。

注意1　・「きわまりない」も「きわまる」も意味は同じ。
　　○　彼のとった行動は、冷酷きわまる。／　冷酷きわまりない。
・Aは「残酷・不道徳・不可解・非常識・無礼・不親切・平凡・滑稽」
　など決まったマイナスの意味の漢語に使うことが多い。
　×　彼はケチきわまりない。
　×　彼女は幸福きわまりない。
・慣用的表現として「きわまる」しか使わないものもある。
　○　ローマ法王を見て、感きわまって涙を流す人もいた。

対比1　「Aのきわみ」(意味1　P.270)
「Aのきわみ」はAの程度が高まった頂点である。「Aきわまりない」はとてもAだという表現である。置き換えられるものもあるがニュアンスは異なる。
　○　自家用セスナ機を持っているなんて、贅沢のきわみだ。
　　　　　　　　　　　　　　　　　　　　　（この上なく贅沢だ）
　○　自家用セスナ機を持っているなんて、贅沢きわまりない。
　　　　　　　　　　　　　　　　　　　　　（贅沢で不愉快だ）
また、「Aのきわみ」は程度を表さないものには使えない。
　○　今回の人事異動は不本意きわまりない。
　×　今回の人事異動は不本意のきわみだ。

(接続1) ［イ形容詞②］＋こと＋きわまりない
　　　　［ナ形容詞④］＋こと＋きわまりない
　　　　［ナ形容詞①］　きわまりない

A　くさい

(意味1) 好ましくないAという感じがする。
(例文1) ①誕生日なんだから割引券で食事に行くなんて、ケチくさいこと言うな。
　　　　②彼の話はどうも嘘くさい。
　　　　③あの店の服って、何となく田舎くさいと思わない？
　　　　④そんな陰気くさい顔をしていないで、もっと笑って。
(注意1) ・そのものの良い面を好意的に捉える場合もある。
　　　　○彼は芸能界で、素人くさいところがうけて人気者になった。
　　　　○彼の作品に登場する人物はみんな人間くさい。
(対比1) 「Aっぽい」(意味2　P.138)

(意味2) Aのような悪い、嫌な匂いがする。
(例文2) ①この部屋、ガスくさくない？　窓をあけましょう。
　　　　②車から降りてきた彼の息は酒くさかった。
　　　　③汗くさい服を着ていたら、彼女に嫌われるよ。
　　　　④エンジンをかけたら、ガソリンくさい匂いがした。
(接続1,2) ［名詞①］　くさい

A　くせに　B

(意味1) AなのにB。　話し手の対象に対する非難・揶揄の気持ちが強く込められている。
(例文1) ①あの人は知っているくせに、知らん顔をする。
　　　　②先生でもないくせに、偉そうな態度をする。
　　　　③自分が失敗したくせに、すぐ人のせいにする。
　　　　④彼は酒が好きなくせに、人前では飲まない。

対比1 「AのにB」
　　　「AのにB」はAとBの主体が異なる場合も可能であるが、「Aくせに B」はAとBの主体が同一であるのが普通である。
　　　○　彼女が頼んだのに、彼は引き受けなかった。
　　　×　彼女が頼んだくせに、彼は引き受けなかった。
　　　「AくせにB」は第三者や相手を非難するときに使われ、自分自身には使いにくい。
　　　○　一生懸命勉強したのに、50点しか取れなかった。
　　　×　一生懸命勉強したくせに、50点しか取れなかった。
　　　ただし、自分を客観視する場合は1人称にも使う。
　　　○　私はダイエットしているくせに、おいしそうなケーキを見るとつい買ってしまう。

接続1 [動詞] くせに
　　　[イ形容詞①] くせに
　　　[ナ形容詞②] くせに
　　　[名詞②④⑥] くせに

A　くらい（ぐらい）　B

Aくらい（ぐらい）Bはない／Aくらい（ぐらい）ならB／Aくらい（ぐらい）だ

意味1　AはBの状態や程度を強調する例である。

例文1　①あの二人は、見分けがつかないくらいよく似ている。
　　　②そのニュースを聞いて、飛び上がるぐらいびっくりした。
　　　③恋人が事故で入院したときは、食事もとれないくらい心配した。
　　　④校長は来賓（らいひん）の前で滑稽（こっけい）なぐらい緊張していた。

注意1　・「Bて、Aくらいだ」の形で使うこともある。
　　　○　仕事が忙しくて、デートもできないくらいだ。

対比1 「AほどB」（意味1　P.289）
　　　「Aくらい（ぐらい）B」との置き換えは可能。

接続1 [動詞] くらい
　　　[イ形容詞②] くらい

[ナ形容詞④] くらい

意味2　Aは軽くて、大したことないと話し手が思っている表現。
例文2　①好きな服を買うことぐらい、働いていれば自由だ。
　　　②料理の二品や三品作ることぐらい、彼には苦痛でも何でもなかった。
　　　③自分の部屋の掃除ぐらい、自分でしなさい。
　　　④こんな問題、目をつむっていてもできるぐらいだ。
注意2　・Bが名詞の時は、「AぐらいのB」となる。
　　　　○　うがいや手洗いは風邪の予防ぐらいの効果はあるだろう。
接続2　[動詞ール形] くらい
　　　[動詞ール形] ＋こと＋くらい
　　　[名詞①] くらい

意味3　「AくらいならB」の形で。Bという状態も満足しているわけではないが、Aを選択するよりはBの方がましだという表現。
例文3　①彼と結婚するぐらいなら、独身でいるわ。
　　　②試験前にあわてるくらいなら、日頃からきちんと勉強しておけばいい。
　　　③レストランで緊張して食べるくらいなら家で食べるほうがおいしい。
　　　④世話をせず枯らしてしまうくらいなら植木なんて買うな。
接続3　[動詞ール形] くらい

意味4　「Aくらいなら」の形で。Aより大きい数だとだめだがAの程度ならB。
例文4　①5万円くらいならいつでも自由に使えます。
　　　②年に1回ぐらいなら、母を旅行に連れて行ってあげたい。
　　　③この車は古いが100キロぐらいなら出ますよ。
　　　④人の家に電話するとき、夜10時ぐらいまでなら失礼にはならない。

意味5　「Aくらい（ぐらい）」の形で。だいたいのA。Aは数や時を表す名詞である。
例文5　①大阪から東京まで600キロぐらいだ。
　　　②日曜日に引越しするので、3人ぐらい手伝いに来てほしい。
　　　③日本では、全体の30％ぐらいの発電所が二酸化炭素を排出している。
　　　④来年の春ぐらいには孫が生まれる予定なんです。

| 対比5 | 「A（数詞）ばかり」(意味1　P.276)
　　　　「AほどB（A（数詞）ほど）」(意味4　P.290)
　　　　「AあたりB」(意味2　P.29)
| 接続4,5 | ［名詞①］くらい

| 意味6 | 「AくらいBはない」の形で。一番BはAという状態だ。
| 例文6 | ①親より先に死ぬくらい、親不孝なことはない。
　　　　②信じていた人に裏切られるくらい、悔しいことはない。
　　　　③気のあった友達と酒を飲むくらい、楽しいことはない。
　　　　④温泉ぐらい、のんびりできるところはない。
| 注意6 | ・Bは感情や評価を表す言葉。
| 対比6 | 「AほどB（AほどBない）」(意味2　P.290)
| 接続6 | ［動詞ール形］くらい
　　　　［名詞①］くらい

A　げだ
AげなB／AげにB

| 意味1 | 心情などを表す形容詞につき、そのような様子であることを表す。
| 例文1 | ①彼女は大きく頼もしくなった息子の後ろ姿に、満足げだった。
　　　　②「今年の正月はひとりぼっちだ」と彼は寂しげにつぶやいた。
　　　　③息子が3人とも医大に通っていることを彼は自慢げに話した。
　　　　④その子犬は哀しげな目をして、私を見つめていた。
| 注意1 | ・「〜げ」はイ形容詞をナ形容詞に変える。
　　　　・「意味ありげ」や「感慨深げ」は慣用的表現。
　　　　○　彼は意味ありげに笑った。
　　　　○　両親は娘の晴れ姿を感慨深げに見つめていた。
| 対比1 | 「Aそうだ」
　　　　「Aげだ」は他者の心情を推し量る時に使う表現で感覚や程度には使えないが、「Aそうだ」は使える。
　　　　○　今日は、寒そうですね。
　　　　×　今日は、寒げですね。

○　おいしそうなケーキですね。
×　おいしげなケーキですね。

(接続1)　［イ形容詞⑥］げだ
　　　　　［ナ形容詞①］げだ

A　こそ　B
AばこそB／Aこそすれ（なれ・あれ）Bない／AからこそB／AてこそB／AにこそB／AことこそB

(意味1)　BであるのはAと、Aを取り立てて強く言うときに使う。
(例文1)　①私の方こそ、お世話になりました。
　　　　　②今だからこそ言えるのですが、一時は命の危険さえあったんです。
　　　　　③この本は、独身女性にこそ読んでほしいのです。
　　　　　④どんなに苦しくても、がんばって生きていくことこそ美しいのだ。
(対比1)　「AこそB（AてこそB）」(意味2　P.82)
(接続1)　［動詞］＋こと＋こそ
　　　　　［名詞①⑨］こそ

(意味2)　「AてこそB」の形で。AをすることによってBだという話し手の価値観・判断を述べる。Bが成立する条件がAだ。BのためにはAが必要だ。
(例文2)　①お金は使ってこそ価値があるのだ。
　　　　　②マスコミの横暴は、取材されてこそわかるものだ。
　　　　　③人の何倍も練習してこそ、世界的なアスリートになれるのだ。
　　　　　④高級品を身につけるだけでなく、言葉遣い、身のこなしすべてに気をつけてこそセレブといえる。
(対比2)　「AこそB（AことこそB）」(意味1　P.82)
　　　　　「AことこそB」はAがBだとAを取り立て強く言う表現で、「AてこそB」はAをすることでBと話し手の価値観・判断を述べる表現である。
　　　　　○　正直に話すことこそ大切だ。
　　　　　○　正直に話してこそ許される。
　　　　　「AこそB（AからこそB）」(意味5　P.83)
(接続2)　［動詞ーテ形］こそ

意味3　「A（ていれ）ばこそB」の形で。Aという状態だからBだと、Aを強く言う。

例文3　①あなたのことを心配すればこそ、こうやって小言を言ってるのよ。
②信じていればこそ、君にこの仕事をやってもらいたいんだ。
③彼を愛していればこそ苦労にも耐えられるのです。
④社員が日々働いていればこそ、社長は将来への展望を持つことができるのだ。

対比3　「AこそB（AからこそB）」(意味5　P.84)
「AからこそB」とは置き換え可能。逆は不可。

接続3　[動詞ーバ形] こそ
[動詞ーテ形] いればこそ

意味4　「Aこそなれ／すれ／あれBない」の形で。聞き手はBだと思っているが、話し手はBではなく逆のAだと思っている。

例文4　①この薬を飲んだら痩せこそすれ、健康にいいことはなにもない。
②こんな生活を続けていれば、不幸にこそなれ、幸せになることはない。
③教えてあげたんだから感謝されこそすれ文句を言われる筋合いはない。
④自分の好きな研究だったから、喜びこそあれ辛いことは何もなかった。

接続4　[動詞ーマス形] こそすれ
[ナ形容詞⑩] こそなれ／すれ
[名詞①] こそあれ

意味5　「AからこそB」の形で。理由Aを強く述べ、だからBという表現。

例文5　①君が来たからこそ、みんなが喜んだんじゃないか。
②ぼくはあの大学に入りたいからこそ、一生懸命勉強しているんです。
③かたいものを何回も噛むからこそ、顎は鍛えられるのだ。
④彼は自由業だからこそ、平日に旅行にいけるのだ。

対比5　「AこそB（AてこそB）」(意味2　P.82)
「AからこそB」のAがル形の場合、「AてこそB」と置き換え可能。
　○　本物に触れてこそ、価値がわかる。
　○　本物に触れるからこそ、価値がわかる。
「AてこそB」のBはAが成立する条件であるが、「AからこそB」は理由を強く述べる表現のため、AがBの唯一の理由である文でしか置き換

えられない。
- ○ 喧嘩(けんか)をすることも必要だ。殴られてこそ、人の痛みがわかるようになるのだ。
- × 喧嘩(けんか)をすることも必要だ。殴られるからこそ、人の痛みがわかるようになるのだ。

「AこそB（AばこそB）」(意味3　P.83)
「AゆえB」(意味2　P.315)

接続5　[動詞]　からこそ
　　　　[イ形容詞①]　からこそ
　　　　[ナ形容詞③]　からこそ
　　　　[名詞⑤]　からこそ

A　ことから　B

意味1　Aが根拠・理由となってB。

例文1　①幹部が事件に関与していたことから、会社ぐるみの犯行と断定された。
②貝殻が多く発見されたことから、人が住む集落があったと考えられる。
③太陽光発電は大気を汚さないことから、クリーンエネルギーとしての需要が高まっている。
④血糖値が基準を大きく上回っていることから、糖尿病の疑いがある。

意味2　Aが起因や由来となって、Bという状態になった。

例文2　①あそこに高層ビルが建ったことから、この辺りに日が射さなくなった。
②兄が同じ学部出身であったことから、教授に目をかけてもらった。
③この町に大学が移転してくることから、若者向けのワンルーム・マンションの需要が見込めるだろう。
④この池は亀が多くいることから、「亀の池」と呼ばれている。

対比2　「AことでB」

「AことでB」はAが原因でBとなるのであるが、「AことからB」はAが起因、糸口となってBの事態へと拡がっていくことを表す。
- ○ カンニングが見つかったことで、ひどく叱られた。
- × カンニングが見つかったことから、ひどく叱られた。

○　カンニングが見つかったことから、前の成績まで疑われた。

「AことでB」にはAという手段でBという目的を達成するという意味もある。

○　注射を打つことで、病気を予防する。

×　注射を打つことから、病気を予防する。

意味3　まずはじめにA。Aから始める。Aという状態からB。

例文3　①感染予防に、まず手洗いをすることから習慣づけよう。

②メールでは挨拶抜きに、伝えたいことから書くのが普通だ。

③設計の仕事は依頼者のライフスタイルを知ることから始まる。

④親のスネをかじることから卒業しないと一人前とはいえない。

接続1〜3　[動詞] ことから
　　　　[イ形容詞①] ことから
　　　　[ナ形容詞②] ことから

A　ごとき　B

AごとくB／AがごときB／AごときにB／Aごとし

意味1　AようなB。AのようにB。BはAのようだ。AにはBを表す比喩や例がくる。

例文1　①彼は鬼のごとき顔で私をにらんだ。

②彼はまるで自分が社長のごとくふるまっている。

③まるで眠るがごとき最期でした。

④光陰、矢のごとし。

接続1　[動詞ール形] ＋（が）＋ごとき [名詞①]
　　　　[動詞ール形] ＋（が）＋ごとく [動詞]
　　　　[名詞②] ごとき [名詞①]
　　　　[名詞②] ごとく [動詞]
　　　　[名詞②] ごとし

意味2　「Aごとき（に）B」の形で。あいまいな表現で、Aそのものを示し、Aを見下したり、謙遜したりする表現。Aなんか（に）B。

(例文2) ①こんな問題ごとき、5分で解いてやる。
②おまえごときに負けるものか。
③あんな子どもごときに馬鹿にされてなるものか。
④このような大役は私ごときには無理です。

(接続2) [名詞①] ごとき（に）

A　ことだ
Aこと／Aのことだ／（Xは）Aことだ

(意味1) Aするのが、相手にとって一番いい方法だと、多少突き放して言う表現。

(例文1) ①悲しみから逃れたいなら、何もかも忘れて仕事に打ち込むことだ。
②失敗を恐れないことだ。失敗から多くのことが学べるのだ。
③どうしてだめなのか頭を冷やして考えてみることだな。
④どんなに苦しくても、ここは一つ待つことだな。

(注意1) ・会話で使われることが多い。「ル形＋ことだ」は命令的、「～てみる＋ことだ」はアドバイス的なニュアンスがある。文末が「ル形＋こと」で終わる場合は命令の意味でも使うが、規則・約束事などを示し、書き言葉でもよく使われる。
○　3時までに提出すること。
○　会議には必ず出席すること。

(接続1) [動詞―ル形] ことだ
[動詞―ナイ形] ないことだ

(意味2) 「Aのことだ。B。」の形で。「AだからBだ」とAの持っているある評価をもとにBを述べる表現。

(例文2) ①あの会社のことだ。まさか倒産はするまい。
②彼が遅刻するのはいつものことだ。心配はいらないよ。
③あの政治家のことだ。また失言するに決まっている。
④実力のある彼のことだ。合格は間違いないよ

(対比2) 「AことだからB」(意味1　P.88)

(接続2) [名詞②] ことだ

意味3 「Aこと」の形で。女性の話し手のAに対する感動・詠嘆・あきれなどの感情を表す話し言葉。

例文3 ①まぁ、きれいな花だこと。
②このケーキ、おいしいこと。どこのお店で買ったの。
③よく似合うこと。まるであなたのために作ったようだわ。
④昨日の夜はよく降ったこと。こわいぐらいだったわ。

対比3 「Aものだ」（意味4　P.309）
Aが動詞の場合は「Aこと」も「Aものだ」も同じように話し手のAに対する感情を表すが、「Aこと」は女性的。
○　まぁ、上手にできたこと。
○　わぁ、上手にできたものだ。
Aが名詞の場合は、「Aこと」しか使えない。
○　いい人だこと。
×　いい人なものだ。
Aがイ・ナ形容詞の場合は、「Aこと」はAと感じたという瞬間的な感情を表し、「Aものだ（ね）」は、心に深く感じたことを説明的に述べる言い方である。
○　わぁ、この部屋きたないこと。
×　わぁ、この部屋きたないものだな。

接続3 ［動詞ール形・タ形・テイル］こと
［イ形容詞②⑤］こと
［ナ形容詞④⑥］こと
［名詞⑤⑥］こと

意味4 「(Xは) Aことだ」の形で。AがXであることを説明する表現。

例文4 ①大切なのはしっかりした目標を持ち続けていることだ。
②気になるのは、健康診断の結果、再検査と言われたことだ。
③問題は収入より支出が多いことだ。
④外国で暮らす第一ステップは、近所の人と仲良くなることだ。

接続4 ［動詞］ことだ
［イ形容詞②⑤］ことだ
［ナ形容詞④⑥］ことだ
［名詞⑤⑥］ことだ

A ことだから B

意味1 今までの経験から考えてAならほぼ確実にBと、話し手の判断を述べる。

例文1 ①君のことだから、大丈夫だと思うけど、何かあったら連絡しろよ。
②彼女のことだから、また寝坊しているんじゃないかなぁ。
③あの会社のすることだから、きっとあくどい商売に違いない。
④あの球団のことだから、今年も優勝まちがいなしだ。

注意1 ・Aが名詞の場合は人や組織など。

対比1 「Aことだ（Aのことだ。B。）」（意味2　P.86）
意味は同じ。「AことだからB」の文を二文にすると「Aことだ。B。」になる。
○　彼女のことだ。きっと時間どおりに来るよ。
○　彼女のことだから、きっと時間どおりに来るよ。

接続1 [動詞ール形] ことだから
[名詞の] ことだから

意味2 BをするのにAは好機だと話し手が思い、Aを理由のひとつに上げる。

例文2 ①あの先生もいらっしゃることだから、ぜひ出席したい。
②新曲を出したことだから、心機一転やり直そう。
③彼もあんなに謝っていることだから、許してあげなさい。
④雨も降っていることだから、もう少し帰るのを遅らせよう。

対比2 「AことだしB」
「AことだしB」のAはBの大きな理由の一つ。「Aことだから」は「BをするのにAが好機だ」という意味があるので、Aが好機にならないものは置き換えできない。
○　休みに旅行することだし、今のうちにしっかり勉強しておきなさい。
×　休みに旅行することだから今のうちにしっかり勉強しておきなさい。

接続2 [動詞] ことだから

意味3 AはBの理由。

例文3 ①子どものことだから、もう許してあげなさい。
②もう終わったことだから、いまさら悔やんでも始まらないじゃない。
③命にかかわることだから、手術前にはもっと説明してほしい。

④毎日のことだから、職場では楽しく過ごしたい。

(接続3) [動詞] ことだから
[名詞②] ことだから

A　ことなく　B

(意味1) Aという悪い事態にならないで、B。
(例文1) ①これからも、健康を損なうことなく、体調維持に努めたい。
②銀行の支援を受けることなく、借金ゼロでなんとかやってこられた。
③彼はひるむことなく、敵に向かっていった。
④彼女は何度失敗してもあきらめることなく、研究を続けた。

(対比1) 「AことなしにB」(意味1　P.90)

(意味2) 望ましいAという事態にならないで、Bになった。
(例文2) ①彼は一度も日本の土を踏むことなく、この世を去った。
②親に報告することなく、二人は婚姻届を出してしまった。
③何度も受験したが、ついに合格することなく、あきらめてしまった。
④彼らは言葉を交わすことなく、別れていった。

(接続1,2) [動詞－ル形] ことなく

A　ことなしに　B

(意味1) 普通BにはAがつきものだが、Aを伴わずにB。本来BをするときはAもするはずだが、それがないという表現。
(例文1) ①不治の病にかかったら、苦しむことなしに死にたいものだ。
②この問題は会社側と争うことなしに解決したい。
③当社の許可を得ることなしに、この文の使用を禁ず。
④宅配便を利用して、大きい荷物を運ぶことなしにスキーに行く人が多くなった。

(注意1) ・Aが動詞の場合は、形式名詞の「こと」がつくが、形式名詞の「こと」のかわりに普通名詞が入ることもある。

○　努力なしに成功はありえない。

対比1　「AことなくB」(意味1　P.89)
　　「AことなしにB」から「AことなくB」への置き換え可能。「AことなしにB」は、BにはAがつきものという意味だが、「AことなくB」にはその意味はない。
　　○　彼はひるむことなく、敵に向かっていった。
　　×　彼はひるむことなしに、敵に向かっていった。
　　「AなしにB」(意味1　P.199)
　　「AなしでB」(意味1　P.198)

接続1　[動詞ール形]　ことなしに
　　　　[名詞①]　なしに

A　ことに　B
AことにはB／AべきことにB

意味1　現実に起こったBに対する話し手の感情をAで述べる。
例文1　①残念なことに、きのう録画したはずの番組がとれていなかった。
　　　　②うれしいことに、庭の桜の木が今年も花をつけた。
　　　　③信じられないことに、たった1枚買った宝くじで1億円当たった。
　　　　④驚いたことには、濡れた猫を乾かすために電子レンジに入れた人がいるらしい。

注意1　・Aには感情を表す言葉が来ることが多い。

接続1　[動詞ータ形]　ことに
　　　　[動詞ー可能の否定]　ことに
　　　　(信じられない、考えられない、許せないなど)
　　　　[イ形容詞②]　ことに
　　　　[ナ形容詞④]　ことに

意味2　「AべきことにB」の形で。Bという事実に対して、みんながAと感じるだろうと、相手に共感を求める表現。
例文2　①おそるべきことに、犯人はこのマンションに住んでいたのだ。
　　　　②悲しむべきことに、時代を象徴する歌手が死んだ。

③注目すべきことには、この薬を飲んで異常行動に走るのは10代の若者に限られていることだ。
④喜ぶべきことに、オリンピックでかつてない数の金メダルを獲得した。
(注意2) ・話し手はBの事実を述べたいのであり、Aは聞き手の注意をひくための言葉。Aは感情を表す動詞が多い。
(接続2) [動詞ール形] べきことに

(意味3) 「AことにはB」の形で。「〜によると」という伝聞の情報源を表す。
(例文3) ①彼が言うことには、田中さんは再婚したそうだ。
②私が聞いたことには、うちの会社は近々合併するらしい。
③気象予報士が言うことには、今年は観測史上、一番の暖冬だそうだ。
④社長が話したことには、2年で会社を倍の規模にするということだ。
(注意3) ・Aには「聞いた・言う・言った・話した」などが使われる。
(接続3) [動詞ール形／タ形] ことには

A ごとに B

(意味1) 断続的・機械的に繰り返されるAの時は、いつもB。どのAもみんなB。
(例文1) ①主人は日曜ごとにゴルフに行っています。
②あの事件以来、夜ごとに夢を見るようになった。
③季節ごとにショー・ウィンドーのディスプレーが変わる。
④パーティー会場では、会う人ごとに名刺を配って歩いた。
(対比1) 「AたびにB」(意味1 P.125)
(接続1) [名詞①] ごとに

(意味2) Aを続けて／続いていくと、だんだんBの程度が強まる／弱まる。
(例文2) ①彼は試合ごとに強くなっていく感じがする。
②一雨ごとに暖かくなってまいりました。
③ページをめくるごとに、物語は核心に迫っていく。
④一口食べるごとに、うまさが増してくる。
(対比2) 「AたびにB」(意味2 P.125)
「AたびにB」は繰り返されるAの1回1回に視点があり、「AごとにB」

は時間の流れとともに変化していく中でAを区切りとしてとらえている。
　○　あの先生に聞くたびにわからなくなる。
　×　あの先生に聞くごとにわからなくなる。
　×　雨が降るたびに暖かくなっていく。
　○　雨が降るごとに暖かくなっていく。

接続2 ［動詞－ル形］ごとに
　　　　［名詞①］ごとに

意味3　Aを一つの固まりと考え、その固まりのどれもがB。
例文3　①クラスごとに集まって写真を撮る。
　　　　②品詞ごとにノートにまとめておくと、便利だ。
　　　　③文を書くときは、一段落ごとに1字下げて書く。
　　　　④営業マンごとに担当地区が決められている。
接続3　［名詞①］ごとに

意味4　Aの数を区切りとして、Bが繰り返される。
例文4　①この薬は6時間ごとに飲んでください。
　　　　②オリンピックは4年ごとに開催されます。
　　　　③このハイキングコースには4キロごとにトイレがある。
　　　　④校内を500メートル走るごとにスタンプがもらえる。
注意3,4　・「1分ごとに」、「1日ごとに」などは、普通「毎分・毎日…」と「毎」を使うことのほうが多い。
　　　　・意味3は、Aを一つのまとまりと考え、そのまとまりに対してBという考え方だが、意味4は全体を線上のものと考え、Aという区切りで切ってBという考え方である。
　　　　○　3人ごとに旗を配る。（意味3）

　　　　○　3人ごとに旗を持たせる。（意味4）

対比4 「AおきにB」（意味1　P.46）

「Aあたり B」(意味1　P.28)
(接続4) ［数詞］＋［動詞―ル形］ごとに
　　　　［数詞］ごとに

A　ことにする
Aことにしている

(意味1) 話し手自身がAという事態を決めたことを表す。
(例文1) ①せっかく手術が成功したのだから、もう酒は飲まないことにします。
　　　　②パーティーには、家族全員で出席することにしております。
　　　　③彼に会うのは、日曜ということにしました。
　　　　④私は毎朝、ジョギングすることにしている。
(対比1) 「Aことになる」(意味1　P.94)
(接続1) ［動詞―ル形］（＋という）＋ことにする
　　　　［動詞―ナイ形］ない（＋という）＋ことにする
　　　　［名詞①］＋という＋ことにする

(意味2) 「Aます」の硬い表現。
(例文2) ①始めにこの計画の概略について簡単に述べることにします。
　　　　②便宜上、本文では敬称を省くことにします。
　　　　③これで会議を終えることにいたします。
　　　　④会話文から主人公の心の動きを追っていくことにしましょう。
(注意2) ・演説や書き言葉などで使われることが多い。
　　　　「Aことにしている」の形はない。
(接続2) ［動詞―ル形］ことにする

(意味3) 本当はAではないが、Aという仮想状況を作る。
(例文3) ①参考書を買ったことにして、親から金をもらった。
　　　　②この話はなかったことにしてください。
　　　　③出張に行ったことにして出張費を自分のものにするのは犯罪だ。
　　　　④これに関しては、私は何も知らなかったということにしてください。
(接続3) ［動詞―タ形］（という）ことにする

［動詞ーナイ形］＋なかった＋（という）ことにする

A　ことになる
Aたことになる

意味1　話し手以外の決定によってAという事態が決められる。
例文1　①駅構内では禁煙ということになっている。
　　　②社長の意向でその会合には私が出席することになるだろう。
　　　③首相は相手国の大臣と貿易問題について話し合うことになっている。
　　　④百貨店の撤退により、駅前再開発は白紙に戻ることになった。
対比1　「Aことにする」（意味1　P.93)
　　　「Aことにする」は話し手自身の決定を表す。
　　　○　このバスは降りる際に、お金を払うことになっている。
　　　×　このバスは降りる際に、お金を払うことにしている。
　　　ただし、話し手の決定ということを強く出さずに、あいまいな表現として、「Aことにする」の代わりに「Aことになる」を使うときもある。
　　　○　彼と結婚することになりました。　　　（結婚することにしました）
　　　「Aことになる」（意味3　P.95）
接続1　［動詞ール形］ことになる
　　　［動詞ール形］＋という＋ことになる
　　　［動詞ーナイ形］ないことになる
　　　［動詞ーナイ形］ない＋という＋ことになる
　　　［名詞①］＋という＋ことになる

意味2　結果的にAと解釈・判断されることを表す。
例文2　①あの人は父の姉の子どもだから、従兄弟ということになる。
　　　②結果が陽性なら、インフルエンザに感染していることになる。
　　　③明細によると、先月は60時間も携帯電話で話したことになる。
　　　④今日も晴れた。これで１カ月も雨が降っていないことになる。
接続2　［動詞］ことになる
　　　［名詞］＋という＋ことになる

(意味3) 本当はAではないが、Aという状態と考えられる。
(例文3) ①昨日のことは私は知らなかったことになっているからね。
②ここで謝ってしまえば、あなたが盗んだことになるわよ。
③彼女は戸籍のうえでは、死んだことになっていた。
④彼は出張に行ったことになっているが、実はゴルフに行っていたことを私は知っている。

対比3 「Aことになる」(意味1 P.94)
Aがル形の場合は決められていたこと、タ形の場合は事実とは異なることを表す。
○ この計画書では、工事は15日で終わることになっている。
○ この計画書では、工事は15日で終わったことになっている。

(接続3) [動詞ータ形] ことになる

A　ことは　A（が　B）
AはA（がB）

(意味1) Aは事実であるが、BでAに対する条件や意見・感想を付け加える。
(例文1) ①「あの先生、怖いんでしょ。」
「怖いことは怖いけど、なかなか人間味があるんだよ。」
②彼女の部屋って、シンプルできれいなことはきれいだけど、殺風景で私は好きじゃないわ。
③英語は話せることは話せるけど、スピーチなんて無理です。
④昨日は午前中に雨が降ることは降ったが、小雨程度だった。

(注意1) ・「AことはA」の「A」は同じ言葉。

対比1 「Aないことはない」(意味1 P.192)
「Aないことは（も）ない」はAを積極的にしよう（認めよう）という気にならないという消極的な気持ちを表すが、「AことはA」はAをするが（ただしB）という意味。
○ 酒を飲まないこともないが、弱いんです。
　　　　　　　　　　　　　　　　　　（酒を積極的には飲もうと思わない）
○ 酒を飲むことは飲むが、弱いんですよ。　　　（酒は飲むが、弱い）
「Aには違いない」(意味1　P.255)

「AといったらB」(意味3　P.159)

接続1　［動詞］ことは［動詞］
　　　［イ形容詞①］ことは［イ形容詞①］
　　　［ナ形容詞②］ことは［ナ形容詞②］
　　　［名詞⑥］ことは［名詞⑥］
　　　［名詞①］は［名詞⑤］

A　ことはない
Aこともない／Aことはある

意味1　Aという事態・状態は考えられないと話し手が思っている。
例文1　①がんばれ！　やってやれないことはない。
　　　②彼女は何を言われても、心を動かすことはなかった。
　　　③どんなに科学が進歩しても、男が子どもを産むことはない。
　　　④A社は倒産することはないだろうから融資しても大丈夫だ。
注意1　・「Aない」という否定を強調した表現である。
対比1　「Aないことはない」(意味1　P.191)

意味2　Aする必要はない。Aしなくてもいい。
例文2　①どうせ遅刻だ。走ることはない。
　　　②彼女が謝ることはない。悪いのはあいつだ。
　　　③何もわざわざ社長が行くことはない。電話で十分だ。
　　　④いくら変だからといって、そんなに笑うことはないだろう。
対比2　「Aまでもない」(意味1　P.294)
接続1,2　［動詞ール形］ことはない

意味3　「Aたことは（が）ない」の形で。Aという経験がないことを述べる。
例文3　①私は南の島へ行ったことはない。
　　　②今まで、私は100点を取ったことがない。
　　　③そんな話、聞いたことがない。うそに決まっている。
　　　④富士山は見たことはありますが、登ったことはありません。
注意3　・「タ形ことがある」は、過去にAという経験があることを表し、「ル形

ことがある」は、時々Aということをすることを表す。
- ○ 私はハワイへ行ったことがある。
　　　　　　　　　　　　　　　　（ハワイへ行ったという経験がある）
- ○ 私はハワイへ行くことがある。　　　　　　（時々ハワイへ行く）

(接続3) [動詞ータ形] ことはない

(意味4) 今までで一番Aだ。
(例文4) ①一人暮らしをしていたときほど、不健康だったことはない。
②きれいな景色とおいしい料理、こんなに幸せなことはない。
③寝室に泥棒が入ってきたんだから、あんなに怖いことはなかったよ。
④学生時代はみんなからいじめられ、毎日泣いていた。あんなにつらかったことはなかった。

(接続4) [イ形容詞①] ことはない
　　　　[ナ形容詞②] ことはない

これといって　A　はない
これといったAはない

(意味1) 取り上げるべきAが特にないことを表す。
(例文1) ①体調が悪いので検査を受けたがこれといって悪いところはなかった。
②彼女はこれといった欠点はないが、なぜかみんなの評判は良くない。
③これといった資格は持っていないので、就職できるかどうか心配だ。
④「夏休み、何した？」「これといって何もしなかった。」

(接続1) これといって [名詞①] はない

Aさ

(意味1) その形容詞がどのような程度であるかということを表す。
(例文1) ①韓国料理とタイ料理の辛さは違います。
②寒さが一段と、厳しくなってまいりました。
③このカメラは手軽さが受けて、よく売れている。

④家族そろって食事をするにぎやかさが懐かしい。

(注意1) ・「Aさ」はイ形容詞やナ形容詞を名詞に変える。
(対比1) 「Aみ」(意味1　P.297)
(接続1) [イ形容詞⑥] さ
　　　　[ナ形容詞①] さ

A 最中に B
A最中にB

(意味1) Aをしているちょうどその時にB。

(例文1) ①試合の最中に雨が降りだしたので、観客は大あわてだった。
②パーティーの最中に携帯電話で呼び出された。
③彼は会議の最中に席を立っていった。
④「早く答えを教えてください」
　「ちょっと待って。今、考えている最中です。」

(対比1) 「A途中にB」
「A途中にB」はAをしているときにBが起こる、Bをするという意味であり、ちょうどその時という意味は含まれない。
○　駅へ行く途中に新聞を買った。
×　駅へ行く最中に新聞を買った。
ニュースなど話し手の感情・考えを加えないものには「途中」が使われることが多い。
○　試合の途中ですが、臨時ニュースを申し上げます。

(注意1) ・「A最中にB」は、Aが一番盛んだと思われるときに使う表現で慣用的。
○　梅雨のさなかにキャンプをするなんて非常識だ。
○　お忙しいさなかにお邪魔して申し訳ございません。

(接続1) [動詞ーテ形] いる最中に
　　　　[名詞②] 最中に

A 際に B
A際はB／A際B

意味1 Aという場面、状態のそのときB。

例文1 ①お降りの際は、足元にお気を付けください。
②腰をひねった際に、筋肉を痛めたようだ。
③出発する際には、今一度忘れ物がないか確認すること。
④あの方とは高田君の結婚式に出席した際に、お目にかかりました。

注意1 ・Aはその場限り、一回限りのことが多い。繰り返されることでも、その場その場でというニュアンス。
・「この際」は今がいい機会という意味の慣用。
○ この際、どちらが正しいかはっきりさせよう。

対比1 「Aに際してB」（意味1 P.229）
「Aに際してB」はAの前にBするという事に前後関係があるが「A際にB」はAの時点・場面でBという同時性がある。
○ 打ち合せに際して、席順を確認する。
　　　（打ち合せの前に席順確認が行われる。打ち合せの場での席順）
○ 打ち合せの際に、席順を確認する。
　　　（打ち合せの場で席順確認が行われる。次に開かれる会議などの席順）
話し手の視点がどこをとらえているかにより異なる。
○ 食事に際して祈りを捧げる。
　　　（食事と祈りを切り離してとらえ、食事の前に祈る）
○ 食事の際に祈りを捧げる。
　　　（食事と祈りは一体化しており、祈りの段階から食事が始まっているととらえる）

「A際にB」はAが過去の事柄を現時点で発話するか、あるいは未来に起こることを想定して発話するときには使えるが、Aの場面が現時点である場合は使えない。
○ 出発に際して、いくつか注意します。
　　　　　　　　　　　（今から出発するから注意する）
○ 出発の際に、いくつか注意します。
　　　　　　　　　　　（出発はまだであるが、出発の時点で注意する）

「A時にB」

「A際にB」は「A時にB」で置き換えることができる。しかし、逆は必ずしも置き換えられるわけではない。「A時にB」はAとBの同時性を表す表現だが、「A際にB」はその場限り、一回限りのこと。

○　私たちは朝起きた時に「おはよう」といいます。
×　私たちは朝起きた際に「おはよう」といいます。

「A折りにB」(意味1　P.47)
「AうえでB」(意味2　P.37)

接続1) [動詞ール形・タ形] 際に
　　　 [名詞の] 際に

A　さえ　B

AでさえB／AとさえB／AにさえB／Aさえしない

意味1) Aを例としてあげ、そのAがBであるから、A以上（以下）のものも当然Bだという表現。

例文1) ①今年は春が遅い。4月に入って雪さえ降ってきた。
　　　②最近の若者は、電車の中で老人に席を譲ろうとさえしない。
　　　③「久しぶりに国に帰って、楽しかったですか？」
　　　　「出張だったので、忙しくて、両親とさえ会えなかったんですよ。」
　　　④小学生にさえできるんだから、中学生の君もできるはずだ。

注意1) ・「さえ」の前の助詞は「に・から・で・と・へ」などで、後の動詞によって変わる。

対比1 「AもB」

AにBをプラスするときの「AもB」は置き換えできない。
　　○　スーパーへ行くなら、パンも買ってきて。
　　×　スーパーへ行くなら、パンさえ買ってきて。

だが、単なる例示としての「AもB」とは置き換えられる。「AさえB」はAを強調している表現。
　　○　3カ月日本語を勉強したが、ひらがなさえ覚えられない。
　　○　3カ月日本語を勉強したが、ひらがなも覚えられない。

「AすらB」(意味1　P.109)

「AだにB」（意味1　P.123）

(接続1) ［動詞／動詞－意向形］＋と＋さえ
　　　　［名詞①⑨］さえ

(意味2) 今までの状態にさらにAが加わって、程度が進むことを表す。
(例文2) ①朝から大雨で、昼すぎからは風さえ強くなってきた。
　　　　②夏休みの宿題は文法に読解、その上作文さえある。
　　　　③山頂付近は悪天候だ。さらに雪崩さえ起きる危険がある。
　　　　④おじは私に服や靴やそれに帽子さえ買ってくれた。

対比2　「AもB」
　　　置き換え可能だが、「AもB」は単にAが加わるという意味で、「AさえB」はAがない状態でも十分なのにその上Aが加わって、とAを強調する。
　　　○　朝から寒くて、昼すぎからは雨も降ってきた。
　　　○　朝から寒くて、昼すぎからは雨さえ降ってきた。

(接続2) ［名詞①］さえ

(意味3) 「Aさえしない」の形で。まったくAないと、Aがないことを強調する。
(例文3) ①天気予報では大雨といっていたのに、一滴も降りさえしない。
　　　　②この子は強情で、どんなことがあっても涙を流しさえしない。
　　　　③この辺は夜になると、人っこ一人通りさえしない。
　　　　④こう毎日雨が降り続いていては、洗濯物が乾きさえしない。

(接続3) ［動詞－マス形］さえ

(意味4) Aではないと思われているが、実はAだ。
(例文4) ①彼と彼女は面識がないどころか、毎日会ってさえいた。
　　　　②結婚生活は彼にとって、苦痛でさえあった。
　　　　③彼女の死に顔は美しくさえあった。
　　　　④昼間はにぎやかなオフィス街も休日になれば静かでさえある。

(注意4) ・Aが動詞の時は「Aさえいる」、名詞や形容詞の時は「Aさえある」になる。

(接続4) ［動詞－テ形］さえ
　　　　［イ形容詞④］さえ

[ナ形容詞⑪] さえ
[名詞①] でさえ

A さえ B ば
AさえBたら

意味1 「AがB」「AがBない」という条件だけですべてが事足りることを表す。
例文1 ①パソコンさえ打てたら、年齢は問いません。
　　　②若い頃は、結婚する相手がハンサムでさえあればいいと思っていた。
　　　③私は何も望まない。楽しくさえ生きていければ満足だ。
　　　④このマニュアルを読みさえすれば、だれでも簡単に使える。

対比1 「Aが（を・に・・・）Bさえすれば」
　　　意味の違いはないが、話し手の視点が違う。
　　　○　この規則さえ守れば、あとは自由です。（視点は「この規則」にある）
　　　○　この規則を守りさえすれば、あとは自由です。
　　　　　　　　　　　　　　（視点は「この規則を守る」ことにある）
　　　Bが「〜ている」「〜てしまう」などの場合は、次のような形もある。
　　　○　論文さえ書いてしまえば　　／　勉強さえしていれば
　　　○　論文を書きさえすれば　　　／　勉強をしさえすれば
　　　○　論文を書いてさえしまえば　／　勉強をしてさえいれば
　　　○　論文を書いてしまいさえすれば　／　勉強をしていさえすれば

意味2 AがB、AがBではないという条件だけで、すべてが事足りたのに、実際はAがBであった（Bではなかった）。
例文2 ①あの人は酒さえ飲まなければ、いい人なんですがね…。
　　　②彼があんなことを言いさえしなければ、私は恥をかかなかったわ。
　　　③私がもう少しやさしくさえしていたら、離婚せずにすんだだろう。
　　　④あの人のように成績が優でさえあれば、就職も楽なのに。
注意2 ・話し手は残念・後悔・怒りなどの気持ちを持って発話する。

意味3 Aをすれば（Aという状態になれば）いつでもB。
例文3 ①夫は私がやさしくさえ言えば、何でもしてくれる。

②彼は暇さえあったら、ゲームをしている。
③彼女は紙と鉛筆さえあれば、絵を描いている子供だった。
④父は家にいさえすれば、将棋を打っている。

接続1〜3 ［動詞ーマス形］さえ
　　　　［イ形容詞④］さえ
　　　　［ナ形容詞⑩⑪］さえ＋［動詞ーバ形］
　　　　［名詞①⑨］さえ

A　ざるをえない

意味1　Aしかなく、(嫌だけれども) Aをしなければならないという話し手の不本意な気持ちを表す。

例文1　①犯人もこれだけ証拠が揃えば、犯行を認めざるを得ないだろう。
②試験に落ちてしまった。進学はあきらめざるをえない。
③ここまで病状が悪化していたら、入院せざるをえないだろう。
④倒産しそうなのだから、ボーナスがなくても給料がもらえるだけで満足せざるをえない。

対比1　「Aずにいられない」(意味1　P.108)
「Aずに(は)いられない」は自分の感情を押さえることが出来ないという表現であり、「Aざるをえない」は積極的にAをしたいというのではなく、状況からの判断などでAをするしか方法がないという表現である。
　○　お腹が一杯だったが、彼女がせっかく作った料理なので食べざるをえない。
　○　腹ぺこのうえに大好物の寿司を出されては食べずにはいられない。

「Aなければならない」
「Aなければならない」はAをする義務や必要があるという意味で、「Aざるをえない」には話し手の嫌だという感情が含まれる。
　○　受験する人は10日までに願書を提出しなければならない。
　×　受験する人は10日までに願書を提出せざるをえない。

「Aわけにはいかない」(意味2　P.331)
「Aを余儀なくされる」(意味1　P.345)

意味2 当然のように、Aという気持ち・感情になってしまう。
感情を客観的に表そうとする表現である。

例文2 ①あんなに親切にしてもらって、感謝せざるをえませんよ。
②家族か仕事かといわれたら、悩まざるをえない。
③彼女の身の上話を聞いていると、同情せざるをえなかった。
④孤児たちのつぶらな瞳を見ていると、守らざるをえない気持ちになる。

注意1,2 ・「する」は「せざる」、「愛する…」は「愛さざる」となる。

対比2 「Aずにいられない」(意味2 P.109)
「Aずに（は）いられない」は個人的感情を直接的・主観的に表現するものであり、「Aざるをえない」は個人的感情を人間ならだれでもそうだろうということを踏まえて、間接的・客観的に表現するものである。
　○　6千円で買った絵が今では15万円と聞いたら、売らずにはいられないわ。みんなも売らざるをえないと思うだろ？

接続1,2 [動詞ーナイ形] ざるをえない

A　しかない
XはAしかない／Aでしかない

意味1 (このような状態・状況では) A以外に方法がない。

例文1 ①借金したのなら、返すしかないだろう。
②社長に直接頼まれたので、承知するしかなかったんだ。
③できることは全部やった。あとは運を天に任せるしかない。
④ここまで悪化したら、もう手術しかない。

注意1 ・「Aと（言う／思う…）しかない」の形で。「Aだ」という断定を避けた言い方。Aとしか（言えない／思えない…）と同じ意味。
　○　この崖崩れは人災と言うしかない。
　○　この崖崩れは人災としか言えない。

対比1 「Aよりほかない」(意味1 P.324)

接続1 [動詞ール形] しかない
[名詞①] しかない

意味2 「XはAしかない」の形で。XであるのはAだけである。A以外にはない。

例文2 ①この仕事を任せられるのは、田中さんしかないだろう。
②客が来るというのに、冷蔵庫の中にはビールしかなかった。
③この病気が完治するのは早期発見の場合しかない。
④あなたと会えるのは、来週の火曜日しかないわ。

対比2「Aよりほかない」（意味2　P.324）

意味3「Aでしかない」の形で。単にそれだけで、それ以上の意味や価値はない。
例文3 ①クラスメートでしかないと思っていた人が生涯の友となった。
②あの当時の群発地震は、後の大災害の始まりでしかなかった。
③夫婦は所詮、他人でしかない。
④プロジェクトでしかなかったものが会社の新しい部署となった。

接続2,3 ［名詞①］でしかない

A　次第　B

意味1 Aという状況になったら、すぐBをする。Aは近い将来の状況である。
例文1 ①現地に着き次第、連絡をくれ。
②定員になり次第締め切ります。お早めにお申し込みください。
③雨がやみ次第、出発します。
④容体が落ち着き次第、手術にとりかかります。
注意1 ・単にAとBが時間的に幅がないことを述べているのではなく、話し手がAという状況を待ち構えているときに使う。
　×　雨が降り次第、洗濯物を入れてください。
・「手当たり次第」は慣用的表現である。
　○　彼女は怒って、その辺にあるものを手当たり次第投げた。
接続1 ［動詞－マス形］次第

A　次第だ

意味1 現状Aに至った経緯を述べ、状況を説明する。
例文1 ①彼に急用が出来たため、私が代わりに来た次第です。

②空きベッドがないということで、入院許可を待っている次第です。
③このことをだれに相談すればいいのかわからず、困っている次第です。
④残務処理も終わり、来週にも仕事を引き継ぐ次第です。

対比1 「Aしまつだ（Aというしまつだ）」(意味1　P.106)
ともに事の経緯を述べているが「Aというしまつだ」は結果に視点があり、話し手の否定的評価が加わっている。「A次第だ」は単に経緯を述べ、説明している。
　○　彼は金遣いが荒く、給料を一日で使い果してしまうというしまつだ。
　○　彼は金遣いが荒く、給料を一日で使い果してしまうという次第だ。
　×　一生懸命勉強して、やっと合格したというしまつです。

接続1 [動詞] 次第だ

意味2 Aにより状況はどのようにも変わる可能性があることを示唆する表現。
例文2 ①いい大学に行きたいといっても、それは君の努力次第だね。
②旅は相手次第で楽しくも、つまらなくもなる。
③医者として出来るだけのことはした。後は患者の体力次第だ。
④あした、キャンプに行けるかどうかは天気次第だ。

接続2 [名詞①] 次第だ

A　しまつだ
Aというしまつだ

意味1 ことの経過、全体の成り行きを述べる表現。Aは話し手にとってあまりよくない結果がくる。
例文1 ①彼女は甘やかすとわがままを言い、厳しくすると泣きだすしまつだ。
②あの工務店は納期を急がせると手抜きするしまつで、困っている。
③あの学生はテストなのに、筆記具も持ってこないしまつだ。
④妻が出張に行っていると、家事のできない私は毎日コンビニ弁当を食べているしまつだ。

対比1 「A次第だ」(意味1　P.106)
接続1 [動詞ール形／ナイ形／テイル] しまつだ

A 上(じょう) B

意味1 Aに限定すればBである。Aの観点からはBである。
例文1 ①未成年者の飲酒は法律上禁止されている。
②この車は構造上、傾斜のきつい道は走れない。
③テレビでは報道されないが、ネット上を賑わしている話題がある。
④立場上、秘密は口外できない。

対比1 「AうえでB」(意味4 P.38)
置き換え可能。
○ 規則上認められていない。
○ 規則の上では認められていない。
「A上」で一語であるから限られた場合でしか使えない。
○ 話のうえでは　　×　話上は
カタカナ語は両方使える場合が多い。
○ ルールの上で　　○ルール上は

接続1 [名詞①] 上

A ずくめ

意味1 Aの数が多く、全体として見た時に大部分がAで占められている状態。ほとんどAで揃(そろ)えている状態。
例文1 ①黒ずくめの男がさっきからこちらを見ている。
②彼女の家ではご主人の昇進や息子さんの大学入学など、結構なことずくめでうらやましい。
③オリンピックの予選会は記録ずくめの大会となった。
④長時間にわたる公判、整理券を配るほどの傍聴希望者と異例ずくめの裁判が始まった。

対比1 「Aだらけ」(意味1 P.129)
Aが数えられるものであれば、置き換え可能のものもある。
○ この寮は規則ずくめでいやになる。
○ この寮は規則だらけでいやになる。
Aが量を表す場合は「Aずくめ」では言いにくい。

×　泥ずくめの服　　〇　泥だらけの服

「Aづくし」

「Aづくし」は同類のものを数多くそろえてある状態。

〇　松茸づくしのご馳走をいただいた。

×　松茸ずくめのご馳走をいただいた。

接続1　[イ形容詞②]＋こと＋ずくめ
　　　　[ナ形容詞④]＋こと＋ずくめ
　　　　[名詞①]ずくめ

A　ずじまい

意味1　期待・希望のAがない状態でことが終わってしまったことを表す。

例文1　①好きな彼女に愛を告白できずじまいで、卒業してしまった。
　　　　②その事件の犯人がだれなのか結局わからずじまいだった。
　　　　③みんな待っていたが、彼はパーティーに姿を見せずじまいだった。
　　　　④彼は市長選への立候補が噂されていたが、結局出馬せずじまいだった。

注意1　・「する」は「せず」になる。

接続1　[動詞ーナイ形]ずじまい

A　ずにいられない
Aずにはいられない／Aないではいられない

意味1　やめておこうと思っても、ついAをしてしまう。「～したい」という感情を押さえることができないという表現。

例文1　①昔のヒット曲を聞くと、いっしょに歌わずにいられない。
　　　　②こんなにおもしろい話はみんなに話さないではいられない。
　　　　③バーゲンセールと聞いては、無駄使いするとわかっていても、行かずにはいられない。
　　　　④オカルト映画は怖くて思わず目を閉じてしまうが、最後まで見ずにいられない。

対比1　「Aざるをえない」(意味1　P.103)

「Aないではすまない」(意味2　P.193)

意味2 このような状況では、Aという感情が自然に強くわきおこる。
例文2 ①今まで育ててくれた両親に感謝せずにはいられない。
②そこまで馬鹿にされたら、怒らずにはいられないだろう。
③妻子を殺した犯人を憎まずにはいられなかった。
④環境破壊してまで開発が必要なのかを問わずにいられない。
対比2「Aざるをえない」(意味2　P.104)

意味3 何かに自然に（瞬時に）反応して思わずAをしてしまう。また、そのくらいはなはだしいという程度を示す。
例文3 ①あまりの眩しさに目を閉じずにはいられなかった。
②耳を塞がずにいられないほどの騒音だ。
③あのジェット・コースターに乗ったら、どんなに上品な人でも叫ばずにはいられないよ。
④だれでもあの恐怖を味わえば、逃げずにはいられないだろう。
接続1〜3 ［動詞ーナイ形］ずにいられない

A　すら　B
A（に・から・で・と・へ）すらB／AようとすらしないB

意味1 Aを例としてあげ、そのAがBであるからA以外（Aと同種）のものもBだということを聞き手に推測させる表現。
例文1 ①彼は授業の予習はもちろん、宿題すらやってこない学生だ。
②これは小学生にすらわかる簡単な問題だ。
③私は外国旅行どころか、国内旅行にすら行ったことがない。
④父はどんなに体調が悪くなっても医者へ行こうとすらしない。
注意1 ・「すら」の前の助詞は、「すら」の後の動詞によって変わる。
対比1「AさえB」(意味1　P.100)
「AすらB」は「AさえB」より古い表現。意味は同じ。
　　○　事故後はショックのため、自分の名前さえ言えなかった。
　　○　事故後はショックのため、自分の名前すら言えなかった。

「AだにB」(意味1　P.123)
接続1　[動詞－意向形]＋と＋すら
　　　　[名詞①]（⑨）＋すら

A　せいで　B
AせいかB

意味1　AによってBという悪い結果になった。Aという事態や相手を非難する気持ちが込められる。

例文1　①彼が噂をばらまいたせいで、たいへんな目にあった。
　　　　②あいつのせいで、みんなの前で恥をかいてしまった。
　　　　③毎日暖かい日が続くせいで、冬だというのに冬物が売れない。
　　　　④アパートの壁が薄いせいで、となりの部屋の音がうるさい。

対比1　「AおかげでB」(意味2　P.44)
　　　　「AためにB」(意味2　P.126)

意味2　「AせいかB」の形で。Aという理由・原因かどうかはわからないが、Bという悪い結果になった。

例文2　①風邪を引いたせいか、頭が痛い。
　　　　②あわてて食べたせいか、お腹が痛くなってきた。
　　　　③夕べ酒を飲みすぎたせいか、今日は一日中ぼうっとしていた。
　　　　④緊張していたせいか、面接で何を聞かれたのか覚えていない。

接続1,2　[動詞] せいで
　　　　　[イ形容詞①] せいで
　　　　　[ナ形容詞②] せいで
　　　　　[名詞②④⑥] せいで

A　そばから　B

意味1　Aをしてもすぐその後にBという状態になる。

例文1　①片付けたそばからこの子が汚すので、いつも部屋はきたない。

②意見を言うそばから否定されると、何も言えなくなる。
③料理を並べるそばから食べてくれるので、作りがいがある。
④あのてんぷら屋は注文したそばから揚げてくれるのでうまい。

(注意1)・BにはAの行為を無駄にしてしまうというニュアンスが含まれることが多い。
・Aは一回きりのことではなく、どんどんと続くことであり、それがすべてBという状態になることを表す。「次々に・またもや」という話し手の気持ちを表すため、一度きりのことや、単にAをしたすぐその後にBという状態になるという文は作りにくい。
× このパソコンは買ったそばから、故障してしまった。

(接続1) [動詞ータ形／ル形／テイル] そばから

A たが最後 B
Aたら最後B

(意味1) Aという状態になったら、もうおしまいだ。もとには戻らない。
(例文1) ①社長の意見に反対したが最後、昇進はもう無理だろう。
②この綱が切れたら最後、全員あの世行きだ。
③落としたら最後もう元には戻らないから気をつけて持ってください。
④無くしたが最後、二度と見つからないでしょう。

(意味2) Aが始まったら、それから後はずっとAの状態が続く。
(例文2) ①あの子はほしいと言いだしたが最後、買うまで泣き続ける。
②息子は酒を飲みだしたら最後、酔い潰れるまで飲んでしまう。
③夫は野球放送を見はじめたら最後、何を言っても動こうとしない。
④このゲームははじめたら最後、仕事も手につかぬほど面白い。

(注意1,2)・話し言葉などでは、「～たら最後」の方を多く使う。
○ 失敗したら最後よ。二度とチャンスはないんだから。
・Bは話し手にとってマイナスになることが多い。

(接続1,2) [動詞ータ形] が最後

A たきりだ
AたきりBない

意味1 Aの行為が行われ、その後繰り返されていない。Aの状態が続いている。

例文1 ①田中さんとは2年前のパーティーで会ったきりだ。
②彼は去年アメリカへ行ったきり、何の連絡もない。
③英語は学生時代に勉強したきりなので、もう忘れてしまった。
④結婚して引っ越したきり、ずっと同じ場所に住んでいる。

注意1 ・「寝たきり・着たきり」などのように、慣用的に一語となっているものもある。
・会話では「Aっきり」と「っ」が入ることがある。
○ 朝、コーヒーを飲んだっきり、今まで何も食べていない。

対比1 「AままB」(意味3 P.296)
「AままB」はAの状態でBをする(Aという状態でBをするのは好ましくない)という意味であり、「AきりBない」はAという行為が行われ、そのあとに当然起こり得るBにならないという意味である。
○ 窓を開けたまま、寝てしまった。
× 窓を開けたきり、寝てしまった。
「Aっぱなし(AっぱなしでB)」(意味1 P.137)
「AっぱなしでB」はAという行為が行われたあと、何の手当てや処理もされないでBという意味である。
○ 立ちっぱなしで話をした。
× 立ったきりで話をした。
「AなりB」(意味3 P.204)

接続1 [動詞ータ形] きりだ

A1 たくても A2 ない
A1たくともA2ない

意味1 A1を希望しているができない状態である。

例文1 ①お金がないから、旅行したくてもできない。
②マンション暮らしでは、犬が飼いたくても飼えないんだ。

③仕事が忙しくて、遊びたくとも遊べない。
④切符が手に入らなかったから、コンサートに行きたくとも行けない。

(注意1) ・「ても」と「とも」は意味は同じだが、「とも」は、やや硬い表現であるため、話し手の感情がより強調される。

対比1 「A1ようにもA2ない」(意味1 P.322)
「A1にA2ない」(意味1 P.210)

(接続1) [動詞ーマス形] たくても [動詞ー可能] ない

A　だけあって　B
Aだけのことはある

(意味1) Aだから、さすが・やっぱりBだ。Bに重点が置かれ、そのことにまず感心し、やっぱりAだからだという形をとる。

(例文1) ①あのホテルは有名なだけあって、サービスが行き届いている。
②この栄養ドリンクは高いだけあって、よく効くね。
③さすが横綱だけあって、見事な勝ちっぷりだったね。
④素晴らしい演奏だった。コンクールで優勝しただけのことはある。

(注意1) ・未来文・推量文・命令文・意向文にはつかない。
　　× 今夜は冷え込むだけあって、明日は雪が降るだろう。
・マイナス評価の文にはつきにくい。
　　× 勉強しなかっただけあって、不合格だった。
ただし、マイナス評価であっても、それを逆に感心してやっぱりとあきれるような文には使うことがある。
　　○ このおもちゃは、安いだけあってすぐ壊れた。
・「AだけあってB」は「Aだけのことはある。B。」を一文にしたもの。
　　○ 自慢するだけのことはあるよ。彼は英語が上手だね。
　　○ 彼は自慢するだけあって、英語が上手だね。

対比1 「AだけにB」(意味1 P.115)
「AだけにB」はAの部分に重点があり、「AだけあってB」はBに重点がある。
　　○ あの先生はベテランだけに教え方がうまい。

「ベテランである」という事実を認め、だから当然「教え方がうまい」となる。BはAに付随してくる結果である。
　○　あの先生はベテランだけあって、教え方がうまい。
「教え方がうまい」に重点があり、「やっぱりベテランだから」となる。また、「だけに」はマイナス評価文にもつくが、「だけあって」は特別な場合を除いてつかない。
　○　あの子は幼いだけに、我慢できない。
　×　あの子は幼いだけあって、我慢できない。
「AだけにB」(意味2　P.115)
「AだけにB」は予想・期待に反した結果に対しても使えるが、「AだけあってB」は「やっぱりAだからだ」とAを再確認する。
　○　当たるとは思っていなかっただけに、宝くじが当たった時は驚いた。
　×　当たるとは思っていなかっただけあって、宝くじが当たったときは驚いた。
「AとあってB」(意味1　P.150)

接続1　[動詞] だけあって
　　　　[イ形容詞①] だけあって
　　　　[ナ形容詞②] だけあって
　　　　[名詞①④⑥] だけあって

A　だけに　B

意味1　Aだから、当然（それにふさわしい結果）B。Aに重点があるため、理由を強く述べることにもなる。

例文1　①怠けていただけに結果は思わしくなかった。
　　　　②彼はさすがスポーツ選手だけに、体格がいい。
　　　　③この問題は難しいだけに、正解率が低い。
　　　　④ガラス細工は繊細なだけに、取り扱いに注意がいる。

注意1　・一般的・客観的な見方によってまずAを認め、それに付随する当然の結果や状態がBにくる表現である。

対比1　「AばかりにB」(意味1　P.280)
　　　　「AばかりにB」はA以外の理由を排除するという意味で「Aからこそ

B」（意味5　P.83）に近く、理由を強く述べる。「AだけにB」ではBはAの結果。
○　彼はプライドが高いばかりに本当のことが言えなかったのだろう。
○　彼はプライドが高いだけに本当のことが言えなかったのだろう。
「AばかりにB」にはAの理由があったからこそという意味に加え、Bに普通ではしないようなことをしてしまうという特別の結末がくるが、「AだけにB」のBには、Aの理由から導かれる当然の帰結がくる。
○　秘密がバレるのを恐れたばかりに殺人まで犯してしまった。
×　秘密がバレるのを恐れるだけに殺人まで犯してしまった。
「AだけあってB」（意味1　P.114）
「AとあってB」（意味1　P.150）

(意味2)　Aだから、なおさらBだ。Aだからより一層Bだ。
(例文2)　①合格を予想していなかっただけに、喜びもひとしおだ。
②信じていただけに、裏切られたときはショックだった。
③一度断られているだけに、言いにくい。
④風がないだけに、今日は暖かく感じられる。
(注意2)　・Bに感情・感覚の表現がくることが多い。
対比2　「AだけあってB」（意味1　P.113）
(注意1,2)　・命令文や意向形の文にはつかない。
×　大学進学をめざしているだけに、もっと努力しよう。
(接続1,2)　［動詞］だけに
　　　　　［イ形容詞①］だけに
　　　　　［ナ形容詞②］だけに
　　　　　［名詞①④⑥⑦］だけに

A　だす

(意味1)　今までAの状態ではなかったものがAの状態になる。状態の変化の部分に話し手の視点がある。
(例文1)　①地球温暖化により、南極の氷が溶けだしている。
②音楽がかかると、ショーウィンドーの中の人形が軽快に踊りだした。

③今まで黙っていた彼が急にしゃべりだしたから、みんなびっくりした。
　　　④入社おめでとう。皆さんは今日から社会人として歩きだすのです。
対比1　「Aはじめる」
　　ほとんど同じ意味で置き換え可能だが、「Aはじめる」は続く行為Aがスタートすることに視点があり、「Aだす」はAという状態の変化に視点があるので置き換えできないものもある。
　　　○　どうぞ、お先に食べはじめてください。
　　　×　どうぞ、お先に食べだしてください。
　　　○　その話を聞き、彼は急にワッと泣きだした。
　　　×　その話を聞き、彼は急にワッと泣きはじめた。
　　「Aかける」（意味1　P.54）

意味2　中にあるものが外に移動したり、隠れていたものが外に現れたりする。
例文2　①この小説は現代社会の問題をあぶりだしている。
　　　②男はかばんから札束を取りだした。
　　　③今まで我慢していた感情が、一気にあふれだした。
　　　④無銭飲食の男を店主は店の外に叩きだした。

意味3　存在しなかったものを新しく出現させる。
例文3　①素晴らしいアイデアを生みだすには、どうしたらいいのだろう。
　　　②彼はこの工房で毎年多くの作品を作りだしている。
　　　③このバイオリンの音色は癒やしと安らぎを醸しだしている。
　　　④タクシーの自動ドアは大阪人が考えだしたものだ。

接続1〜3　［動詞ーマス形］だす

A　た末　B
Aた末にB／Aの末（に）B

意味1　長い時間をかけたAは最終的にBという状態になった、決まった。
例文1　①10回に及ぶ手術を繰り返した末、彼はついに健康な体を手に入れた。
　　　②お父さんとお母さんは大恋愛の末に、結ばれたんだよ。
　　　③20年間に渡る放浪生活の末、彼女はこの地に居を構えた。

④さんざん悩んだ末、いちばん最初に見たソファーを買うことにした。

対比1 「A（の）結果B」

「A（の）結果B」は「Aの末B」のように、Aに長い時間をかけやっとBという状態になったという感覚はなくAが一回限りの短い時間しか要していないことでも表せる。

○　今回、実験した結果、彼の持論が正しいことがわかった。
×　今回、実験した末、彼の持論が正しいことがわかった。

「AあげくにB」(意味1,3,4　P.26,27)

接続1 ［動詞－タ形］すえ
　　　［名詞②］すえ

ただ　A　のみ　B
ただAのみだ

意味1 取り上げて述べることがA以外になく、AだけがBだと強調する。

例文1 ①子どもは3人いるが、今はただ末っ子のことのみが気がかりだ。
②彼女は私が何を言ってもただうなずくのみで、何も言わない。
③試験は1問も解けぬまま、ただ時間が虚しく過ぎるのみだった。
④留学したからにはどんな困難があってもただ前進あるのみだ。

意味2 Aの少ない数を強調する表現。たったAだけがBだ。

例文2 ①あの事故の生還者はただ一人のみだった。
②日本はオリンピックに大選手団を送り込んだが、金メダルがとれたのはただ（の）二人のみだった。
③締め切り日までただ1ヵ月を残すのみとなった。
④その村で洪水の被害を免れたのは、ただ2軒のみだった。

注意2 ・「ただAのみB」は「たったAのみB」より硬い表現。
・「ただAのみならずB」は「AのみならずB」(P.270)

対比1,2 「ただAだけだ」

「ただAのみだ」はやや古い表現のため、少し堅い感じがある。「ただAのみだ」は唯一という意味合いが強いが、「ただAだけだ」には限定などの意味があり、意味範囲は「ただAだけだ」の方が広い。

○　となりの人とは、ただあいさつするだけです。
×　となりの人とは、ただあいさつするのみです。

接続1,2　ただ［動詞ール形］のみ
　　　　　ただ［名詞①］のみ

A　たためしがない

意味1　Aという行動・経験は、今まで一度もなかったと話し手が思っている。
例文1　①彼はきちんとした時間に学校に来たためしがない。
　　　　②今までプレゼントをくれたためしがないのに、どうしたの。
　　　　③30歳になる今まで、異性にもてたためしがない。
　　　　④事故にあったためしがないのに母はいつも「気を付けろ」と言う。
対比1　「Aたことがない」
　　　　「Aたことがない」は自分の経験にも使えるが、「Aたためしがない」は自分が主体となって行う行為には使わない。
　　　　○　私は日本に来るまで雪を見たことがなかった。
　　　　×　私は日本に来るまで雪を見たためしがなかった。
接続1　［動詞ータ形］ためしがない

たとえ　A　ても　B
たとえAようともB／たとえAとしてもB／たとえAだとしてもB

意味1　実現の可能性のない（少ない）Aの状態になったと仮定してもB。話し手の述べたいことはB。Bを際立たせるためにAを例示することもある。
例文1　①たとえ死んでも、あなたのことは忘れません。
　　　　②こんなに難しい問題は、たとえ一生考え続けようとも解けないだろう。
　　　　③たとえ彼が来なくても、会議は予定どおり行なうつもりだ。
　　　　④たとえあなたが頼んだとしても、彼は承知しないだろう。
注意1　・「たとえAようともB」はやや硬い表現であり、話し手の感情が強調されるため大げさな表現に聞こえる。

○ たとえ大地が裂けようとも、私の決心は変わらない。

対比1 「もしAてもB」
置き換えは可能。ただし、「たとえAてもB」は話し手がAを仮定と考えることが強いので、疑問詞を伴った不明確な文にも使えるが、「もしAてもB」では使えない。

○ たとえだれに頼まれても、この仕事は引き受けません。

× もしだれに頼まれても、この仕事は引き受けません。

意味2 Aには事実に反することが来て、仮にAの場合でもBであっただろうとBを推測する言い方。Bは過去のこと。

例文2 ①たとえ手術をしても、助からなかったでしょう。
②たとえ私が招待しようとも、彼は来なかっただろう。
③この仕事はたとえ金を積まれようとも、引き受けなかったに違いない。
④たとえ昨日交通ストが解除されていなくても、テストは予定どおり行われただろう。

接続1,2 たとえ［動詞－テ形］も
たとえ［動詞－意向形］とも
たとえ［動詞－ナイ形］くても／としても
たとえ［動詞］としても

A たところ B
AたところではB

意味1 AをしたらBという結果になった。Bという状態だった。

例文1 ①先生に国の土産をお渡ししたところ、非常に喜ばれた。
②テレビで見た料理を自分で作ってみたところ、おいしくできた。
③久しぶりに友人を訪ねたところ、ちょうど留守でがっかりした。
④その液体を口に含んだところ、甘い味がした。

注意1 ・Bは過去の形である。
「AたところではB」とは置き換えできない。

対比1 「AたはずみにB」（意味1　P.123）

意味2　はっきりとはわからないが、Aの範囲ではBである。Aは自分の感覚、知覚、得た情報の及ぶ範囲。

例文2　①見たところ、傷はたいしたことなかった。
②私が聞いたところ、参加者は5人だそうだ。
③トランクは私が持ってみたところ、20キロはなさそうだ。
④う〜ん、食べたところじゃ、蟹(かに)そっくりの味だが、本当は何ですか。

注意2　・「AたところではB」との置き換えは可能。ただし、「AたところではB」は限定が強い。

対比2　「AかぎりB」(意味3　P.52)
置き換え可能。ただし、「AかぎりB」はAの範囲ではBだとAの範囲を強調する表現。「AたところB」は限定が弱いため「Aたところでは」と「では」をつけたほうが安定感が感じられる文もある。
○　本で読んだところ（では）、彼の超能力はトリックのようだ。
○　本で読んだかぎり、彼の超能力はトリックのようだ。

接続1,2　[動詞ータ形] ところ

A　たところで　B
AといったところでB

意味1　Aをすると仮定しても、報われない、ろくな結果にならない。Aを積極的にはしないというニュアンスがある。

例文1　①きれいな服を買ったところで、着ていく場所がない。
②今さら彼に会ったところで、何も話すことはない。
③フランス語の講義なんて受けたところで、わからないよ。
④石頭の課長に言ったところで、どうせ無駄だろう。

対比1　「AとしたところでB」(意味1　P.172)
「AとはいえB」(意味1　P.185)

意味2　たしかにAではあるが、Bという事実があるためAの価値は減る。

例文2　①彼が優秀だといったところで、まだ中学生だ。たかが知れている。
②ダイエットが成功したといったところで、まだ90キロもある。
③日本は技術立国だと頑張ったところで特許件数は米国の半分もない。

④どんなに節約したところで、毎月赤字だ。

(接続1,2) ［動詞―タ形］ところで

A　たとたんに　B
AたとたんB

(意味1) Aが引き金となって、予期せぬBが瞬時に起こる。AはBの事態になるきっかけであり、Bに話し手の視点がある。

(例文1) ①押し入れの戸を開けたとたんに、中の荷物が飛び出してきた。
②彼女はその話を聞いたとたん、泣き出してしまった。
③重い荷物を持ち上げたとたん、腰が痛み、立てなくなった。
④煙草を一口吸ったとたんに、煙でむせてしまった。

対比1 「Aかと思うとB」（意味1　P.60）

「Aかと思うとB」は話し手がある事柄によって「思う」のであり、自身のことには使いにくく、AとBの時間差に視点がある。「AたとたんにB」はAが引き金でBが起こるという表現。
　○　私は立ち上がったとたんにめまいがした。
　×　私は立ち上がったかと思うと、めまいがした。
　○　ほめられたかと思うとすぐまたけなされる。
　×　ほめられたとたんにまたけなされる。

「AたはずみにB」（意味1　P.124）

「AたはずみにB」は、Aの勢いが原因・理由となってBが起こるという意味だが、「AたとたんB」は単にAが引き金となってBという意味。
　○　赤ん坊は彼の顔を見たとたんに泣き出してしまった。
　×　赤ん坊は彼の顔を見たはずみに泣き出してしまった。

「AたとたんB」はAとBの時間差が短いことに焦点があり、Aは意図してしたことだが、「AたはずみにB」はAがBの誘因であることに焦点がある。
　○　よろけたはずみに皿に盛ったパンを落とした。
　×　よろけたとたんに皿に盛ったパンを落とした。

「AなりB」（意味1,2　P.203）
「AとともにB」（意味1　P.181）

意味2　Aの事態のすぐあとにBという変化が起こった。
例文2　①家を出たとたんに、雨が降りだした。
　　　②この部屋に入ったとたんに、異様な霊気を感じた。
　　　③彼を見たとたんに、すぐに犯人だと直感した。
　　　④始業のベルが鳴ったとたんに、先生が入ってきた。
注意2　・「～たとたんに」「～たとたん」は、同じ意味である。
　　　・Bに命令や意向文は来ない。
　　　　×　私が呼んだとたん、こちらへ来てください。
　　　・1人称を主語にした場合、Bに意志動詞は来ない。
　　　　×　私は弁当を開けたとたん、食べました。
対比2　「AなりB」（意味1,2　P.203）
　　　「Aや否やB」（意味1　P.313）
　　　「AかAないかのうちにB」（意味1　P.49）
　　　「Aが早いかB」（意味1　P.63）

意味3　AとBの間に時間差がないと、話し手が感じたことを述べる表現。
例文3　①彼は会社をやめたとたん、元気になったね。
　　　②8月になったとたんに、蝉（せみ）が鳴きはじめたね。
　　　③あの子は中学生になったとたん、よく勉強するようになった。
　　　④日本人は豊かになったとたんに、ものを大切にしなくなった。
対比3　「Aたら、とたんにB」
　　　「Aたら、とたんにB」も、Aをした（になった）後の変化に話し手の視点があり、時間差がないことを述べたいという表現で置き換え可能。
　　　○　彼女は化粧をしたら、とたんに女らしくなった。
　　　○　彼女は化粧をしたとたんに、女らしくなった。
接続1～3　［動詞ータ形］とたん（に）

A　だに　B
AにだにB

意味1　Aを例としてあげ、AするだけでBとBを強調する。慣用的表現。
例文1　①あの話を思い出すだに胸が熱くなる。

②幼い頃に別れた母に一目だに会いたいと、遠く日本までやってきた。
③人類滅亡の瞬間など、想像するだに恐ろしくなる。
④あの人が犯人だなんて、夢にだに思っていなかった。

対比1 「AさえB」(意味1 P.101)
「AすらB」(意味1 P.110)
「だに」は古い表現で「だに→すら→さえ」の順に新しい。動詞との接続は「すら・さえ」は「動詞＋こと」につくが、「だに」はル形につく。
○ あの人の名を口にすることさえ（すら）恐ろしい。
○ あの人の名を口にするだに恐ろしい。
「すら・さえ」はAがBなら当然A以外のものもBだという意味であるが、「だに」はAするだけでBだ、AだけでもBだ。だからBはすごいと強調される。

接続1 ［動詞－ル形］だに
［名詞①］＋（に）＋だに

A　たはずみに　B
AたはずみでB

意味1 Aという動作が原因で、結果として意図していなかったBを引き起こす。
例文1 ①ものを取ろうと手を伸ばしたはずみに机の上のお茶をこぼした。
②子どもを抱き上げたはずみにぎっくり腰になってしまった。
③電車の中でよろけたはずみで後ろの人の足を踏んでしまった。
④お辞儀をしたはずみに彼女は抱えていた書類を路上にばらまいた。

対比1 「Aた勢いでB」
「Aた勢いでB」はAの力を利用してBという意味。「AたはずみにB」はAの動作そのものがBの誘因となる。
× A大に合格したはずみでもっと難しいB大を受けることにした。
○ A大に合格した勢いでもっと難しいB大を受けることにした。
「AたところB」(意味1 P.119)
「AたところB」はBを期待してAをする。「AたはずみにB」のBは意図しない結果。
○ 問題の解き方を先輩に聞いたところ、すぐ教えてもらえた。

× 問題の解き方を先輩に聞いたはずみに、すぐ教えてもらえた。
「Ａたとたんに Ｂ」(意味1　P.121)
接続1　[動詞—タ形] はずみに

Ａ　たびに　Ｂ
Ａたびごとに Ｂ

意味1　Ａの事態になったときはいつも Ｂ。
例文1　①父は東京へ行くたびに、土産を買って来てくれる。
　　　②あの地方は台風のたびに被害を受けている。
　　　③あの二人は会うたびごとにけんかしている。
　　　④空港近くの家では、ジェット機が通過するたびに、窓を閉めなければ話も聞こえないという。
注意1　・ＡとＢの関係が当然のときは、使いにくい。
　　　× 学校へ来るたびに、よく勉強します。
　　　ただし、Ａの事態になったときに、Ｂ以外にも方法やすることがある場合は、ＡとＢが当然の関係であっても使える。
　　　○ 電車に乗るたびに切符を買うのは面倒なので、定期を買った。
　　・「Ａたびに Ｂ」はＡではないときはＢしないというニュアンスも含んでいる。ＡとＢとの結びつきが習慣的なことには使いにくい。
　　　× 学校へ行くたびに、阪急梅田駅を通ります。
　　　ただし、「Ａたびに Ｂ」を強調表現として用いているものなら可能。
　　　○ 「阪急梅田駅を知っていますか？」
　　　　「ええ、学校へ行くたびに通っているので、よく知っていますよ。」
　　・Ｂに否定文・形容詞文はこない。
　　　× 国へ帰るたびに、友達に会いません。
　　　× この料理を食べるたびに、おいしいです。
　　・Ｂに同一のものが変化せずに存在するという状態はつかない。
　　　× あの角を曲がるたびに、銀行があります。
　　・「Ａたびごとに Ｂ」は強調表現。
対比1　「Ａにつけ Ｂ」(意味1　P.249)
　　「Ａにつけ Ｂ」はＢ部分が自然に起こる心の状態が来る。「Ａたびに Ｂ」

には、そのような制限がない。
× 父は東京へ行くにつけ、お土産を買ってきてくれる。
○ 父は東京へ行くたびに、お土産を買ってきてくれる。
Bが自発的な心理状態の場合は、意味は同じであるが、「AにつけB」の方が、古風な言い方という感じがする。
○ この手紙を読むにつけ、母のことが思い出される。
○ この手紙を読むたびに、母のことが思い出される。

「AごとにB」(意味1 P.91)
「AごとにB」は断続的・機械的に繰り返されるAの時には、いつも同じBになる（Bをする）の意味で、Aが断続的・機械的に繰り返されるものについては（Aが名詞の場合）置き換えできるが、Aが不定期のものには「AごとにB」は使えない。
○ 彼は日曜ごとに、出かけている。
○ 彼は日曜のたびに、出かけている。
× この地方は台風ごとに、被害を受けている。
○ この地方は台風のたびに、被害を受けている。

Aが動詞の場合は、断続的・機械的なものであっても「AごとにB」では置き換えにくい。
× 客がここを通るごとに、ランプがつく仕組みです。
○ 客がここを通るたびに、ランプがつく仕組みです。

接続1 ［動詞ール形］たびに
　　　［名詞②］たびに

意味2 Aを繰り返していくうちに、だんだんBの程度が変化する。
例文2 ①彼女は見るたびに美しくなっている。
　　　②彼の英語は聞くたびに上達している。
　　　③帰郷するたびに、ふるさとの自然が失われていくのを感じる。
　　　④我が社は新商品を開発するたびに、シェアを拡大してきた。
対比2 「AごとにB」(意味2 P.91)
接続2 ［動詞ール形］たびに

A　ために　B
AためB

意味1　AはBをする目的・目標である。

例文1　①子どもを産むために、妻は郷里に帰った。
　　　　②きれいになるためにエステサロンに多額のお金を払う人は多い。
　　　　③資金繰りのために、いくつも金融機関を尋ね歩いた。
　　　　④引ったくり被害にあわないために、自転車の前かごにかばんを乗せないほうがいい。

対比1　「AんがためにB」(意味1　P.347)
　　　「AんがためにB」はAがBの唯一の目標であることを強調した表現で、Bには手段を選ばないこと、普通ではしないことがくることが多い。文によっては、置き換え可能。また、Aは動詞のみである。
　　　○　警察の追跡を逃れんがために、犯人は外国に逃亡した。
　　　○　警察の追跡を逃れるために、犯人は外国に逃亡した。
　　　○　成人式で着物を着るために、美容院を予約した。
　　　×　成人式で着物を着んがために、美容院を予約した。
　　　「AようにB」(意味5　P.320)
　　　「Aべきだ」(意味5　P.288)

接続1　[動詞－ル形・ナイ形] ために
　　　　[名詞②] ために

意味2　AはBの原因・理由である。

例文2　①台風のために島に足止めされ、帰ってこられなくなってしまった。
　　　　②彼が来なかったために、質問がすべて私に集中した。
　　　　③お互い顔見知りだったため、交渉は和やかに進んだ。
　　　　④梅雨前線が近づいているため、今晩から天気は下り坂になるでしょう。

対比2　「AせいでB」(意味1　P.110)
　　　「AせいでB」はBに悪い結果が来て、話し手のAに対する非難やBという結果になった恨めしい気持ちを表す。「Aため（に）B」にはそのような話し手の気持ちは含まれず、Bにはプラス・マイナス両方の結果がくる。

○ 彼のためにたいへんな目にあった。
○ 彼のせいでたいへんな目にあった。
× 雪のせいで徐行運転を行っております。
○ 雪のために徐行運転を行っております。

「AがためにB」(意味1　P.56)

「AがためにB」は、Aだけが唯一の原因・理由であることを強調する表現であるが、「AためにB」にはその制約がない。

○ 梅雨前線が近づいているために、今晩から下り坂になるでしょう。
× 梅雨前線が近づいているがために、今晩から下り坂になるでしょう。

(接続2)　［動詞］ために
　　　　　［イ形容詞①］ために
　　　　　［ナ形容詞②］ために
　　　　　［名詞②④⑥］ために

(意味3)　Aにとってプラスになることだと考え、Bをする。BはAの利益になると話し手が思っていることである。

(例文3)　①子どものために、空気のきれいな郊外に引っ越した。
　　　　②勉強は先生や親のためにするものではない。自分のためにするものだ。
　　　　③社長のためにわざわざ海外まで、好みの酒を買いにいった。
　　　　④飼い猫のために、高価な魚を買う人もいる。

(注意3)　・Aは人、動物、組織など。

(接続3)　［名詞②］ために

A　たら　A　たで　B

(意味1)　結果Bは前から予測できることであるが、Aの前に持っていた気分や状態とは違うことを表す。BはAのあとの行動。

(例文1)　①離れていると孫に会いたいが来たら来たでうるさいと思うこともある。
　　　　②学校に行くのは気が重いが行ったら行ったで講義は面白い。
　　　　③エアコンをつけると寒すぎるが、消したら消したで暑くなる。
　　　　④雨が降らないときは降ってほしいし、降ったら降ったで鬱陶しい。

(接続1)　［動詞ータ形］ら、［動詞ータ形］で

(意味2) Aの状態になった場合はBという対処法や考え方がある。
(例文2) ①「旅行にセーター持って行けば？　寒いよ」
　　　　「寒かったら寒かったで、向こうへ行ってから買うよ」
　　　②「そんな勉強の仕方じゃ、大学に合格できないぞ」
　　　　「落ちたら落ちたで、来年、また受けるよ」
　　　③「早くしろよ！　電車に乗り遅れるよ」
　　　　「乗り遅れたら乗り遅れたでタクシーで行きましょうよ」
　　　④今日の宴会、時間内に行けるかどうかわからないけど、間に合ったら
　　　　間に合ったで、途中から合流するよ。

(対比2) 「AならAでB」（意味1　P.201）
　　　　「AならAでB」のBはAの前の行動、「AたらAたでB」のBはAの後
　　　の行動。
　　　　○　夕食を食べるなら食べるで連絡してくれないと…。　（食べる前に）
　　　　○　夕食を食べたら食べたで連絡してくれないと…。　（食べた後で）

(接続2) ［動詞ータ形］ら、［動詞ータ形］で
　　　　［イ形容詞⑤］ら、［イ形容詞⑤］で
　　　　［ナ形容詞⑥］ら、［ナ形容詞⑥］で

A　だらけ

(意味1) Aがあまりにも多くある様子。話し手はそれを良いこととは思っていない。

(例文1) ①君の答案はまちがいだらけでした。
　　　　②どうしたんだ。服が泥だらけじゃないか。
　　　　③失敗だらけの人生でしたが、今は幸せです。
　　　　④問題だらけの法案だと、野党は与党を攻撃した。

(注意1) ・Aは必ずしも悪いイメージの名詞とは限らないが、話し手にとっては
　　　　　Aが多くあることが不快・不満である。
　　　　○　何だ！　この花だらけの部屋は。足の踏み場もないぞ。
　　　　×　あの庭は花だらけで美しい。

対比1 「Aまみれ」(意味1　P.296)
　　　「Aずくめ」(意味1　P.107)
接続1 ［名詞①］だらけ

A　たりとも　B　ない

意味1 Aは最小の単位としての例示であり、まったくBないことを表す。
例文1 ①車を運転するなら、酒は一滴たりとも飲んではいけない。
　　　②税金は国民の汗の結晶なのだから、一円たりとも無駄遣いは許せない。
　　　③疲れてしまい、もう一歩たりとも歩けない状態だった。
　　　④私はあなたのことを一瞬たりとも疑ったことなどありません。
注意1 ・Aには「1」を含む語しかこない。また、Aは最小の単位のため、「1年・1キロ…」など、あまり大きい単位では使わない。
　　　・慣用的表現に「何人(なんぴと)たりとも」(だれであっても)がある。
　　　○　この部屋には、何人たりとも立ち入りを禁ず。
対比1 「AもBない」
　　　「AもBない」と意味は同じ。「AたりともBない」は強調表現である。
　　　○　あなたのことを一日たりとも忘れたことはなかった。
　　　○　あなたのことを一日も忘れたことはなかった。
接続1 ［名詞①］たりとも

A　たる　B
AたるものB

意味1 AとしたB。Aという状態のBであることを示す。
例文1 ①日本選手団の堂々たる行進が続いた。
　　　②どんなことがあっても、毅然たる態度で対処すべきだ。
　　　③こんな微々たる金のために、人生を棒に振るものではない。
　　　④彼は窮地に陥っても、悠然たる態度で事にあたる。
注意1 ・もともと形容動詞には「ナリ活用」と「タリ活用」があり、その「タ

リ活用」がこの意味1である。「ナリ活用」は今の「ナ形容詞」である。
　　○　静かな海→　静かなる海
古い表現では動詞につくこともある。
　　○　首相来たる。（首相が来る）
　　○　勝手知ったる他人の家（知っている）
　　○　秘めたる思い（秘めた）

(接続1)　[ナ形容詞（古）①] たる [名詞①]

(意味2)　「AたるものB」の形で。Aという状態・身分・地位にある場合はB。AというものはBだと、Aの当然（本来）あるべき姿をBで示す。
(例文2)　①学生たるものが、勉強もせずに遊んでばかりいてどうするんだ。
　　　　②患者を放ってゴルフに行くなど、医者たるもののすることではない。
　　　　③教師たるもの、常に学生を平等に扱わなければならない。
　　　　④一国の首相たるものは、国民の手本であらねばならない。
(注意2)　・Aは、一般的価値基準のある言葉である。
　　　　×　車たるものは、いまや人間の足だ。
　　「政治家たり得るもの～」の形もあるが、古い言い方で、後文には既成の価値観を示す文が続くことが多い。

(接続2)　[名詞①] たるもの

A　たるや　B

(意味1)　Aの程度がはなはだしい状態であることをBで表す。Aは特別だ。
(例文1)　①あの親の育て方たるや放任主義の極みだ。
　　　　②パソコンが動かないときの彼のいらいら感たるや尋常ではない。
　　　　③休日に家でうろうろしている姿たるや他人に見せられるものではない。
　　　　④あの店のケーキの味たるや、今までに味わったことがないくらいだ。
(対比1)　「AといったらB」(意味1　P.158)
　　　「AといったらB」と意味は同じだが、「AたるやB」は文語的なので大げさな表現になる。Aに評価を伴った言葉があればBは省略できる。
　　　○　あの男の不潔さたるや…。
　　　「Aといったらない」(意味1　P.160)

「Aといったらない」はとてもAと程度を強調していて、Aは名詞でも形容詞でもいいが、「AたるやB」はAは特別だということを強調していて、Aは名詞のみ。
○　このケーキ、甘いったらない。
×　このケーキ、甘いたるやほかにはない。
○　このケーキの甘さといったらない。
○　このケーキの甘さたるやほかにはない。

(接続1) [名詞①] たるや

ちょっとした　A

意味1　普通以上のA。
例文1　①兄の作る料理の味はちょっとしたレストラン並みだ。
②免許取り立ての友人の車に乗るのはちょっとした恐怖だ。
③すべて一流仕様でちょっとした贅沢を味わう旅をお約束いたします。
④彼女の英語力ってちょっとしたものですよ。

意味2　すこしだけのA。Aはたいしたことがない。
例文2　①ちょっとした工夫で生活は快適になる。
②スキーはちょっとしたコツをのみこめば、誰にでもできるスポーツだ。
③ちょっとした用事があるので遅れるかもしれない。
④日常感じているちょっとしたことを書き留めておくブログです。

(接続1,2) ちょっとした [名詞①]

A　つ　B　つ

意味1　AをしたりBをされたり、AたりBたりを何度も繰り返すという状況や状態を表す。「AたりBたり」の慣用表現。
例文1　①犯人は車で逃走し、パトカーと追いつ追われつのカーチェイスを繰り広げた。
②あの二人は成績において、常に抜きつ抜かれつしながら成長している。

③問屋と商店は持ちつ持たれつの関係だ。

④彼は部屋に入ろうかと迷いながら、部屋の前を行きつ戻りつしていた。

(注意1) ・慣用的なので決まった表現しかない。

(接続1) [動詞ーマス形] つ [動詞ーマス形／受身] つ

A　ついでに　B

(意味1) Aの機会を利用してBをする。Aが目的であり、その機会にあわせてBをするという意味。

(例文1) ①子どもを医者へ連れていったついでに、私も診てもらった。

②郵便局へ手紙を出しにいったついでに、年賀はがきを買ってきた。

③私の靴を磨くついでに、あなたのも磨いておきましたよ。

④買物のついでに煙草を買ってきてくれ。

(注意1) ・慣用的に婉曲表現としても使う。

○　ついでにと言ってはなんだが、この報告書も見ておいてくれ。

○　ついでの時でいいですから、彼にこれを渡しておいてください。

○　子どものお弁当を作るわ。ついでだから、あなたのも作ってあげる。

(対比1) 「AがてらB」(意味1　P.59)

(接続1) [動詞] ついでに

[名詞①] ＋の＋ついでに

A　っきり
Aぽっきり

(意味1) Aだけであると強調する表現。

(例文1) ①一人っきりの食卓はさびしいものだ。

②子どもが巣立ち、また夫婦二人っきりになった。

③沖縄には一度っきりしか行ったことがない。

④同窓会は楽しかったな。これっきりにしないでまた会おうじゃないか。

(注意1) ・慣用的なので、決まった表現しかない。

・「数＋ぽっきり」は、ちょうどその金額だ。それ以上でも以下でもな

いという強調表現。
○　今なら5000円ぽっきりでカニが食べ放題。

(接続1)　[名詞①] っきり

A　つくす
Aつくせない／Aつくし

(意味1)　残らず全部A。
(例文1)　①意見が出つくしたところで、そろそろまとめに入りましょう。
　　　②デパートでは、夏物一掃売りつくしセールが開催されている。
　　　③大阪で生まれ育った彼は、大阪のことなら何でも知りつくしている。
　　　④球場を埋めつくしたファンは、いっせいに歓声をあげた。
(注意1)　・「語りつくせない」「描きつくせない」「表現しつくせない」など「表現」を表す場合には、「Aつくせない」という形で、すべてを表現できないという意味になる。
　　　　○　彼の話を聞いて、言葉では言いつくせぬ感動を受けた。
　　　・「立ちつくす」は、いつまでも立ち続けているという意味で、例外。
(対比1)　「Aきる」(意味1　P.76)
　　　　「Aぬく」(意味1　P.267)
(接続1)　[動詞－マス形] つくす

A　づけ

(意味1)　Aばかりの、Aを続けている状態から抜け出せない厳しい状況を表す。
(例文1)　①塾の合宿に参加すると早朝から深夜まで勉強づけの毎日だ。
　　　②小さい頃からゲームづけで育つと、脳に障害が出るという意見がある。
　　　③薬づけにされるような医療は人間を診ているとはいえないだろう。
　　　④プロ野球選手になるということは毎日野球づけになるということだ。
(対比1)　「Aびたり」
　　　　Aから抜け出せない状況という意味では「Aびたり」も「Aづけ」も同じで置き換え可能だが、「Aびたり」は慣用的な表現なので使われる言

葉は限られ、自らの意志で進んでその状況に入っていった場合でしか使えない。「Aづけ」は、自らの意志に加えて、ほかからの強制であったり、結果としてその状況に陥ってしまっている場合にも使える。
　○　入院した祖母は検査づけで弱ってしまった。
　×　入院した祖母は検査びたりで弱ってしまった。
「Aまみれ」(意味2　P.297)

(接続1) [名詞①] づけ

A　っけ

(意味1) 知ってはいたが、忘れてしまったり不確かなAを「〜かなぁ」と確認する言い方。

(例文1) ①これ、君のだったっけ。
②テストはいつからだっけ。
③あれ、これぼくが払うんだっけ。
④毎月、携帯電話の請求書を見て、「こんなに使ったけ」と思う。

(注意1) ・「だっけ」「だったっけ」は意味が同じ。
・動詞につく場合、その動詞が「ル形」か「タ形」かで、過去の出来事か否かを表す。

(接続1) [動詞] ＋んだ＋ (った) ＋っけ
[動詞ータ形] っけ
[イ形容詞②③] ＋んだ＋ (った) ＋っけ
[イ形容詞⑤] ＋ (んだ) ＋っけ
[ナ形容詞⑥⑧] っけ
[名詞⑤⑥] っけ

(意味2) そういうこともあったなぁと昔を懐かしんだり、過去を回想する表現。

(例文2) ①小学生の頃、二人で手をつないで、この道を通ったっけ。
②ここに大きな赤い屋根の家が建っていたっけ。
③学校をさぼってよくみんなで映画を見にいったっけ。
④あの日も今日のように雨が降っていたっけ。

(注意2) ・「タ形っけ」の形で、「〜たよねえ」の意味。

__対比2__ 「Aものだ」(意味1　P.308)
　　　　置き換え可能。「Aものだ」より「Aっけ」のほうがくだけた表現。
__接続2__ [動詞ータ形] っけ

A　っこない

__意味1__ Aはずがない。Aはありえないと話し手が思っている。
__例文1__ ①安全運転をしているんだから、事故なんて起こしっこないよ。
　　　　②いくら頑張っても、100点はとれっこないなぁ。
　　　　③明日までにこれだけの仕事をするのか。できっこないな。
　　　　④彼に私たちの気持ちなんかわかりっこないよ。
__注意1__ ・会話でよく使われる形である。
　　　　「見る・する・寝る・着る」など、2音節語では使いにくい。
__接続1__ [動詞ーマス形] っこない

A　つつ　B
AつつもB

__意味1__ Aという状態・行為とともにB。
__例文1__ ①家族の健康を祈りつつ、国を後にした。
　　　　②人間は小さな失敗を重ねつつ、成長していくものだ。
　　　　③あの会社は従来の取り引きを継続しつつ、新規開拓を試みている。
　　　　④オリンピックへの夢を抱きつつ、彼女は病と戦っている。
__対比1__ 「AながらB」(意味1　P.195)
　　　　「AつつB」と置き換え可能。「AつつB」は、少し硬い表現。
　　　　○　音楽を聞きながら寝ました。
　　　　○　音楽を聞きつつ、眠りに落ちた。
　　　　また、「AながらB」のAは動作性が強いが、「AつつB」のAは動作性
　　　　が弱く、Aという状態でBというニュアンスが強い。
　　　　○　歩きながらタバコを吸うのは危険です。
　　　　×　歩きつつタバコを吸うのは危険です。

○　皆様のご健康を祈りつつ、筆をおきます。
×　皆様のご健康を祈りながら、筆をおきます。

意味2 Aであるけれども、それに相反するBをする。
例文2 ①彼は金を返さない人間だと知りつつ、また金を貸してしまった。
②彼女は道を間違えたと思いつつも、引き返せないでいた。
③口では任せておけと言いつつも、本当は自信がなかったんだ。
④友人の言葉を信じつつも、疑いの気持ちも消えなかった。
注意2 ・「AつつもB」は逆接の意味が強くなる。
接続1,2 [動詞ーマス形] つつ

A　つつある

意味1 Aは少しずつ変化している状態である。
例文1 ①日本の人口は毎年、減少しつつある。
②この国の国民の生活水準は向上しつつある。
③新製品の開発により、会社はますます業績を伸ばしつつある。
④緑豊かな環境は、都会ではつぎつぎに奪われつつある。
対比1 「Aている」
「Aている」は動作の進行中を表し「Aつつある」は変化の進行中を表す。
○　今、食事をしているので、ちょっと待ってください。
×　今、食事をしつつあるので、ちょっと待ってください。
「Aている」はAの状態を表すため、Aが変化を表す動詞だと、「Aつつある」との置き換えは可能だが、意味は変わる。
○　目的を見失った若者が増えつつある。　　　　（変化の進行中）
○　目的を見失った若者が増えている。　　　　　（現在の状態）
接続1 [動詞ーマス形] つつある

A　っぱなし
Aっぱなしで B

意味1 Aという行為が行われた後、しなければならない処置や始末をしないで、そのままの状態にしてある。Aをしたまま放置してある状態でB。

例文1 ①窓を開けっぱなしで寝たので、風邪をひいてしまった。
②荷物を置きっぱなしにして、席を離れないでください。
③食べっぱなしで出かけないで、きちんと片付けなさい。
④あの子はいつも道具を使ったら使いっぱなしだ。

意味2 Aという行為がずっと続いていたり、頻繁にAが起こることを示す。

例文2 ①パソコンもつなぎっぱなしが当たり前の時代になった。
②彼はよくミスをするので、部長に叱られっぱなしだ。
③今日は一日中、座りっぱなしだったので、お尻が痛くなってしまった。
④朝からしゃべりっぱなしだったので、疲れた。

対比1,2 「AままB」(意味3　P 296)
「AままB」はAの状態でBをするのは好ましくないという意味で、Aの状態に視点があるが、「Aっぱなし」はAの行為に対して処置・始末をしないことに視点があるため、話し手の不満・あきれなどを表すこともある。
　　○　彼は電気をつけっぱなしで、出かけていった。　　　（消さないで）
　　○　彼は電気をつけたままで、出かけていった。　　　（つけた状態で）
「Aっぱなし」は処置・始末が不要な場面では、使えず、意味2となる。
　　○　ジムさんは靴をはいたままで、部屋に入ってきた。
　　×　ジムさんは靴をはきっぱなしで、部屋に入ってきた。
　　○　掃除しっぱなしで、掃除機も片付けない。　　　　　（意味1）
　　○　朝から掃除しっぱなしで疲れた。　　　　　　　　　（意味2）
「Aたきりだ（AたきりBない）」(意味1　P.112)

接続1,2 [動詞ーマス形] っぱなし

（Xは） A　っぽい
Aっぽく B

意味1　XにはAという傾向や状態がよく現れていて、Xの性質となっている。

例文1　①私は忘れっぽいから、ノートに書いておきましょう。
　　　　②あの子は飽きっぽくて、すぐに新しいおもちゃを欲しがる。
　　　　③父は怒りっぽいが、酒を飲むと機嫌がよくなる。
　　　　④彼女の話はいつも湿っぽくていけない。

対比1　「Aがちだ」（意味2　P.58）
「Aがちだ」は現在はAではないが、Aというマイナス方向へ変わりやすいという意味であり、それが性格のようになってしまったのが「Aっぽい」である。
　　○　年をとると、忘れっぽくなった。
　　×　年をとると、忘れがちになった。

接続1　[動詞ーマス形] っぽい

意味2　Xに接したときの話し手のXに対する感覚がA。Aの傾向・要素が強い。

例文2　①あの俳優は男っぽいから好きだ。　　　　　　（男らしい）
　　　　②花子さんは子どもっぽいしゃべり方をする。　（子どものような）
　　　　③朝から熱っぽいわ。風邪を引いたのかしら？　（熱があるようだ）
　　　　④彼女は黒っぽい服がよく似合う。　　　　　　（黒に近い）

対比2　「Aらしい」
「Aらしい」は本当にAだという感じがする、Aを代表するような事態・状態だという意味であり、Aをプラスのイメージでとらえるが、「Aっぽい」は本当はAではない場合にも使う。
　　○　彼女は男っぽい性格だ。　　×　彼女は男らしい性格だ。
　　○　彼は男っぽくて好青年だ。　○　彼は男らしくて好青年だ。

「Aくさい」（意味1　P.78）
「Aくさい」は（好ましくない）Aという感じがするという意味であり、Aには明らかに話し手のマイナスの気持ちが含まれる。一方「Aらしい」はAをプラスと感じている場合であり、「Aっぽい」はプラス・マイナス両方に使う。
　　○　おばあさんらしい服　　　　　　（おばあさんにふさわしい服）

○ おばあさんくさい服 （地味すぎる服）
○ おばあさんっぽい服 （おばあさんがよく着るような服）

(接続2)［名詞①］っぽい

A1　て　A2　ないことはない（が　B）
A1てA2ないこともない（がB）

(意味1) A1をしようと思えばできるが、少しの無理や強い意志が必要だ。

(例文1) ①九州まで行って行けないことはないが、一人で運転するのは不安だ。
②「明日までにこの仕事、できるか？」
「やってやれないことはないですけど、ちょっと苦しいです。」
③これは次世代のエネルギーだと言って言えないことはない。
④酒は飲んで飲めないこともないが、仕事で必要なときだけにしている。

対比1　「Aしようと思えばできる」

置き換え可能。「Aしようと思えばできる」は気分や状況の影響が大きくてしていないだけで、Aが不可能なことではないと言いたい。「A1てA2ないことはない」は無理をすればできるという意味でニュアンスが異なる。

○　これぐらいの額なら買って買えないことはない。
（無理をすれば買える）
○　これぐらいの額なら買おうと思えば買える。　（いつでも買える）

(意味2) A1は可能だが、100％の満足は得られない。

(例文2) ①2、3年前の服なら着て着られないことはないが、何となく古くさい。
②年末のホテルの予約は、取って取れないことはないが、今からではいい部屋は無理だろう。
③「君の叔父さんに就職の件、頼んでくれないか。」
「頼んで頼めないこともないけど、結果はわからないぞ。」
④「バレンタインに手作りチョコをあげたら？」
「チョコ？　作って作れないことはないけど、彼が喜ぶかどうか…。」

(注意1,2)・「わかる・見える」など可能の意味を含んだ動詞はA1には使えない。
○　英語は聞いてわからないことはないが、やはりむずかしい。

× 英語は分かってわからないことはないが、やはりむずかしい。

(接続1,2)［動詞ーテ形］［動詞ー可能のナイ形］ないことはない

A であれ B であれ C

(意味1) たとえとしてAやBをあげ、AやBで代表されるどんなもの・場面・状態でもとにかくCであるという意味。

(例文1) ①会議中であれ、食事中であれ、必ず知らせてください。(どんな時でも)
②予習であれ、復習であれ、一度もやったことがない。(どんな勉強も)
③彼女は身につけるものであれ、何であれ、一流を求める。
④陸路であれ空路であれ、この天候では行くのは無理だ。

(注意1)・「AであってもBであっても」を短くした形である。

(対比1)「AにしてもBにしても」(意味1　P.239)
「AであれBであれC」は、AやBに名詞がつく。動詞が入る場合は「AにしてもBにしても」の形になる。
　○　旅行するにしても、酒を飲むにしても、気の置けない友達が一番だ。
　×　旅行するのであれ、酒を飲むのであれ、気の置けない友達が一番だ。
ニュアンスとしては、「AであれBであれC」があらゆる条件にかなうことに使う場合が多いが「AにしてもBにしても」はAの場合もBの場合もというように、話し手の視点がA・Bに置かれる。
　○　株にしても、債券にしても、必ず危険性を伴うものだ。
　　　　　　　　　　　　　　(株も危険だし、債券も危険だ)
　○　株であれ、債券であれ、必ず危険性を伴うものだ。
　　　　　　　　　　　　　　(株や債券で代表される有価証券は危険だ)
したがって、疑問詞に「であれ」「にしても」がつく時は、「どんな～であれ」「どちらにしても／いずれにしても」という組み合わせになることが多い。
　○　外車もいいし、国産車もいいけど、どんな車であれ、燃費のいいものにしよう。
　○　外車もいいし、国産車もいいけど、どちらにしても、燃費のいいものにしよう。

「AといいBといいY」(意味1　P.152)

「AといわずBといわずC」(意味1　P.162)
接続1) [名詞①] であれ [名詞①] であれ

A　てからでないと　B

意味1) AのあとでB。BはAが成立後しか成立しない。AをしたらBが可能。
例文1) ①手を洗ってからでないと、おやつはあげませんよ。
②いい人かどうかは会ってからでないと判断できない。
③地震の時は安全を確認してからでないと、外へ飛び出してはいけない。
④このスイッチを切ってからでないと、ドアを開けてはいけません。
接続1) [動詞－テ形] からでないと

A　てからというもの　B
AてからというものはB

意味1) Aという状態になって（Aという出来事があって）、以前とは一変したBという状態がずっと続いている。
例文1) ①日本に来てからというもの、一度も国へ帰っていない。
②彼女は高校に入ってからというものはまじめに勉強している。
③父は定年退職してからというもの、めっきり年を取ってしまった。
④車の免許を取ってからというもの、バスや電車に乗らなくなった。
注意1) ・Aという状態になってからは、かなりの時間の経過が必要。
　　　×　朝、薬を飲んでからというもの、昼まで飲んでいない。
・Bには継続性のある状態が来る。
　　　×　彼は電車通勤に変えてからというもの、定期を買いにいった。
対比1 「AてからB」
「AてからというものB」は順次動作を表す「AてからB」に置き換えられる。しかし「AてからB」は一時的な変化にも使えるが、「AてからというものB」は以前とは一変した状態が継続することしか使えない。
　　○　日本に来てから結婚しました。
　　×　日本に来てからというもの結婚しました。

「A以来B」(意味1　P.35)
(接続1) [動詞ーテ形] からというもの

A　てしょうがない

(意味1) 強い気持ちや感覚のためにAという反応が現れ、止めることができない。
(例文1) ①面接の時は足が震えてしょうがなかった。
　　　　②汗っかきなので、夏場は汗が出てきてしょうがない。
　　　　③事故で死んだ夫が帰ってくる気がしてしょうがない。
　　　　④寝不足で、朝からあくびが出てしょうがない。
(対比1) 「Aてやまない」(意味1　P.149)

(意味2) Aの状態が続き止まらない、終わらない。
(例文2) ①彼に仕事を頼むと、時間がかかってしょうがない。
　　　　②月末は何かと忙しくてしょうがない。
　　　　③新商品がヒットして、儲かってしょうがないと彼は言っていた。
　　　　④大好きな焼肉を出されると、いつも食べ過ぎてしょうがない。
(接続1,2) [動詞ーテ形] しょうがない
　　　　　[イ形容詞④] てしょうがない
　　　　　[ナ形容詞⑪] しょうがない

(意味3) Aの気持ちがずっと続き、押さえることができない。
(例文3) ①老人はかわいくてしょうがないというふうに、孫の頭をなでていた。
　　　　②希望校に合格できて、うれしくてしょうがない。
　　　　③ルームメイトが国に帰ってしまい、私はさびしくてしょうがない。
　　　　④新しく買った服を早く着たくてしょうがない。
(対比3) 「Aてたまらない」(意味1　P.143)
(対比1~3) 「Aてならない」(意味1　P.144)
(接続3) [イ形容詞④] てしょうがない

A　てたまらない

意味1 Aという気持ちや感覚が、その時点で強く感じられて、押さえたり我慢することができない。

例文1 ①あんなに仕事ができない人が昇進するなんて、不思議でたまらない。
②写真を見ていると急に、彼女に会いたくてたまらなくなった。
③時々、背中がかゆくてたまらなくなる。
④今朝、電車の中で足を踏まれ、痛くてたまらなかった。

対比1 「Aてしょうがない」(意味3　P.142)
「Aてしょうがない」は長く持続しているAという感覚を表し、「Aてたまらない」は、その時点の強い気持ちや感覚を表している。
　○　赤ん坊をお風呂に入れると、気持ちよくてたまらないという顔をしていた。
　×　赤ん坊をお風呂に入れると、気持ちよくてしょうがないという顔をしていた。
また、「Aてたまらない」には最高にAだという意味があるが、「Aてしょうがない」には、この意味はない。
　○　風呂上がりのビールは、うまくてたまらん。
　×　風呂上がりのビールは、うまくてしょうがない。

「Aてはたまらない」
「Aてたまらない」は話し手自身が感情、感覚を押さえられない、我慢できないという意味で、「Aてはたまらない」は話し手に迷惑などが降りかかることが許せないという意味。
　○　人の持っているものがほしくてたまらない。
　×　人の持っているものがほしくてはたまらない。
　○　こう値上げが続いてはたまらない。
　×　こう値上げが続いてたまらない。

「Aてやまない」(意味1　P.149)

接続1 ［イ形容詞④］てたまらない
　　　　［ナ形容詞⑪］たまらない

A　てならない

意味1　自然に現れたAという気持ちや感覚が強く、ずっと持続しつづける。

例文1　①おじいさんは孫の帰りが遅くて、心配でならないようだ。
②親を亡くした子が悲しみに耐えているのを見ると、不憫(ふびん)でならない。
③父の体の異変にもっと早く気づけばよかったと悔やまれてならない。
④ダイエットしているのに少しも痩せないのが、不思議でならない。

注意1　・Aは感覚を表す言葉や「思える・感じられる」などの自発形。

対比1　「Aてしょうがない」(意味1,2,3　P.142)
「Aてならない」のAは、感情・感覚を表すものに限られるが、「Aてしょうがない」には、その制限がない。
　○　この靴は坂道を歩くと、滑ってしょうがない。
　×　この靴は坂道を歩くと、滑ってならない。
　○　面接の時は足が震えてしょうがなかった。
　○　面接の時は足が震えてならなかった。
「Aてやまない」(意味1　P.149)

接続1　[動詞ーテ形] ならない
　　　　[イ形容詞④] てならない
　　　　[ナ形容詞⑪] ならない

A　ては　B、A　ては　B
AてはB、BてはA／AちゃB、AちゃB

意味1　AとBの行動を何度も何度も繰り返している様子や状態。

例文1　①男は池の鯉(こい)にパン屑をちぎっては投げちぎっては投げして与えていた。
②少女は何度も書いては消し書いては消ししながら作文を書き上げた。
③道は渋滞し、進んでは止まり、止まっては進むの繰り返しだった。
④休みになると食っちゃ寝食っちゃ寝の毎日であっという間に太った。

注意1　・「AちゃB」はくだけた話し言葉。
　　　　・「AてはB」のように動詞を繰り返さなくても意味は同じ。
　　　　　○　ニキビの多い娘は鏡をみてはため息をついている。

接続1　[動詞ーテ形] は [動詞ーマス形]、[動詞ーテ形] は [動詞ーマス形]

A ではあるまいし　B
AじゃあるまいしB／AわけではあるまいしB

意味1　Aなら当然かもしれないがAではないからB。話し手の批判や意見がB。

例文1　①子どもではあるまいし、何度も言わなくても一度言われたらわかるよ。
②犬じゃあるまいし、落ちたものなど食べられないよ。
③自分で確かめたわけではあるまいし、あまり人の噂を信じないことだ。
④知らない仲じゃあるまいし、遠慮するな。

接続1　［動詞］（＋わけ）ではあるまいし
　　　　　［名詞①］ではあるまいし

Aてはかなわない

意味1　Aという嫌な、耐えがたい状態が話し手に降りかかることが許せない、納得できない、困る。

例文1　①一生懸命貯めた金を募金したんだから、無駄に使われてはかなわない。
②食中毒になってはかなわないので、よく消費期限を見て買っている。
③車内マナーの悪い人に注意して、逆に暴力を振るわれてはかなわないと、黙って見過ごす人は多いだろう。
④留守中に泥棒に入られてはかなわないからカギを三つもつけた。

対比1　「Aてはたまらない」
　　　　　意味は同じ。置き換え可能。

接続1　［動詞－テ形］はかなわない

AてはじめてB
AてはじめてのB

意味1　Aの事態、状態になってからBは最初の体験、行為であるという表現。

例文1　①日本に来てはじめて生の魚を食べた。
②明日は子どもが幼稚園に入ってはじめての運動会だ。
③生まれてはじめて人を好きになったのは中学生の時です。

④結婚してはじめて夫が作った料理はハンバーグだった。

意味2 AからこそB。AがなければBは考えられない。Aの前にBはなかった。
例文2 ①人に言われてはじめて自分の欠点に気づくものだ。
②今やわれわれの生活はコンピューターがあってはじめて機能すると言っても過言ではない。
③文字というのは技術より個性があってはじめて味わいが出るのだ。
④あなたが来てくれてはじめてパーティーは楽しくなるのよ。
接続1,2 ［動詞ーテ形］はじめて

（Xは） A ではなくてなんだろう
Aでなくてなんだろう

意味1 Xという状態をAで表し、Xは本当にAだとAを強調する表現。
例文1 ①命を顧みず救助にあたった彼の行動が勇気ではなくてなんだろう。
②美しい妻とかわいい子どもに囲まれた生活が幸せでなくてなんだろう。
③毎日、銃による犯罪が起きる。これが銃社会じゃなくてなんだろう。
④目の前で家族を殺されるという悲劇が、地獄でなくてなんだろう。
接続1 ［名詞①］ではなくてなんだろう

A てまえ B

意味1 話し手のAという状況をほかの人がどう感じるか、受け取るかを考えるのでB。
例文1 ①飲食物を扱うてまえ、いつも清潔な身なりを心がけている。
②必ずやると約束したてまえ、今さら、引くに引けない。
③私が発案したてまえ、リーダーにならざるをえなかったのだ。
④A社と取引しているてまえ、B社の製品を買うわけにはいかない。
注意1 ・Aは「言う・決める・約束する」などがつきやすく、Bでは取るべき態度や強い決心などを表す。
対比1 「AからにはB」（意味1　P.70）

「A以上B」（意味1　P.31）
「AうえはB」（意味1　P.39）
　AとBの因果関係を示すという点では同じであるが、「AてまえB」は第三者に対する話者の態度を意識した表現であるため、もしBが成立しなければ「恥ずかしい」「気を遣う」というニュアンスを含んでいる。したがって、Bには主観的な文がくることが多い。

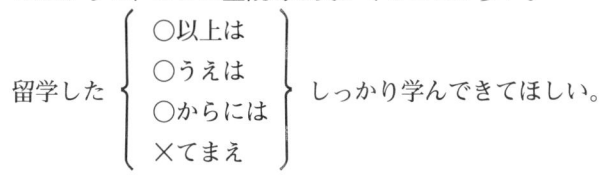

留学した ｛ ○以上は / ○うえは / ○からには / ×てまえ ｝ しっかり学んできてほしい。

接続1　[動詞] てまえ

意味2　Aの前でAが話し手をどう感じるか、受け取るかを考えてB。
例文2　①教師は授業中にわからないことがあっても、学生のてまえそんな態度は見せられない。
　　②子どものてまえ、嘘をつくこともできず困ってしまった。
　　③客のてまえ、大声で従業員を怒鳴れなかった。
　　④ご近所のてまえ、夫婦喧嘩もできない。
注意2　・Aは人を表す名詞。
接続2　[名詞②] てまえ

A　でもなく　B
AでもなしにB／疑問詞＋AでもなくB

意味1　Aやほかの当然予想されることを何もせずBの状態のままでいる。
例文1　①男は近づいてきたが、話しかけるでもなしに突っ立っていた。
　　②あの子はわからないことがあっても、調べるでもなく、誰かに聞くでもなくそのままにしている無気力な子だ。
　　③彼女はプレゼントを開けるでもなしに、じっと見ていた。
　　④彼は練習に顔を出しても、参加するでもなく見ているだけだ。
対比1　「AともなくB」（意味1　P.189）
　　「AでもなくB」は第三者がその様子を見て、当然予想される状態にな

っていないと思っている表現。「AともなくB」はAをしようという意識を持たずにAをするという表現なので、意識しなければならないことには使えない。
　○　恋人同士は何を話すでもなく、見つめ合っていた。
　×　恋人同士は何を話すともなく、見つめ合っていた。

意味2　「疑問詞＋AでもなくB」の形で。はっきりした目的がない状態でBをする。
例文2　①彼はどこへ行くでもなく、電車の時刻表を見ていた。
②休日は何をするでもなく、ぼんやりして日を過ごす。
③誰に会うでもなく、故郷を訪ねた。
④誰を探すでもなく、人波を眺めている。
注意2　・Aの疑問詞は「どこ・何・誰」が、よく使われる。
接続1,2　[動詞ール形] でもなく

意味3　うまく表現できない状態Bについて説明する。
例文3　①痛いでもなく、かゆいでもなく、なんかむずむずする感じだ。
②辛いでもなく、しょっぱいでもなく、何とも変わった味だ。
③この服は派手でもなく、地味でもなく、複雑な色合いだ。
④この面は笑っているでもなく泣いているでもなく、不思議な表情だ。
接続3　[動詞ール形] でもなく
　　　　[イ形容詞②] でもなく
　　　　[ナ形容詞①] でもなく
　　　　[名詞①] でもなく

A　てやまない

意味1　長期にわたってAという強い気持ちが持続する。
例文1　①食べ物がなく命を落とす子どもがいなくなることを願ってやまない。
②彼は生涯、この静かな港町を愛してやまなかった。
③今の時代だからこそ、力強い指導者の出現を待望してやまない。
④彼は彼女と結婚したことを後悔してやまないふうだった。

(注意1) ・Aで使う言葉は、そこで気持ちが終わってしまうものは使えない。
　　　　×　あの人の言葉を聞いて、失望してやまない。
(対比1) 「Aてしょうがない」(意味1　P.142)
　　　　「Aてならない」(意味1　P.144)
　　　　「Aてたまらない」(意味1　P.143)
　　　　「Aてしょうがない」「Aてならない」「Aてたまらない」は感覚にも使えるが、「Aてやまない」は気持ちにしか使えない。

気温が40度を超えると　{ ○　暑くてしょうがない。
　　　　　　　　　　　　○　暑くてならない。
　　　　　　　　　　　　○　暑くてたまらない。
　　　　　　　　　　　　×　暑くてやまない。 }

(接続1) [動詞ーテ形] やまない

A　と　B　があいまって　C
AはBとあいまってC

(意味1) AとBの二つの理由が互いに作用しあい、効果がより高まって、Cという結果になる。

(例文1) ①今回の受賞は、才能と努力があいまって出た結果だろう。
　　　　②ワインは酸味と樽の香味があいまって、豊潤な味わいを醸し出す。
　　　　③A社とB社の合併は、A社の開発技術とB社の資本力があいまって、優れた企業が誕生したことになる。
　　　　④少子化が進む中、団塊の世代が高齢期を迎えることとあいまって、ますます高齢社会になっていくだろう。

(接続1) [名詞①] と [名詞①] があいまって

A　とあって　B

(意味1) Aという客観的な事実があるから予想通りBだ。Bは客観的事実。
(例文1) ①第1試合に地元勢が出るとあって、ファンは続々と球場につめかけた。
　　　　②連休最後の日曜日とあって、行楽地はどこも満員だ。

③あの市場は安くて品質もいいとあって、遠くから買いに来る人も多い。
④一人暮らしには慣れているとあって、部屋はきれいに片づいていた。

対比1 「AだけあってB」(意味1　P.114)

「AだけあってB」はBに重点があり、Bに感心し、やっぱりAだからだという話し手の感情が入った表現。Bにマイナス表現が来ることは特別な場合を除いてない。「AとあってB」は、Aという事実があるからBという客観的事態が起こるという意味であり、Bに主観的な表現は来ない。

○　今場所は横綱が欠場するとあって、人の入りはいまひとつだ。
×　今場所は横綱が欠場するだけあって、人の入りはいまひとつだ。
○　ここは郊外だけあって、空気がうまいね。
×　ここは郊外とあって、空気がうまいね。
○　連休最後の日曜日だけあって、行楽地はどこも満員だ。
　　　　　(行楽地はどこも満員だ。やっぱり連休最後の日曜日だからだ)
○　連休最後の日曜日とあって、行楽地はどこも満員だ。
　　　　　　　　　(連休最後の日曜日だから、行楽地は満員だ。)

「AだけにB」(意味1　P.115)

「AとあってB」のAでは話し手に関する事実は述べにくいが、「AだけにB」は話し手に関することでも述べることができる。

○　勉強しなかっただけに、テストは悪かった。
　　　　　(しなかったのは「話し手・ほかの人」どちらでもよい)
○　勉強しなかったとあって、テストは悪かった。
　　　　　　　　　　　　　　(しなかったのは「ほかの人」)

「AとあってはB」(意味1　P.151)

接続1　［動詞］とあって
　　　　［イ形容詞①］とあって
　　　　［ナ形容詞③］とあって
　　　　［名詞①④⑥］とあって

A とあっては B
Aと知ってはB／Aと聞いてはB

意味1 Aという事態になってB。Bには自分の力ではコントロールできないこと、仕方のないことが来る。

例文1 ①主力選手が欠場しているとあっては、3連敗もいたしかたない。
②社長の命令と知っては、断るわけにはいかない。
③待ちに待った旅行だが、台風が来るとあってはあきらめるしかない。
④重要な会議だがインフルエンザとあっては、欠席もやむを得ない。

対比1 「AとあってB」（意味1 P.150）
「AとあってB」はAという事実があるからBという事態が起こるという意味であり、Bには主観的な文はこない。「AとあってはB」はBに自己の力でコントロールできないこと「〜仕方がない」「〜ざるをえない」「〜止むを得ない」などがくる。
　○　累積損失が500億円とあっては、当事業からの撤退も止むを得ない。
　○　累積損失が500億円とあって、Z社は苦境に立たされている。

意味2 AはBの判断を積極的に支持する十分な理由を示す。

例文2 ①風邪ならともかく、肺炎とあっては入院が必要だ。
②祭りとあっては、仕事なんてしていられない。
③市価の半額と聞いては、買わずにいられない。
④弱いものがいじめられているとあっては、黙っちゃいられない。

注意1,2 ・Aは外部からもたらされた情報・行為であり、「知っては」「聞いては」などのようにその手段を表す場合もある。

対比1,2 「AにあってはB」（意味2 P.213）

接続1,2 ［動詞］とあっては
［名詞①］とあっては

（Xは） A といい B といい Y

意味1 Aの側面から見てもBの側面から見てもXはYである。「XはYだ」ということを説明するために、Xを色々な角度から見る。

例文1　①この本は、分量といい、内容といい、子どもに読み聞かせるのにちょうどいい。
②今度の台風は規模といい、コースといい、10年前とそっくりだ。
③授業態度といい、試験の点数といい、申し分のない学生だ。
④あの先生は教え方といい、声の大きさといい、はっきりしていてよくわかる。

注意1　・XはYであるという事実を述べる文で、Yに希望や命令はつきにくい。

対比1　「AであれBであれC」(意味1　P.140)
「AであれBであれC」はAやBで代表されるどんな場合でも同じ条件であるということを示している。依頼や忠告に使われることもある。
○　公用であれ、私用であれ、電話の使用回数は制限してください。
×　公用といい、私用といい、電話の使用回数は制限してください。
○　このアパートは環境といい、価格といい満足できる。
○　このアパートは日本人であれ、外国人であれ入居条件が厳しい。
「AといわずBといわずC」(意味1　P.162)

接続1　[イ形容詞①/ナ形容詞②] ＋こと＋といい [イ形容詞①/ナ形容詞②] ＋こと＋といい
[名詞①] といい [名詞①] といい

(Xということは)　A　ということだ
Aのことだ／Aという

意味1　話し手がAという情報を得て、それを相手に伝える伝聞表現。

例文1　①今晩から、寒くなるということだ。
②気象庁の発表によると、今度の台風は大型だということです。
③「新しい」という字は昔「あらたしい」と読んでいたということだ。
④日照り続きで、今年もまた水不足になる可能性が高いという。

注意1　・「Aという」は「Aということだ」を短く省略した言い方である。

対比1　「Aそうだ」
「Aそうだ」も伝聞を表すがAに動詞の意向形や命令形は使えない。「Aということだ」は情報の表現をそのまま使える。
○　このマンションでは、ゴミは七分別しろということだ。

　　　　× このマンションでは、ゴミは七分別しろそうだ。
　　「AとかB」(意味1　P.164)

意味2　ある情報や状態から、話し手が「Aだ」と結論づける。
例文2　①期末試験を受けなかったということは、落第覚悟ということだな。
　　　　②要するに、この仕事は引き受けられないということですね。
　　　　③やきもちを焼くということは、まだ君は彼を愛しているということだ。
　　　　④価格が高ければ高いほど、品質がいいということだ。
対比2　「Aわけだ」(意味1　P.328)

意味3　「XとはAということだ」「XとはAのことだ」の形で。
　　　　X＝Aということを表し、Xの意味・内容を説明する。
例文3　①この英文の意味は公園に木があるということだ。
　　　　②禁煙とは、ここでタバコを吸ってはいけないということだ。
　　　　③WHOというのは、世界保健機構のことです。
　　　　④「カラオケというのはなんですか。」
　　　　　「空（から）のオーケストラということです。」
対比3　「Aというものだ」(意味2　P.155)
接続1〜3　[動詞] ということだ
　　　　　[イ形容詞①] ということだ
　　　　　[ナ形容詞①③] ということだ
　　　　　[名詞①⑤] ということだ
　　　　　[文] ということだ

A　というところだ
Aといったところだ

意味1　Aはおおよそのレベルや大体の数を表す。
例文1　①うちの会社では大卒の初任給が20万円というところだ。
　　　　②この仕事が成功するかどうかは彼の働き次第というところだ。
　　　　③「国のご両親によく手紙を書きますか。」
　　　　　「いいえ、月に1〜2回といったところです。」

④今どき、20万円くらいあっても、せいぜい新しいテレビが買えるといったところでしょう。

(注意1)・「Aというところ」「Aといったところ」は同じ意味を表す。
(接続1) [動詞] というところだ
　　　　[名詞①] というところだ

（Xは）　A　というものだ
Aってものだ

(意味1) ある状況・状態について、Aという客観的判断を下す。
(例文1) ①温泉に入り、酒を飲み、これぞ極楽というものだ。
②労働時間は同じなのに、男性社員より女性社員のほうが給料が少ない。これじゃあまりに不公平というものだ。
③貧しくても家族が健康に暮らせれば、それが幸せってものだ。
④危機管理意識のあるなしで、会社の姿勢が変わるってものだ。
(接続1) [動詞ール形] というものだ
　　　　[動詞ーナイ形] ないというものだ
　　　　[名詞①] というものだ

(意味2) Xという物の名称や内容についてAで述べ、説明する。
(例文2) ①これはエアー・バッグというものだ。
②エアー・バッグは車に乗る人を衝撃から守るというものだ。
③固定金利は預け入れ時の金利で利息がつくというものです。
④ワンセグは携帯電話などでデジタル放送が見られるというものだ。

(対比2)「XはAものだ」
「〜という」がつくことによって、文に客観性が生まれる。
ともに名称や内容説明に使う表現だが、「XはAというものだ」のXには、取り立てて説明する必要がないものはこない。
○　時計は時刻を報せるものだ。
×　時計は時刻を報せるというものだ。
また、「XはAものだ」のAはどんな品詞でも可能。
○　時計は時刻を知るためのものだ。

× 時計は時刻を知るためのというものだ。

「Aということだ」(意味3　P.153)

「(Xということは) Aということだ」はXという言葉の意味をAで述べる。

　　○ NHKとはNihon Hoso Kyokai（日本放送協会）ということだ。

　　× NHKとはNihon Hoso Kyokai（日本放送協会）というものだ。

(接続2) [文] というものだ

(Xであれば)　A　というものではない
Aというものでもない

(意味1) XならAだと思われるかもしれないが、一概にそうとは言えない。

(例文1) ①この仕事は資格をもっていれば、だれでも出来るというものではない。
　　②金さえあれば、幸せというものでもない。
　　③最近は痩せている女性のほうが人気があるが、ただ痩せていれば美しいというものでもない。
　　④何だ！　彼女のあの服は。高けりゃいいってもんじゃないよ。

(接続1) [動詞] というものではない
　　　　[イ形容詞②③] というものではない
　　　　[ナ形容詞①⑦⑧] というものではない
　　　　[名詞①⑤] というものではない

(Xは)　A　というより　B　だ

(意味1) XにしAという評価・認識があるが、話し手はBのほうが的確だと思っている。

(例文1) ①彼の酒の飲み方は、味わうというより溺れているといった感じだ。
　　②彼女のしていることは親切というよりお節介だ。
　　③今日は暖かいというより暑いぐらいだ、
　　④あのピアニストは天才というより、むしろ努力家だろう。

(接続1) [動詞] というより

［イ形容詞①］というより
［ナ形容詞①③］というより
［名詞①⑤⑥］というより

A といえども B

意味1 Aを理由に何か免除されるわけではない。Bは逃れられない義務や覚悟。

例文1 ①外国人といえども、日本の法律は守らなければならない。
②社会経験のない主婦といえども、裁判員に指名されたら断ることはできない。
③平和な時代といえども、日頃の危機管理が必要だ。
④ボランティアで参加しているといえども、真剣に取り組んでほしい。

注意1 ・一般論を述べる文であり、Aは個別のものをさしていない。つまり、Aはたとえば～のようなものという意味で、その個体のもつ特性を述べている。

対比1 「AといってもB」（意味1 P.161）
「AといってもB」のBが義務や覚悟を迫るものは言い換えが可能。ただし、「AといえどもB」のほうが強い印象を与える。
○ 子どもといっても、10代になれば半分大人の扱いが必要だ。
○ 子どもといえども、10代になれば半分大人の扱いが必要だ。
「AとはいえB」（意味1 P.185）

意味2 普通AならBではないと思われるが、たとえAであってもB。

例文2 ①シャーロックホームズがいかに有能だといえども、この事件は解決できない。
②現代は高度な医療技術が発達してきているといえども、予防できない病気も多い。
③近代都市といえども、地震の猛威にはひとたまりもなかった。
④子ども相手のゲームといえども、負けると悔しい。

注意2 ・話し手の述べたいことはBであり、Bを強めるためにAを述べる。
「世間広しといえども～」「老いたりといえども～」は慣用的表現。

接続1,2 ［動詞］といえども

[イ形容詞①] といえども
[ナ形容詞③] といえども
[名詞①⑤] といえども

A　といえば　B
AといえばAがB／そういえばB

意味1　Aという話題からBを連想したり、思い出したりする。話題を変えるときにも使われる。

例文1　①野球といえば、今年の新人賞はだれがとるんだろう。
②「きのう、中華料理作ったのよ。」
「中華料理といえば、駅前に新しい店ができたの知ってる？」
③「もうすぐ、連休だね。」
「連休といえば、去年の旅行は楽しかったね。」
④「最近、忙しくてジムに通えないんだ。」
「そういえば、あなた最近、太ったんじゃない？」

意味2　Aということを聞いたり、見たりするとBを連想する。話し手はAとBを一対(いっつい)のもののようにとらえている。

例文2　①富士山といえば、なんといっても桜だね。
②酒の肴(さかな)といえば、めざしに限るよ。
③肉じゃがといえば、牛肉ですか、豚肉ですか。
④海外旅行といえば、最初はやっぱり近場がいいよ。

対比2　「AといったらB」(意味4　P.159)
「AといったらB」は同じ意味。
　○　大阪では夏といったら天神祭だ。
「AときたらB」(意味2　P.166)
「AときたらB」は話し手にとってAという話題が待ち構えていたものだというニュアンスがあり、待っていましたとばかりにBを話すときに使うが、「AといえばB」にはない。
○ワインときたら、私にまかせてよ。
×ワインといえば、私にまかせてよ。

(接続1,2) [名詞①] といえば

(意味3) 「AといえばAがB」の形で。Aは一応認めるが、100％認めているわけではない。まあまあAだ。
(例文3) ①動物は好きだといえば好きだけど、飼いたいとは思わない。
②京都は都会といえば都会だ。
③あの店の雰囲気はいいといえばいいが、店員の態度が悪い。
④あの学生はよくできるといえばよくできるが、もっとできるはずだ。
(接続3) [動詞] といえば[動詞]
　　　　[イ形容詞①] といえば [イ形容詞①]
　　　　[ナ形容詞①③] といえば [ナ形容詞③]
　　　　[名詞①⑤] といえば [名詞⑤]

A　といったら　B
Aといったら A（がB）

(意味1) Aの程度がはなはだしいことの強調表現。Aの程度はB。
(例文1) ①あの映像の迫力といったら、現実だと思ってしまうほどだ。
②この料理のおいしさといったら、ことばにできないくらいだ。
③彼のセンスのよさといったら、一流モデルも顔負けだ。
④うちの会社のボーナスといったら、雀（すずめ）の涙ほどさ。
(対比1)「AたるやB」（意味1　P.130）
(接続1) [名詞①] といったら

(意味2)「AといったらA」の形で。何があっても絶対Aは変わらないという話し手の強い気持ちを表す。
(例文2) ①あんなところ、行くなといったら行くな。
②これはお兄ちゃんのといったらお兄ちゃんの。
③この問題はボクにとって、難しいといったら難しいんだ。
④「にんじんを食べなさい。」
　「にんじんは嫌いだといったら嫌いなんだ。」
(接続2) [文] といったら [文]

　　　　［イ形容詞②］といったら［イ形容詞②］
　　　　［ナ形容詞⑧］といったら［ナ形容詞⑧］
　　　　［名詞②］といったら［名詞②］

意味3　「AといったらA（がB）」の形で。Aは認めるが100％ではない。BでAとは違う意見・感想を補足する。

例文3　①「あの絵、きれいだね。」
　　　　　「きれいといったらきれいなんだけど、好きじゃないわ。」
　　　②この時計は高いといったら高いけど、それだけの価値はある。
　　　③子どもは3人いるといったらいるけど、みんな外国で生活しているからさびしいんだ。
　　　④これは日本料理といったら日本料理だが、フレンチの影響も受けているようだ。

対比3　「AことはA」（意味1　P.96）
　　　置き換えは可能だが、「AといったらA（がB）」は相手の言葉を相づちのように受けて、自分の意見をBで述べる表現で、「AことはA（がB）」はAを事実として認める表現である。
　　　○「この薬、効く？」
　　　　「効くといったら効くけど、それほどでもないよ。」
　　　○「この薬、効く？」
　　　　「効くことは効くが効き目は持続しないよ。」

接続3　［動詞ール形］といったら［動詞ール形］
　　　　［イ形容詞②］といったら［イ形容詞②］
　　　　［ナ形容詞①⑧］といったら［ナ形容詞①⑧］
　　　　［名詞①⑤］といったら［名詞①⑤］

意味4　Aということを聞いたり、見たりするとBを連想する。話し手はAとBを一対のもののようにとらえている。

例文4　①大阪では夏祭りといったら天神祭だ。
　　　②神戸といったら神戸牛だろう。
　　　③スポーツの祭典といったらオリンピックだ。
　　　④「お笑い」といったら、なんといっても大阪だ。

対比4　「AといえばB」（意味2　P.157）

(接続4) ［名詞①］といったら［名詞①］

A　といったらない
Aったらない／Aといったらありゃしない

(意味1) 他に比べるものがないほどAはすごいことを示す。
(例文1) ①最近夜中になると暴走族が走り回り、うるさいといったらない。
②南の島に着いたときの開放感といったらなかったよ。
③電車の網棚から荷物が落ちそうで、気になるったらなかった。
④あのホテルは、コーヒー一杯1000円というんだから、高いったらありゃしない。
(注意1) ・「ありゃしない」はくだけた言い方。
・「イ形容詞・ナ形容詞＋こと」の形で使うこともある。
　○　あのお化け屋敷の怖いことといったらない。
(対比1) 「AたるやB」(意味1　P.130)
(接続1) ［動詞―ル形］といったらない
［イ形容詞②］といったらない
［ナ形容詞①］といったらない
［名詞①］といったらない

A　といっても　B

(意味1) Aが一般に考えられるAではないとBで否定したり説明を加えたりする。
(例文1) ①ダイエットといっても、ただ食べないだけじゃないんです。
②ダイヤモンドは高いといっても、これは傷があるからそれ程でもない。
③今の仕事は暇だといっても、拘束時間は長い。
④彼を知っているといっても、話をしたことはない。
(対比1) 「AもののB（AとはいうもののB）」(意味1　P.312)
「A（とはいう）もののB」はAから予想される結果・状態にならず、Bになったという意味で、Bは結果。「AといってもB」のBは結果ではない。

○　まじめに働いているものの、全然お金がたまらない。
×　まじめに働いているといっても、全然お金がたまらない。
×　まじめに働いているものの、1週間に2日だけだ。
○　まじめに働いているといっても、1週間に2日だけだ。

「AとはいえB」(意味1　P.185)
「AといえどもB」(意味1　P.156)
「AからといってB」(意味1　P.69)

意味2　Aは確かだがほんの少しだ。あるいは少しはあるとBで補足する。
例文2　①酒は飲めないといっても、一杯ぐらいなら飲める。
②行ったことがあるといっても、一度だけだ。
③ボーナスがもらえるといっても、あの会社ほどじゃない。
④中国語を習っているといっても、まだあいさつ程度しかしゃべれない。

意味3　Aに希望・主張がきて、そのAを受けた形でBには現実がくる。Aは実現不可能あるいは現状ではきわめて困難なこと。
例文3　①大学に進学したいといっても、この成績じゃねぇ。
②夏休みに海外旅行へ行くといっても、金がない。
③あの時、謝っておけばよかったといっても、今さらもう遅い。
④「締切までになんとかするよ」
　「なんとかするといっても、あと2日しかないよ。」

接続1〜3　［動詞］といっても
　　［イ形容詞①］といっても
　　［ナ形容詞①③］といっても
　　［名詞①④⑤⑥］といっても

　　A　といわず　B　といわず　C

意味1　AやBを例として、無差別に、いたる所、あらゆるものにC。
例文1　①家に帰ると、犬が喜んで手といわず顔といわず舐めてくる。
②仲のいい友人が朝といわず夜といわず電話してくるので困る。
③息子の部屋は壁といわず天井といわず、好きな歌手の写真だらけだ。

④彼はビールといわず日本酒といわず手当たり次第に飲んだ。

(注意1) ・AやBを区別した方がいいという話し手の意識を含むため、マイナス評価の文に使われることが多い。

× 彼女は服といわず、靴といわずセンスがいい。

・Cに否定文・命令文・依頼文などはつかない。

× 体に悪いものは酒と言わずタバコといわず止めなさい。

(対比1) 「AといいBといいY」(意味1 P.152)

「AといいBといい」のAやBは全体から見た側面であるが、「AといわずBといわず」はAやBにこだわらない状態である。

○ 彼女は服といい靴といいひどい趣味だ。　　　（服も靴もひどい）
○ 彼女は服といわず靴といわずひどい趣味だ。　（なにもかもひどい）

「AであれBであれC」(意味1 P.141)

「AであれBであれC」は、AもC、BもCとAだけでもBだけでも成立する。「AといわずBといわずC」は、AもBも区別なく何でもCという意味で置き換えは難しい。

○ 犬であれ猫であれ飼いたくない。　　　（犬も猫も飼いたくない）
× 犬といわず猫といわず飼いたくない。
○ 夫は捨てられている動物を見ると、犬といわず猫といわずつれて帰ってくるので家中動物だらけだ。　（動物ならなんでもつれて帰る）

(接続1) ［名詞①］といわず［名詞①］といわず

A と思いきや B
Aかと思いきやB

(意味1) Aだと思ったが、実際はB。話し手の驚き・意外・あきれ・落胆などの気持ちを表す。

(例文1) ①電車に間に合ったと思いきや、目の前でドアが閉められた。
②試験は難しくてできないと思いきや、やってみると簡単だった。
③静かに勉強していると思いきや、気持ちよさそうに寝ていた。
④今日は雨だと思いきや、朝起きたらいい天気だった。

(接続1) ［動詞］＋（か）＋と思いきや
　　　　［イ形容詞②③］＋（か）＋と思いきや

[ナ形容詞①⑤⑦⑧]＋（か）＋と思いきや
　　[名詞①④⑤]＋（か）＋と思いきや

意味2 困難な状況Aを脱したと思ったら、別の困難な状況Bになった。
例文2 ①宿題が全部終わったと思いきやカバンの中にまだ残っていた。
　　②ひどい風邪が何とか治ったと思いきやまた風邪を引いた。
　　③洗濯物を片付けたと思いきや、子どもが泥だらけで帰ってきた。
　　④うるさい顧客の機嫌がようやく直ったと思いきや、また部下が不始末をしでかした。
接続2 [動詞ータ形] と思いきや

A　とおりに　B
AとおりB／Aどおり（に）B

意味1 Aの情報・予想・意図と同じ結果B。
例文1 ①私が予測したとおりになったので、驚いてしまった。
　　②宿泊したホテルは思っていたとおり、すばらしいものだった。
　　③天気予報どおりに、昼前から雨が降りだした。
　　④手紙に書いてあったとおり、彼のお父さんは親切な人だった。

意味2 AにしたがってB。Aと同じようにB。
例文2 ①私が言うとおりに書いてください。
　　②マニュアルどおりに操作したのにパソコンが動かないんだ。
　　③父は旅先でもいつもどおり5時に起きてジョギングしている。
　　④財産を法定相続分どおりに受け取った。
対比2 「AままB」(意味2　P.295)
注意1,2 ・「とおり」は「通り」と書くが、Aが動詞の時は「とおり」、名詞の時は「どおり」と読む。
接続1,2 [動詞ール形／タ形／テイル] とおりに
　　[名詞①] どおりに

AとかB
AとかBとか

意味1 ほかから得たAという情報をはっきりわからないという気持ちで相手に伝える。

例文1 ①彼は大学には行かないとか言っていました。
②また、九州地方で地震があったとか。心配しています。
③田中さんは林さんと結婚するとか聞きましたが、本当ですか。
④あの人のお父さんは有名な作家だとか。本当でしょうか。

対比1 「Aということだ」（意味1　P.153）
「Aそうだ」
「AとかB」「Aということだ」「Aそうだ」は、いずれも伝聞の表現であるが、「AとかB」には「はっきりわからない」という話し手の気持ちが含まれる。

意味2 その場の様子を見て本人に対し、事実の確認をする。また、伝聞情報を本人に確認するときにも使う。

例文2 ①どうした？　元気ないな。もしかして二日酔いとか…？
②うれしそうな顔をして。ひょっとして、合格したとか…？
③「きのう、財布を落とされたとか…。」
　「ええ、そうなんですよ。」
④「ご結婚なさったとか…。おめでとうございます。」
　「ありがとう。」

意味3 A（やB）以外のものが他にもあることを含んだ表現。

例文3 ①「カバンの中に何が入ってたんですか？」
　「財布とかメモ帳とか…。」
②インスタント食品ばかりじゃなく、たまには肉じゃがとか食べたいな。
③友達の結婚式とか転勤とかで、今月は出費が多かった。
④ねぇ、お茶とか飲みにいかない？

注意3 ・例文④のような表現は、「A以外のものも含んだ」というより「Aだけ」を指す婉曲表現の一種として最近、使われる傾向にある。

意味4　「AとかBとか」の形で。AやBを例示しながら、話し手はAやBを含んだ全体を相手に伝える表現。主に「忠告・要求・命令」に使われることが多い。

例文4　①黙っていないで「うん」とか「すん」とか言ったらどうなんだ？
　　　　　　　　　　　　　　　　　　　　　　　　　　　　　　（発言しろ）
　　　　②きれいだとか汚いとか言ってる場合じゃない。早く掃除してしまえ。
　　　　　　　　　　　　　　　　　　　　　　　　　　　　　　（文句を言うな）
　　　　③わからない言葉があったら、先生に聞くとか、辞書を調べるとかしなきゃだめだ。　　　　　　　　　　　　　　　（とにかく勉強しろ）
　　　　④ボーッとしていないで、皿を並べるとか机を拭くとかしろよ。
　　　　　　　　　　　　　　　　　　　　　　　　　　　　　　（手伝え）

対比4　「AなりBなり」（意味1　P.204）
　　　　「AやらBやら」（意味1　P.314）

接続1～4　[動詞] とか
　　　　　　[イ形容詞①] とか
　　　　　　[ナ形容詞①③] とか
　　　　　　[名詞①③④⑤⑥] とか

A　ときたら　B

意味1　AはBだということを強調する表現。

例文1　①あの子ときたら、いつも遅刻ばかりなんだから。
　　　　②日本の梅雨ときたら、蒸し暑くてたまらない。
　　　　③あの店のケーキときたら、甘ったるくていけない。
　　　　④彼女が身につけているものときたら、高級品ばかりよ。

意味2　Aということを聞いたり見たりすると、Bを連想したり思いつく。話し手にとってAとBの関係は特別なもの。

例文2　①大阪ときたら、なんといってもタコ焼きだろう。
　　　　②ジャガイモ、にんじん、たまねぎときたら、カレーだね。
　　　　③カラオケときたら、俺にまかせろよ。
　　　　④日本の夏ときたら、祭りだ。

対比2 「AといえばB」(意味2　P.157)

意味3　Aの次には（順番からいって）当然Bだ。
例文3　①地震、雷ときたら、火事だ。
　　　②京都、大阪ときたら、次は神戸に行くべきだよ。
　　　③山ときたら川だろう。合言葉なんだから。
　　　④主任、係長ときたら、次は課長ですね。おめでとう!!
接続1～3　[名詞①] ときたら

A　ところ（に・へ・で・を）　B
Aようとしたところ

意味1　Aをする寸前、Aの途中、Aをし終わった時を表す。動詞の形によって、表す時が異なる。
例文1　①いまご飯を食べたところだから、お腹いっぱいです。　　　　（直後）
　　　②私もさっき彼からその話を聞いたところです。　　　　　　　（直後）
　　　③「もう、用意できましたか？」
　　　　「ちょっと待って。いま着替えているところなのよ。」　　　（途中）
　　　④交差点を渡っていたら、突然トラックが走ってきてもう少しでひかれるところだったよ。　　　　　　　　　　　　　　　　　　　　（寸前）
対比1　「Aばかり」(意味4　P.275)
接続1　[動詞－ル形／タ形／テイル] ところ

意味2　ちょうどAの状況のときにB。
例文2　①悲しんでいるところに、今度はいい知らせが舞い込んだ。
　　　②老人が苦しんでいたところに、ちょうど行きあわせた。
　　　③大声で笑っているところに、いきなり先生が入ってこられた。
　　　④鍋がグツグツいっているところに卵を入れて火を止めます。
注意2　・Aは状況や感情を表す動詞が使われることが多い。ほとんど「テイル」の形で「悲しむところ」「悲しんだところ」は作りにくい。
接続2　[動詞－テイル／テイタ] ところ

意味3　「Aようとしたところ」の形で。Aのまさに直前にB。
例文3　①出かけようとしたところに、彼女が訪ねてきた。
　　　　②最後の問題に取りかかろうとしたところで時間切れになった。
　　　　③犬は道を渡ろうとしたところで、車にはねられてしまった。
　　　　④店を閉めようとしたところへ、客が駆け込んできた。
接続3　［動詞ー意向形］としたところ

意味4　本当はAになるべきなのに、またはほとんどAになるはずだったのに、実際はAにならなかった。
例文4　①今頃は温泉でのんびりしているところだったのに…。
　　　　②本来ならこちらから出向くべきところ、わざわざすみません。
　　　　③あと一歩で危うく転落するところだった。
　　　　④もう少しで犯人を捕まえられるところだったのに、逃がしてしまった。
接続4　［動詞ール形］＋（べき）＋ところ
　　　　［動詞ーテイル］ところ

意味5　Aの場面・状態（に・へ・で・を）B。
例文5　①お恥ずかしいところをお見せして申し訳ない。
　　　　②いいところに来ましたね。一緒にケーキを食べましょう。
　　　　③ご多忙なところ、時間を割いていただいて、ありがとうございます。
　　　　④お休みのところにおじゃまして恐縮です。
注意5　・あいさつに使われることが多い。
　　　　○おとりこみのところ　○お楽しみのところ　○お寒いところ
接続5　［イ形容詞②］ところ
　　　　［ナ形容詞④］ところ
　　　　［名詞②］ところ

Ａ　どころか　Ｂ　も
ＡどころかＢまで／ＡどころかＢ

意味1　Aだけだと思っていたら、意外にもBもあった。Aはその場の共通認識や予測可能な事柄で、BはAの認識を超えた意外なこと。

例文1 ①ジョンさんは漢字がわかるどころか、書くこともできるんですよ。
②「彼は英語が話せるそうですよ。」
　「それどころか、フランス語までできるらしいよ。」
③「あの大学の面接、難しかった？」
　「難しいどころか、面接は全部英語だったよ。」
④祖父は元気どころか、毎年、市民マラソンに挑戦しているんだ。

対比1「**AばかりでなくB**」(意味1　P.279)
「AばかりでなくB」はAもBも〜という意味であり、「AどころかBも」のようにB部分に意外性はない。
○　朝ご飯はサラダばかりでなく、パンも食べます。
×　朝ご飯はサラダどころか、パンも食べます。

「**AばかりかBも**」(意味1　P.277)
「AばかりかBも」は話し手の気持ちが、Aだけでも十分であるのに、そのうえBもあるため、より強調される。「AどころかBも」は話し手にとってAは納得のいくことであるが、Bに驚きがある。
○　朝ご飯ばかりか昼ご飯までご馳走になって、申し訳ございません。
×　朝ご飯どころか昼ご飯までご馳走になって、申し訳ございません。

「**AはおろかB**」(意味1　P.273)
「AはおろかB」はBを強調するためにAを引き合いに出す。「AどころかBも」はAは認めた上でBの意外性を述べる。
○　「誕生日にかばん、買ってもらった？」「かばんどころか、靴も買ってもらったよ。」
×　「誕生日にかばん、買ってもらった？」「かばんはおろか、靴も買ってもらったよ。」

接続1　[動詞] どころか
　　　　　[イ形容詞②③] どころか
　　　　　[ナ形容詞①②] どころか
　　　　　[名詞①] どころか

意味2「AどころかB」「AないどころかB」の形で。AではなくBだ。Bを強調するためにBとは対照的なA、もしくは程度の低いAを出し、それを打ち消している言い方。

例文2 ①あの人は金がないどころか、大金持ちですよ。

②彼女は独身どころか、4人もこどもがいます。
③ぼくの会社はボーナスが出るどころか、今、倒産しそうなんだ。
④「面接時間は5分ぐらいだった？」
「5分どころか30分はかかったわね。」

(注意1,2) ・「Aどころか…」という形で、Aを打ち消しBを推測させる表現がある。BにはAとは反対かあるいは、Aより極端にその程度が増したものがくる。
○　彼女って、おとなしいどころか一言もしゃべらない。
○　彼女って、おとなしいどころかしゃべりだしたらとまらない。

(対比1,2) 「Aどころではない」(意味1　P.170)
(接続2) [動詞] どころか
　　　　[イ形容詞①] どころか
　　　　[ナ形容詞①②] どころか
　　　　[名詞①④⑤⑥] どころか

(意味3) 「AどころかBも～ない」の形で。AはもちろんBも～ない。AはBより程度の高いことで、両方打ち消すことにより、何も～ないというニュアンスを含む表現。

(例文3) ①彼は2年も日本語を勉強しているのに漢字どころか、かなも読めない。
②私は飛行機どころか、新幹線にも乗ったことがない。
③「1万円貸してくれないか？」
「冗談じゃない。あなたには1万円どころか100円も貸せないね。」
④満員電車ではかばんを持ちかえるどころか、身動き一つできない。

(対比3) 「AはおろかB」(意味1　P.273)
Aに名詞がくるものはほとんど置き換え可能。意味的にも差異はない。
(接続3) [動詞] どころか
　　　　[名詞①] どころか

A　ところだ

(意味1) 今の状況がAだ。今の状況からAだ。
(例文1) ①この事件が世間に与える影響が心配されるところだ。

②15歳で優勝した彼には今後の活躍が期待されるところだ。
③欧米での状況からみると、日本でもほぼ同様の事態が起こるだろうと予想されるところだ。
④料理店の評価は客の好みや年代によって大きく左右されるところだ。

接続1 [動詞―受身] ところだ

A　どころではない
Aどころじゃない／Aどころの騒ぎではない

意味1 実状はAの程度ではなく、A以上にもっとすごい。

例文1 ①被害総額は5億円どころではない。
②骨を折ったんだから、痛いどころの騒ぎじゃなかった。
③「あの人、知ってる？」
「知ってるどころじゃないよ。子どものころからの幼なじみだよ。」
④「息子さん、スポーツしてるから、よく食べるでしょ。」
「食べるどころじゃないわよ。1日5食よ。」

注意1 ・相手の認識の程度があまりに現実と離れているので怒り・興奮・たまらない気持ちなどを伴って発話される。程度を強めるときは「Aどころの騒ぎではない」という。
　○「朝の電車って、こんでるの？」
　　「こんでるどころ（の騒ぎ）じゃないよ。殺されるかと思うほどだ。」

対比1 「AどころかBも（AどころかB）」(意味1,2　P.169)
「Aどころではない」のAがプラス評価の時は「AどころかB」と置き換え可能だが、マイナス評価の時は、Aより極端に程度が進んでいるという意味しかない。

　○　ハワイは楽しい {どころか、／どころじゃなかったよ。} ずっと雨だったんだ。
　○　彼の部屋は汚い {どころか、／どころじゃない。} 足の踏み場もないんだ。
　○　彼の部屋は汚いどころか、ごみひとつ落ちていない。
　×　彼の部屋は汚いどころじゃない。ごみひとつ落ちていない。

「Aなんてものではない」(意味1　P.209)

(接続1) ［動詞－ル形／テイル］どころではない
［イ形容詞②］どころではない
［名詞①］どころではない

(意味2) Aをする余裕がない。Aよりも大事・大切なことがほかにあると話し手は考えている。
(例文2) ①ローンの返済に追われて貯金（する）どころではない。
②「ちょっと手伝ってよ。」「それどころじゃない。今、忙しいんだ。」
③近くで火事があったので、落ち着いて食事するどころじゃなかったよ。
④あわてていて、人の話を聞くどころじゃなかった。

対比2 「A場合ではない」(意味1　P.272)
(接続2) ［動詞－ル形］どころではない
［名詞①］どころではない

A　ところとなった

(意味1) 経過を経て結果的にAという状況になった。
(例文1) ①この温泉地は小説に取り上げられ、テレビドラマ化されることによって脚光を浴びるところとなった。
②一件の告発電話からマスコミが注目し、世に知られるところとなった。
③長年、業界第二位に甘んじてきたA社は、研究開発に力を注ぎ、ついにシェア第一位を獲得するところとなった。
④大型恐竜が滅びたあとの地球は、哺乳類が支配するところとなった。
(接続1) ［動詞－ル形］ところとなった

A　ところによると　B
Aところによる／AところによってB／AところによればB

(意味1) AはBの根拠、もとになるものである。
(例文1) ①彼が語ったところによるとこの遺跡は平安末期のものだそうだ。
②政府筋から伝えられるところによれば、交渉は決裂したとのことだ。

③ここに城があったということは、この古文書に記されるところによる。
④国内での犯罪は日本の法律の定めるところによって裁かれる。

対比1 「AによってB」（意味2　P.264）
「AによってB」のAは名詞のみだが、「AところによるとB」のAは動詞。意味は同じだが「AところによるとB」のほうが、硬い表現。
○　校則によって禁止されている。
○　校則の定めるところによって、禁止されている。

接続1 [動詞―タ形／ル形／テイル／受身]ところによると

A　としたところで　B
AとしたってB　／　AにしたところでB

意味1　Aを前提に考えを進めてもBだ。
例文1　①作業員の数を増やすとしたところで、どうやって募集するかだ。
②これで半額だとしたところで、私には買えない値段だ。
③今から宿を探すにしたところで、空きがあるとは思えないよ。
④たとえ間に合わないにしたって、行かないよりましだ。

注意1　・「AとしたところでB」→「AとしてもB」→「AとしたってB」の順に、会話でよく現れる。

対比1　「AたところでB」（意味1　P.120）
「AとしたところでB」は仮定の気持ちが強く、Aの実現の可能性が低いときに使うことが多い。「AとしたってB」は、「AたところでB」と置き換え可能。

意味2　「XはAとしたってB（AとしたところでB）」の形で。
Aと仮定してもBだと話し手自身がXに対する価値判断を述べる。
例文2　①「えっ！彼女、30歳なの？　25歳としたって通じるわよ。」
②あの人はいい文章を書くね。小説家にしたっていいぐらいだ。
③その服が2万円もするの？　ただにしたっていらないわ。
④今からじゃ、チケットはとれないと思うよ。運よくとれたとしたところで、1枚じゃ仕方がないよ。

接続1,2 [動詞]としたところで

[名詞①④⑤] としたところで

意味3 Aもほかと同様にB。

例文3 ①私としたところで、いい案があるわけではない。
②この参考書にしたところで、説明がわかりにくいのはほかと変わらない。
③あなたにしたところで、これ以上仕事が増えるのは嫌でしょ？
④値段はこれにしたところで、大差ないからこれに決めよう。

注意3 ・「AとしたところでB」は「AにしたところでB」よりAの立場を強調している。

接続3 [名詞①] としたところで

A としたら B
AとすればB

意味1 Aと仮定した場合B。

例文1 ①彼が来るとしたら、何時ごろに来るかな？
②こっちが北だとすれば、南はあっちだ。
③火星に生物がいるとすれば、どんな姿をしているのだろう。
④彼が買うとしたら、きっとイタリア製のスーツだろう

対比1 「AたらB」

「AたらB」には色々な意味があるが、Aをした結果がBになるような文は置き換えられない。
○ この問題は先生に聞いたらすぐわかったよ。
× この問題は先生に聞いたとしたら、すぐわかったよ。
しかし、Bが過去文でも、結果ではなく、仮定の場合は置き換え可能。
○ 彼が大統領になっていたら、また共産主義に逆戻りしていただろう。
○ 彼が大統領になっていたとしたら、また共産主義に逆戻りしていただろう。

意味2 ある情報Aを受けて、それを基にすればBだと考えられる。

例文2 ①「私の兄はひつじ年よ。」「ひつじ年としたら、昭和42年生まれね。」

②「このマンションは3000万円らしいよ。」
「ここが3000万円だとしたら、あそこは5000万円ぐらいするだろう。」
③君が10時の新幹線に乗るとしたら、東京に着くのは1時まえだな。
④この記事の通りだとすれば、彼のとった行動はおかしい。

(接続1,2)［動詞］としたら
［イ形容詞①］としたら
［ナ形容詞③］としたら
［名詞①④⑤⑥］としたら

(意味3)「AようとしたらB」の形で。Aをするつもりで行動したら、予想外の事態Bに直面した。
(例文3)①帰ろうとしたら、事故で電車が不通になっていた。
②ごはんを炊こうとしたら、米が一粒もなかった。
③コンピュータを開こうとしたら、画面が真っ白になってしまい、開けなかった。
④コップを机の上に置こうとしたら、手がすべり、落としてしまった。

(接続3)［動詞－意向形］としたら

（Xを） A として B
AとするB／AとしたB／AものとしてB／AはAとしてB

(意味1) XにAという位置づけ・意味づけをしてB。
(例文1)①我々は彼を中心として活動している。
②大阪を震源とする地震が、今後起こる可能性は大きい。
③YWCAは平和な世界の実現を目的とした女性の団体である。
④被告を無罪とする。

(意味2) Aという立場・身分・状態でB。
(例文2)①お父さんは私を大人として扱ってくれません。
②彼女は母親としてもすばらしいが、女性としても魅力のある人だ。
③専門家としてのご意見をお伺いしたいと思います。
④私はあの人のことを人生の先輩として尊敬している。

意味3 「AはAとしてB」の形で。Aは了解した、Aを別にしてほかにBという表現。

例文3 ①「来週、映画を見にいかない？」
「いいよ。それはそれとして、テストの勉強進んでいる？」
②「田中さんにお世話になったから、誕生日に何かあげましょうよ。」
「誕生日は誕生日として、世話になったお礼は別にしたほうがいいんじゃないか。」
③規則は規則として認めるが、これは規則違反には当たらないと思う。
④「月にいくらぐらい子供に渡しているの？」
「小遣いは小遣いとして、その他、食費やら本代やらで2万円かな。」

注意3 ・「AはBとして」の形で、Aは決定・了解した、次は〜という意味の表現もある。
○ サンドイッチは頼むとして、飲み物は何にする？

接続1〜3 ［名詞①］として

意味4 Aと仮定するとBということになる。Bは当然の結果。AとするとB。

例文4 ①今日、病院でもらった薬は1日3錠ずつ飲んだとして、1ヵ月分だ。
②「何時に、こっちに着く？」「今から出発したとして、6時ごろかな。」
③給料が月に30万円として、彼の年収はざっと400万円ぐらいか。
④今、ローンを組んだとして、全額返済するのは私が75歳の年だ。

意味5 「A（もの）としてB」の形で。Aという判断のもとにBをする。Aと考えてB。

例文5 ①今後は会社からの援助はないものとして、行動してくれ。
②犯人は複数いるものとして、捜査に当たろう。
③大雨のおそれがあるとして、気象庁は厳重な注意を呼びかけている。
④政府は当初の目標が達成されたとして、税率を据え置くことにした。

接続4,5 ［動詞］として
［名詞①］として

A　としては　B
AとしてB

意味1　Aで主題を、Bでその例示を述べる。AはBだと婉曲的に表す。
例文1　①この地方の産物としてはりんごが有名だ。
　　　　②お見舞いに喜ばれるものとして、くだものや雑誌がある。
　　　　③政府が今すぐ着手すべきこととしては、経済復興が考えられる。
　　　　④君が読むべき論文としては、これがいいだろう。

意味2　Aの役割を限定し、Bでその評価を述べる。
例文2　①これは論文としては、構成がいまひとつだ。
　　　　②俳句は定型詩としては、もっとも短いものだ。
　　　　③彼は日本人としては背が高い。
　　　　④うちの犬は番犬として役に立たない。
対比2　「AにしてはB」（意味1　P.233）

意味3　Aのレベルなら、Bと言ってもいい、Bという評価が下せる。
例文3　①初めての取り引きとしては成功だろう。
　　　　②彼は新人としてはよくやっていた。
　　　　③ベテランの判断として甘すぎたのではないか。
　　　　④1年生としては立派な作文だ。
対比3　「AなりにB」（意味1　P.205）
　　　「AなりにB」はAの枠の中で評価した場合Bだという意味で、Bにマイナス評価はつきにくい。「AとしてはB」はAの枠を越えBだという意味で、Bはプラス・マイナス両評価が可能。
　　　○　ベテランの判断としては、甘すぎた。
　　　×　ベテランの判断なりに、甘すぎた。
　　　○　1年生としては、立派な作文だ。　　（1年生以上の作文力がある）
　　　○　1年生なりに、立派な作文だ。　　（1年生の作文の中では立派だ）
　　　「A割にB」（意味2　P.333）
　　　「AにしてはB」（意味1　P.233）

意味4　Aの立場からの意見をBで述べる。

例文4 ①卒業生として、後輩の活躍に励まされることが多い。
②社長としては、田中さんの行いは許せなかったのだろう。
③政府としては、十分誠意を尽くすつもりだ。
④親としては、子どもに期待をかけるのは当然だ。

対比4 「AなりにB」(意味2　P.205)
接続1~4 [名詞①] としては

（Xは）A　としても　B
A１ようとしてもA２ない

意味1 実際はAではないがAと仮定してもB。だからAをしても仕方がない。

例文1 ①この問題は先生に聞いたとしてもわからないだろう。
②駐車場の数を増やしたとしても、不法駐車はなくならないと思う。
③これから一生懸命働いたとしても、億ションなんて買えるわけがない。
④交渉に時間をかけていたとしても、おそらく妥結しなかっただろう。

対比1 「AにしてもB」(意味2　P.237)
　　　「AとてB」(意味3　P.180)
接続1 [動詞ータ形] としても

意味2 もしAの場合でもBだ。
例文2 ①100点は無理だとしても、90点は取れるだろう。
②私が手伝えるとしても、二日間だけだ。
③あす雨天だとしても、運動会は決行されます。
④彼に謝るとしても、何といって謝ったらいいのかわからない。

対比2 「AにしてもB」(意味3　P.237)
接続2 [動詞] としても
　　　[イ形容詞①] としても
　　　[ナ形容詞③] としても
　　　[名詞①③④⑤⑥] としても

意味3 Aはある特定の人物や組織であり、その立場からBをする、Bである。
例文3 ①これは先生としても、十分検討してみた結果だけれどね。

②政府としても、安全性に考慮しつつ住民の賛成を得なければならない。
③彼女としても、仕事か子どもかの選択を迫られるわけだ。
④いまさらそんなことを言われたら、私としても困るんです。

注意3 ・Aは人や組織を表す名詞である。

対比3 「AにしてもB」（意味4　P.238）
「AとしてもB」はAの立場だけを述べる場合に使うが「AにしてもB」はAと同様にBであるものがほかにもあることを意識した表現でよく使われる。
○　我が社としても、独自の円高対策を打ち出さねばならない。
○　厳しい円高で苦しんでいるのは、我が社にしても同様だ。

接続3 [名詞①] としても

意味4 Xは（他の立場や役割のときと同様）Aの立場・役割でもBである。

例文4 ①彼は夫としても（父親としても）失格だ。
②犬はペットとしても（番犬としても）役に立つ。
③彼女は妻としても（母親としても）すばらしい人だ。
④この鍋はフライパンとしても（蒸し器としても）使えます。

接続4 [名詞①] としても

意味5 「A1ようとしてもA2ない」の形で。どんなにがんばってAをしようと努力しても絶対できない、無理だ。

例文5 ①あの事件のことは忘れようとしても忘れられない。
②8年前の今日、何があったかなんて思い出そうとしても思い出せない。
③今日こそ本当のことを打ち明けようとしても、どうしても打ち明けられなかった。
④かゆくて、かゆくて、我慢しようとしても我慢できずかいてしまった。

注意5 ・後文の「Aない」が省略されることもある。
○　授業中、眠くて先生の話を聞こうとしても、（聞けなくて）寝てしまうときがある。

対比5 「A1ようとしてもA2ものではない」
「A1ようとしてもA2ものではない」も同じ意味だが、「できない」という気持ちが強い。
○　信じていた人に裏切られたのだから、許そうとしても許せるもので

はない。

「A1ようにもA2ない」(意味1　P.322)

「A1ようにもA2ない」はA1をしたいが、何かの客観的事情があってできないという意味であり、「A1ようとしてもA2ない」は努力してもできないという意味である。

○　財布を忘れてきては、バスに乗ろうにも乗れないじゃないか。
×　財布を忘れてきては、バスに乗ろうとしても乗れないじゃないか。

「A1にA2ない」(意味1　P.210)

「A1にA2ない」はA1をしようと思うが、心理的にできないという意味で、努力をしてもできないという意味はない。

○　国に帰りたくても、成功するまでは帰るに帰れない。
×　国に帰りたくても、成功するまでは帰ろうとしても帰れない。

(接続5)　[動詞－意向形] としても [動詞－可能のナイ形]

A　とて　B

AこととてB／AからとてBない／AとてBない／Aない（ぬ）こととてB

(意味1)　AだからBは仕方がないと、Bを正当化する表現。Aは当然の理由、Bには悪い結果がくる。

(例文1)　①昔の話とて、忘れてしまった。
②慣れぬこととて、不手際がありましたことを深くお詫び申し上げます。
③初めてのこととて、どのように対処していいのかわからなかったのだ。
④年末のこととて、配達に遅れが生じる場合がございます。

(接続1)　[動詞] ＋こと＋とて
[動詞－ナイ形] ＋ぬ＋こと＋とて
[名詞①] とて
[名詞②] ＋こと＋とて

(意味2)　「AからとてBない」の形で。Aということを理由にBするのはよくない、Bにはならない。

(例文2)　①謝ったからとて、許される問題ではない。

②いくら嫌いな人の頼みだからとて、断るわけにはいかない。
③頭が痛いからとて、会社を休むことはできない。
④この病気は熱が下がったからとて、安心はできない。

(注意2) ・後文が「Bない」にならなくても意味は同じ。
　　　○　おいしいからとて、食べ過ぎるとおなかをこわすよ。
　　　　　　　　　　　　　　　　　　　　　(食べ過ぎてはいけない)

(対比2)「AからといってB」(意味1　P.69)
　　　意味の違いはないが、「AからとてB」は改まった表現。

(接続2) [動詞] からとて
　　　　[イ形容詞①] からとて
　　　　[ナ形容詞③] からとて
　　　　[名詞③④⑤⑥] からとて

(意味3)「AとてBない」の形で。Aと仮定してもBにはならない（だろう）
(例文3) ①あの人がいくら冷酷な人とて、社員を解雇することはないだろう。
②ここまで病状が進んだら、入院したとて、よくならないだろう。
③どんなに高級な物を身につけたとて、彼女には似合わない。
④校則を厳しくしたとて、風紀がよくなるとは思えない。

(対比3)「AとしてもB」(意味1　P.177)
　　　意味の違いはないが、「AとてBない」は古い表現で、改まった言い方。

(接続3) [動詞ータ形] とて
　　　　[名詞①] とて

(意味4) Aも例外ではなく、他の同種のものと同じB。
(例文4) ①私とて、社長の意見に賛成ではないが、立場上しかたがないのだ。
②定年を待たずに退職するほうが、君とて得なんじゃないのか。
③この仕事をしていたら、日曜日とて暇ではない。
④課長はうるさい。今日も今日とて朝から怒鳴っている。

(意味5)「AとてBない」の形で。Aを例としてあげ、他を類推させる。
(例文5) ①学生時代はボーイフレンドとておらず、スポーツばかりしていた。
②あの人は大学教授といっても、論文とて発表していない。
③彼女はわがまま育ちで、料理とて満足に作れない。

④彼はまじめで、カラオケとて行ったことがないらしい。

接続4,5　[名詞①] とて

意味6　「XはA（たり）とてない」の形で。Xがないことの強調表現である。Aは「1」を含む数。

例文6　①弟は負けず嫌いで、謝ったことは一度とてない。
②あの人とは一回たりとて、いっしょに食事をしたことはない。
③夏休みの課題図書は、まだ1ページたりとて読んでいない。
④私は入社以来6年間、1日たりとて仕事を休んだことがない。

接続6　[名詞①]（たり）とて

A とともに B

意味1　Aと同時にあるいは直後にBが続いて起こる。

例文1　①雷鳴とともに部屋に閃光が走った。
②ピストルの合図とともに、選手たちは一斉に走りだした。
③部屋の電気が消えるとともに、演奏が始まった。
④昔の人々は日が昇るとともに働きはじめ、沈むとともに床に就いた。

対比1　「AたとたんにB」（意味1　P.121）

「AとともにB」はAB間で一続きの流れがあるが「AたとたんB」はAと全くつながりのないことがBで起こるという意表をつかれるニュアンスがある。

○　ドアを開けたとたん、ガスの臭いがした。
×　ドアを開けるとともに、ガスの臭いがした。

「AにしたがってB」（意味1　P.230）

意味2　Aと同じようにBも並行的に変化する。

例文2　①スポーツ科学の進歩とともに、世界記録は塗り替えられていく。
②彼は日本語が話せるようになるとともに、友人も増えていった。
③ビルの建設が進むとともに、町の風景も変化した。
④台風の接近とともに、風雨が強くなるでしょう。

対比2　「AにつれてB」（意味1　P.250）

意味のうえでは同じであるが、ニュアンスにやや違いがある。「Aにつれて B」は少しずつ変化する様子に視点があるが、「A とともに B」は変化を全体的に見渡す表現である。

したがって、「A につれて B」は A が変化の意味を含む言葉でないと使いにくいが、「A とともに B」には、その制限はない。

　○　山の景色は時間とともに変化していった。
　×　山の景色は時間につれて変化していった。
　○　山の景色は時間の経過につれて変化していった。

さらに、短時間に急速変化するものには、「A とともに B」は合わない。
　○　雨足が強くなるにつれて、道を行く人々の姿もまばらになってきた。
　×　雨足が強くなるとともに、道を行く人々の姿もまばらになってきた。

「A にしたがって B」（意味1　P.231）
「A にともなって B」（意味1　P.252）

(接続1,2)　[動詞ール形] とともに
　　　　　[名詞①] とともに

(意味3)　A といっしょに、B。A の状態で B。
(例文3)　①夫とともに会に出席する。
　　　　②展示会場には作品とともに、作者のプロフィールも紹介されていた。
　　　　③人類は自然とともに生きていかなければならない。
　　　　④大きな仕事を成し遂げ、満足感とともに眠りについた。
(注意3)　・「A とともに B」は硬い表現で、書き言葉的。
(対比3)　「A をもって B」（意味3　P.343）
(接続3)　[名詞①] とともに

(意味4)　A と B が並立している状態を示す。
(例文4)　①工場の縮小を進めるとともに、従業員の希望退職も募った。
　　　　②よい選手になるには肉体とともに、精神力も鍛える必要がある。
　　　　③出生率の低下は義務教育に影響を与えるとともに、大学経営も変化せざるを得ない状況を生み出している。
　　　　④わが社は新商品の販売開始とともに、新しいサービス体制を整えた。
(接続4)　[動詞ール形] とともに
　　　　　[名詞①] とともに

A　とは

意味1　Aの事実に対する話し手の驚き、あきれ、感心などの気持ちを表す。
例文1　①二十歳にもなって、こんなこともわからないとは。
　　　　②上司に喧嘩(けんか)を売るとは。君も思い切ったことをするね。
　　　　③これだけ食べて2500円だとは。安いねぇ。
　　　　④あいつが裏切ったとはな。人はわからんものだ。
接続1　[文]　とは

意味2　相手や自分自身にAの意味や価値を問いかける。
例文2　①君にとって、人生の目的とは。
　　　　②教えてください神様。喜びとは。幸せとは。
　　　　③彼女がだれにも明かしたことがない秘密とは。なんとか知りたい。
　　　　④三大栄養素とは。
注意1,2　・「Aとは」は、下の文の（　）内を省略した表現である。
　　　　○　こんな簡単なことにだれも気づかなかったと（いうの）は（驚いた）。
　　　　○　彼が我々に伝えておきたかったことと（いうの）は（何だろう）。
接続2　[名詞①]　とは

A　とはいいながら　B

意味1　Aのことばの持つイメージに反する現実Bを述べる表現。
例文1　①あの人と私は血のつながりがないとはいいながら、家族同然の間柄だ。
　　　　②日本は安全な国だとはいいながら、凶悪犯罪が増えてきたのも事実だ。
　　　　③彼は金に困っているとはいいながら、給料はすぐ使ってしまうようだ。
　　　　④あの映画は残酷だとはいいながら、その残酷なシーンを見るために客が押し寄せている。
対比1　「AもののB（AとはいうもののB）」(意味1　P.312)
　　　　「AもののB」はAが確実性の高いことで、そこから予想される結果にBはならないという意味である。「AとはいいながらB」は表面上はAだが実際はBということを述べるものである。「AとはいいながらB」は「AもののB」で置き換えることは可能だが、逆はできない。

○　事実を知っているとはいうものの、口外はしないだろう。
×　事実を知っているとはいいながら、口外はしないだろう。
○　事実を知っているとはいいながら、本当は知らないのではないか。
Aが一般的イメージや価値を持つものでは言いかえできるが、ニュアンスに若干の違いがある。
○　夫婦とはいうものの別居状態だ。
　　　　　　　　　　　　（夫婦であるが今は別々に住んでいる）
○　夫婦とはいいながら別居状態だ。
　　　　　　　　　　　　（夫婦とは名ばかりで、実は他人同然だ）

「AといいながらB」
「いい」は発話を示し、「ながら」は逆接であるため「Aと言っているのにB」という意味になる。
×　この犬は雑種といいながら、毛並みがいい。
○　この犬は雑種とはいいながら、毛並みがいい。

(接続1) ［文］とはいいながら

A　とはいえ　B
いくらAとはいえB

(意味1) 確かにAという事実があるが、その意味や価値にあわない話し手の判断・評価や事態をBで付け加える。

(例文1) ①春めいてきたとはいえ、まだ肌寒いですね。
②政府の方針とはいえ、賛成しかねるものがある。
③彼のほうが年上とはいえ、頼りになるのは彼女のほうだ。
④ボーナスが出たとはいえ、全額借金返済に使わなければならない。

(対比1)「AにもかかわらずB」(意味1　P.262)
「AにもかかわらずB」は、AだけれどもBという結果になったことについての話し手の意外・残念などの感情（〜なのに）を表す表現であるが、「AとはいえB」は、確かにAだけれどもAのもつ意味や価値に反する評価や判断をBで補足するものである。
○　100点をとったにもかかわらず、うれしそうな顔をしない。
×　100点をとったとはいえ、うれしそうな顔をしない。

○　100点をとったとはいえ、いつものことだ。
×　100点をとったにもかかわらず、いつものことだ。

「AもののB（AとはいうもののB）」(意味1　P.312)
「AもののB」はAという事実は認めるがそれに反する内容をBで表す。Bに判断や評価が含まれない場合は「AとはいえB」で置き換えられない。
○　返事はするものの、行動には移さない。
×　返事はするとはいえ、行動には移さない。

「AといえどもB」(意味1　P.156)
「AといえどもB」は一般論を述べる文であり、Aは個別のものをさしていない。Aに固有名詞が来る場合も「いわゆるA」というAの一般的イメージを述べている。またBには覚悟や義務を迫る表現がくることが多い。
○　彼は留学生とはいえ、日本人以上に日本的だ。
×　彼は留学生といえども、日本人以上に日本的だ。
○　留学生といえども、漢字の試験を免除されるわけではない。

「AたところでB」(意味1　P.120)
「AたところでB」のAはたとえばAしてもという意味でBは話し手から見た意見である。「AとはいえB」のAはすでに起こった事実。
○　いまから努力したところで、あの学校に合格できるはずがない。
×　いまから努力したとはいえ、あの学校に合格できるはずがない。

「AといってもB」(意味1　P.161)
「AといってもB」のBは説明であり結果ではない。「AとはいえB」は、Aそのものの持つ意味や価値に反する話し手の判断や事態がBにくる。
○　勉強しなかったとはいえ、大学に合格できた。
×　勉強しなかったといっても、大学に合格できた。

意味2　Aには（ある事実から生じる）心の状態、Bではその心の状態に100％浸っていられない事情をのべる。

例文2　①就職の内定通知をもらい安心したとはいえ、まだもらっていない友人のことを考えると、喜んでばかりはいられない。
②子供が生まれた喜びはたとえようもない。とはいえ、家族を養う責任もいっそう強く感じる。

③やっと我が家を手に入れたとはいえ、ローンの返済は気が重い。
④彼のことを信じているとはいえ、疑う気持ちが全然ないわけではない。

意味3 Aであることを理解していても、それに反する希望や要望をBで表す。

例文3 ①試験は学生のために行われるとはいえ、受けずに済ませたいものだ。
②梅雨だとはいえ、1日ぐらいは晴れてほしい。
③減量中とはいえ、こんなにおいしそうなケーキを食べずにおれようか。
④核実験はほかの国の出来事とはいえ、見捨てておくことはできない。

意味4 AなのでBは当たり前だ（ある程度仕方がない）が、それでもこのBの状態は程度をこえている。「いくら～とはいえ」の形でよく使われる。

例文4 ①連休とはいえ、この人込みは異常だ。
②あのタレントは人気があるとはいえ、態度が大きすぎる。
③いくら兄弟とはいえ、あんなに似ているのもめずらしい。
④いくら中学入試が難しくなっているとはいえ、大学生でも解けない問題を出すのは変だ。

接続1～4 ［動詞］とはいえ
　　　　　　　［イ形容詞①］とはいえ
　　　　　　　［ナ形容詞③］とはいえ
　　　　　　　［名詞①③④⑤⑥］とはいえ

A　とはかぎらない
Aないとはかぎらない／Aないともかぎらない

意味1 みんながAだと思っている状況の中でA（では）ないかもしれないと、Aではないことを想定して話す。

例文1 ①天気予報は雨だと言っていたが、降るとはかぎらないから洗濯しよう。
②バーゲン商品がみんなお買い得とはかぎらない。
③一流レストランの食事が必ずしもおいしいとはかぎりませんよ。
④金持ちが必ずしも幸せだとはかぎらない。

接続1 ［動詞］とはかぎらない
　　　　　　［イ形容詞①］とはかぎらない

　　　　　[ナ形容詞③] とはかぎらない
　　　　　[名詞①③④⑤⑥] とはかぎらない

意味2 「Aないとはかぎらない」の形で。低い確率ではあるが、Aの可能性がある。Aかもしれない。

例文2 ①今は晴れていても昼から雨が降らないとはかぎらないから、傘を持っていこう。
②健康な人でも、病気にならないともかぎらないから保険に入っておけ。
③環境破壊によって、全人類が滅びてしまわないともかぎらない。
④また大地震が起こらないともかぎらないから、備えは常にしておこう。

接続2 [動詞ーナイ形] ないとはかぎらない

A　とばかりに　B

意味1 Aという感情、思っていることがBの身振りに出る。AというようにB。

例文1 ①行くなとばかりに、立ちはだかった。
②そんな話は聞きたくないとばかりに、耳をふさいだ。
③妻は早く起きろとばかりに、掃除機をかけはじめた。
④先生が部屋を出ると、学生たちはチャンスとばかりに騒ぎはじめた。

注意1 ・「AとばかりにB」は「Aと言わんばかりにB」の略であり、Aと言うような様子でという意味である。

対比1 「AんばかりにB」（意味1,2　P.348）

接続1 [名詞①] とばかりに
　　　　　[文] とばかりに

意味2 Bを行うときの掛け声や力の入り具合をAで示す。

例文2 ①「えいっ」とばかりに、切りつけた。
②それっとばかりに、飛びかかった。
③やあっ！　とばかりに、投げつけた。
④ここぞとばかりに、自己PRをした。

注意2 ・この掛け声は実際に発話される場合もあるが、主に様子を表したい場合に用いる。慣用的な表現で決まった掛け声としか結びつかない。

(接続2) [掛け声] とばかりに

Aとばかりはいえない

(意味1) 一般にはAと思われているが、そうではない側面もある。
(例文1) ①南の島の生活はのんびりしているとばかりはいえない。
②30歳になって若いとばかりはいえない年齢になったと自覚した。
③彼の話がすべて嘘だとばかりはいえない。
④携帯電話は便利だとばかりはいえない。常に監視されているようだ。
(接続1) [動詞ール形] とばかりはいえない
[イ形容詞①⑤] とばかりはいえない
[ナ形容詞③] とばかりはいえない
[名詞①] とばかりはいえない

A とも B ともつかない
AともBともつかないC

(意味1) AとBのどちらかはっきり言えない。AかもしれないしBかもしれない。
(例文1) ①この手紙を読む限りでは喜んでいるともいやがっているともつかない。
②このワインは甘いとも酸っぱいともつかない味だ。
③面接に行くときは不安とも期待ともつかない気持ちでどきどきした。
④夫が仕事をやめようかなと冗談とも本気ともつかないことを言い出したのであわてた。
(対比1) 「AともBともいえない」
「AともBともいえない」は断定できないという意味で、「AともBともつかない」は判断できないという意味なので自分のことには使いにくい。
○　わたしが行くとも行かないともいえない。
×　わたしが行くとも行かないともつかない。
(接続1) [動詞] とも [動詞] ともつかない
[イ形容詞①] とも [イ形容詞①] ともつかない
[ナ形容詞①⑤⑥⑦] とも [ナ形容詞①⑤⑥⑦] ともつかない

[名詞①②③④⑤⑥] とも [名詞①②③④⑤⑥] ともつかない

A　ともなく　B
AともなしにB／疑問詞（から・へ・に）ともなくB

意味1　意識してAするわけではないが、無意識にAに類することをしている。
例文1　①隣のカップルの話を聞くともなく聞いていた。
　　　　②私は見るともなしに、その男を眺めていた。
　　　　③彼女は読むともなしに、ただページを繰っている。
　　　　④母が料理人なので、味付けは覚えるともなしに自然と身についた。
対比1　「AでもなくB」（意味1　P.147）
接続1　[動詞ール形] ともなく

意味2　「疑問詞＋（から・へ・に）ともなく」の形で。Aについては、はっきりしないがB。
例文2　①魚を焼く匂いがどこからともなく漂ってきた。
　　　　②「あ～疲れた」と、だれにともなくつぶやいた。
　　　　③タンポポの種は風にのって、どこへともなく飛んでいった。
　　　　④仕事量は膨大で、いつ果てるともなく続く作業に思われた。
注意2　・この形は慣用的なものが多い。
接続2　[疑問詞] ＋（から・へ・に）＋ともなく

A　ともなると　B
AともなればB／AとなるとB

意味1　AでなければそれほどBではないが、Aという条件や時の経過ではB。
例文1　①決勝戦ともなると、応援にも熱が入る。
　　　　②夏休みも終盤ともなると、子どもは宿題に追われはじめる。
　　　　③本社から社長が視察に来るともなれば、みんな何か落ち着かない。
　　　　④価格が1億円となると、そう簡単には買い手は見つからないだろう。
注意1　・「AともなるとB」と「AともなればB」は意味は同じだが、「Aとも

なるとB」はAになる／するとBだと単純に事実を述べ、今、現実にAを見ている場合にも使えるが、「AともなればB」のAは仮定。
○　学生時代は浮ついていたが、さすが社会人ともなると、することも立派になってきた。
○　今はそれでもいいが、社会人ともなれば、浮ついていてはだめだ。

対比1　「AとなるとB」

「AとなるとB」はAという条件のときはBだということを述べる表現だが、Aが特別だというニュアンスはない。それに対して「AともなるとB」は「も」でAを強調し、さすがにAのときはBだなと納得する。
○　彼女が来ないとなると、代わりの人が必要になるな。
×　彼女が来ないともなると、代わりの人が必要になるな。
○　結婚も3回目となると、だれもお祝いをくれない。
○　結婚も3回目ともなると、だれもお祝いをくれない。
　　　　　　　　　(やっぱり3回目ではダメだな…という気持ちが強い)
また、接続詞的に使う「AとなるとB」はAを既定条件とするために「AともなるとB」では置き換えられない。
○　「彼女、結婚するそうよ。」「となると、何かお祝いをしなきゃ。」
×　「彼女、結婚するそうよ。」「ともなると、何かお祝いをしなきゃ。」

「AになるとB」

「AになるとB」はAという状態に変化するとBだという意味で、BにはAになった後の変化の状態がくる。
○　大臣になると忙しくなる。
　　　　　　　　(大臣ではない状態から大臣という状態に変化する)
○　大臣となると忙しくなる。
　　　　　　　　(事実は別として変化を話題として取り上げる)
○　大臣ともなると忙しくなる。(大臣を特別な状態、状況とみた表現)

接続1　[動詞ール形] ともなると
　　　　[名詞①] ともなると

A　ないことには　B　ない
AないことにはB

意味1　Aの状態にならなければBも成立しない。AはBの条件。

例文1　①社長の許可が下りないことには、話を先に進められないじゃないか。
②雨が降らないことには、今年の収穫は見込めない。
③この薬を飲まないことには、病気は治りませんよ。
④実物を見ないことには、カタログだけを見ていても決めかねる。

注意1　・会話などでは、Bを省略した形で現れることもある。
　　〇　主将のあなたがしっかりしないことには…。(部員はついてこない)

意味2　「AないことにはB」の形で。Aの状態にならなければ、Bというマイナスの状態になる。

例文2　①景気が上向きにならないことには、株価も下落を続けるだろう。
②あの電車に乗らないことには、遅刻してしまう。
③英語が話せないことには、海外勤務は無理だ。
④原因がわからないことには、対処のしようがありません。

接続1,2　[動詞ーナイ形] ないことには

A　ないことはない　（が　B）
AないこともないがB

意味1　はっきりAないと言い切ることができない。話し手の気持ちとしてはB。

例文1　①彼は日本語が話せないこともないが、通訳は無理だ。
②どんなに静かに見える海でも、危険でないことはない。気をつけろ。
③「ストーブもつけないで、寒くないの？」
　「寒くないことはないけど、つけるのが面倒なんだ。」
④魚を食べないこともないが、どちらかというと肉の方が好きだ。

対比1　「Aことは（も）ない」(意味1 P.96)
「Aことは（も）ない」はAを否定する言い方である。
　　〇　もう彼に会うこともないだろう。(彼に会わない)
　　〇　彼に会わないこともないが、いつになるかわからない。

「AことはA」(意味1　P.95)

(接続1)　[動詞－ナイ形]　ないことはない
　　　　[イ形容詞③]　ことはない
　　　　[ナ形容詞⑦]　ことはない
　　　　[名詞④]　ことはない

(意味2)　(条件によっては) Aの可能性もある。
(例文2)　①「この仕事を1週間でしてくれませんか。」
　　　　　「引き受けないことはないが、高くつきますよ。」
　　　　②今から頑張ったら、あの大学に合格できないこともないぞ。
　　　　③彼が犯人だと考えられないこともないな。
　　　　④将来、医学が進歩してガンを治す薬が開発されないこともないだろう。
(接続2)　[動詞－ナイ形]　ないことはない

A　ないではおかない
Aずにはおかない

(意味1)　Aをしないで放っておくことは許さない、必ずAするぞという強い意志を表す。
(例文1)　①彼はどんな些細な疑問も解決しないではおかない。
　　　　②姉は言葉遣いに厳しく、細かいことも注意しないではおかない性格だ。
　　　　③弟は勝ち気で、何か言われたらかならず、言い返さないではおかない。
　　　　④宿題を忘れた者には、罰を与えないではおかない。

対比1　「Aないではすまない」(意味2　P.193)
「Aないではすまない」はAのままでは気がすまない、収まらないと自身の感情に視点があるが、「Aないではおかない」は自身の意志が向かう対象に視点があり、対象に対して何かするぞという強い意志を表す。
　　○　5時間も並んだんだ。チケットが手に入らないではすまないぞ。
　　×　5時間も並んだんだ。チケットが手に入らないではおかないぞ。

(意味2)　Aにならないことはない。必ずAの状態になる。
(例文2)　①赤ちゃんパンダの遊ぶ姿は、人々をひきつけないではおかないものだ。

②和太鼓の響きは体の芯に熱いものを感じさせずにはおかない。
③彼の撮った写真は見るものの心を動かさずにはおかなかった。
④両国の政治的緊張は周りの国々に影響を与えずにはおかなかった。

(接続1,2) [動詞－ナイ形] ないではおかない

A　ないではすまない
Aずにはすまない

(意味1) 今の状況を考えると、Aないという事態や言い訳は許されない。

(例文1) ①あれだけ人に迷惑をかけておいて、知らないではすまない。
②すべて任せろと胸をたたいた手前、今更できないではすまない。
③宇宙での活動は危険を伴わずにはすまないだろう。
④保証人として判を押した以上、この金を払わないではすまないぞ。

(意味2) Aないままでは気が収まらない、満足できないという感情や性格を表す。

(例文2) ①いくら人に聞いても、自分の目で確かめないではすまない。
②母親は息子の行動の一つ一つに口を出さずにはすまなかった。
③2時間かけてここまで来たんだ。一目パンダを見ないではすまない。
④父は何をやっても、最後までやり遂げないではすまない人だ。

(注意2) ・「Aずにはすまない」の形は意味2のみ。

対比2 「Aずにいられない」(意味1　P.109)
「Aないではすまない」は、その人の価値観から判断しても、Aないままでは気が収まらないという状況を表すが、「Aずにいられない」は体や感情が自然に反応してしまうときによく使う。

○　毎晩酒を飲まずにはいられない。
×　毎晩酒を飲まないではすまない。

「Aないではおかない」(意味1　P.192)

(接続1,2) [動詞－ナイ形] ないではすまない

A　ないまでも　B

意味1　Aの程度には至らなくても、少なくともB。
例文1　①口にこそ出さないまでも、みんな彼女のことを心配している。
　　　　②軽率なミスを繰り返していると、大事に至らないまでも信用を失うぞ。
　　　　③そんなに煙草を吸うとすぐ病気にはならないまでも、喉に悪いよ。
　　　　④大漁とはいえないまでも、たくさん魚が釣れた。

意味2　より望ましいAにはならなくても（せめて）Bが望まれる。
例文2　①電話をかけないまでも、せめてメールぐらいすればいいのに。
　　　　②雨がやまないまでも、小降りになってくれないかなぁ。
　　　　③走れないまでも、歩くことができる程度には回復した。
　　　　④初舞台なので、満席とはならないまでも、そこそこは入ってほしい。
接続1,2　［動詞ーナイ形］ないまでも

A　ないものでもない
Aないでもない

意味1　一見、可能性が低く見えるが、Aの可能性も十分にあるということを、控えめに述べる婉曲表現。
例文1　①事と次第によっては、許可しないものでもない。
　　　　②彼の話はたしかに不思議だが、信じられないものでもない。
　　　　③是非にと言われれば、行かないものでもない。
　　　　④あきらめるのは早すぎる。ひょっとして、いい働き口が見つからないものでもない。
注意1　・「ある」の否定としての「ない」も使える。
　　　　　○　手がかりがまったくないものでもない。
接続1　［動詞ーナイ形］ないものでもない

A　ながら　B
AながらのB／AながらにB／AながらもB

意味1　AとBが同時に行われる。Bがどのような状態で行われるかをAで表す。

例文1　①彼はギターを弾きながら、歌を歌った。
②携帯を使いながら運転するのは違反だ。
③毎日、国の家族のことを思い浮かべながら、勉学に励んでいる。
④彼は震えながら、部屋に入ってきた。

注意1　・Bが主、Aが従。その関係が希薄な場合、AとBは入れ替え可能。
・慣用的な表現として、Aの状態でBという意味で「居ながらにして」「生きながらにして」などがある。また、Aのときからずっとという意味で、「生まれながら」「昔ながら」などがある。

対比1　「AままB」（意味3　P.296）
「AままB」はAの状態でBをするという意味で、AからBへの時間の流れがある。一方、「AながらB」のAとBは同時。
○　彼は窓を開けたまま寝てしまった。
×　彼は窓を開けながら寝てしまった。
「AつつB」（意味1　P.135）。

意味2　AもBも大変で努力を要することだが、その二つを並行して行う。

例文2　①彼は銀行に勤めながら、作家活動もしている。
②あの人は昼間働きながら、夜学校に通っています。
③あの人は会社の仕事をこなしながら、コツコツと自分の研究を進めた。
④働きながら子どもを育てるのは大変だ。

対比2　「AかたわらB」（意味1　P.57）

意味3　Aという方法・手段を使ってB。

例文3　①彼はアルバイトをしながら、お金を貯めている。
②辞書を引きながら、宿題をした。
③日本人と話しながら、会話を学んだ。
④曲を聞きながら、楽譜に起こしていった。

対比3　「AてB」
「AながらB」はAの方法でB。「AてB」はAの状態でB。

　　　　○　パジャマを着て寝る。
　　　　×　パジャマを着ながら寝る。
接続1～3 [動詞ーマス形] ながら

意味4 AはBの前置き。話し手はマイナスの状態Aを認めてBを言う。
例文4 ①失礼ながら、お年はおいくつですか。
　　　②では、恥ずかしながら、一曲歌わせていただきます。
　　　③勝手ながら、本日は休ませていただきます。
　　　④残念ながら、不合格でした。
接続4 [イ形容詞⑥] ながら（「恥ずかしい」のみ）
　　　[ナ形容詞⑦] ながら

意味5 AだけれどもB。普通AであったらBにはならないはずなのにB。
例文5 ①あの人はこのことを知っていながら、私には何も教えてくれなかった。
　　　②最近の携帯電話は小さいながらも、多機能化が進んでいる。
　　　③子どもながらに、なかなかよく考えている。
　　　④彼は大胆ながら、細やかな神経も持ち合わせている。
接続5 [動詞ーマス形] ながら
　　　[イ形容詞②] ながら
　　　[ナ形容詞①] ながら
　　　[名詞①] ながら

意味6 Aは結果として全部がB。
例文6 ①立派な息子が5人もいるが、5人が5人ながら家業を継がなかった。
　　　②産まれた子猫は4匹ながら三毛猫だった。
　　　③完成した焼き物は、7客ながらいいできばえだった。
　　　④告発された3社ながら社長は全員退陣に追い込まれた。
注意6 ・Aは3以上の数を表す名詞。
接続6 [名詞①] ながら

A なくして B
AなくしてはB／AなくしてBない

意味1 Aがないままに Bしてしまうのは、よくない（だからAが必要だ）。

例文1 ①十分な議論なくして、結論を急いではいけない。
②味方の援護なくして、我々だけで突入するのは危険だ。
③じっくり考えることなくして、行動に出たがゆえの失敗だ。
④許可なくして、入室を禁ず。

対比1 「AなしにB」（意味2 P.199）
意味は同じ。ただし、「AなくしてB」のほうが硬い表現。
○ 彼の協力なくしては、いかなる事業もうまくいかなかっただろう。
○ 父さんの協力なしには、うまくいかないんだ。

意味2 「AなくしてBない」の形で。もしAがなければ、Bできない。（AはB成立のための必要条件）

例文2 ①愛なくして、子を教え導くことなどできない。
②真の勇気なくしては、改革はできない。
③住民の協力なくしては、住みよい町づくりはできない。
④彼女の活躍なくして、勝利は得られなかった。

対比1,2 「AなしにB」（意味1 P.199）
意味は同じ。置き換え可能。「AなくしてB」のほうが硬い表現。

接続1,2 [名詞①] なくして

A なしで B
AなしではBない

意味1 本来するA、面倒なAをしないでB。

例文1 ①休憩なしで働かされて疲れた。
②あのレストランは空いているから予約なしで行っても、大丈夫だ。
③この携帯電話は面倒な操作なしで指1本でかけられる。
④高齢の方でも健康診断なしで入れる生命保険が増えた。

対比1 「AことなしにB」（意味1 P.90）

「AなしでB」と状況は同じでもニュアンスは違う。「AなしでB」は面倒なことをしないでBという意味。「AことなしにB」は本来するべきことがないという意識が強い。
「**AなしにB**」（意味1,2　P.199）

(接続1)　[名詞①] なしで

(意味2)　「AなしではBない」の形で。もしAがなければ、Bできない。（AはB成立の必要条件）

(例文2)　①君の助けなしでは、頂上まで登れなかっただろう。
②私には持病があるから、この薬なしでは怖くて外出できないんだ。
③年金なしでは、老後は暮らせない。
④人は空気と水なしでは生きられない。

(対比2)　「**AなしにB**」（意味2　P.199）
置き換え可能。

(接続2)　[名詞] なしでは [動詞ー可能] ない

(意味3)　普通は使うAを使わないでB／普通は入っているAを入れないでB。

(例文3)　①酔い止めの薬は水なしで飲めるものが多い。
②今年の夏はクーラーなしで過ごすつもりだ。
③コーラ1つ、氷なしでお願いします。
④外国映画を字幕なしで楽しめるようになりたい。

(対比3)　「**AなしにB**」（意味1　P.199）
「**AぬきでB**」（意味1　P.266）

(接続3)　[名詞①] なしで

A　なしに　B
AなしにはBない／AもなしにB

(意味1)　本来ならAからBという段取りであるのに、Aがないまま B。

(例文1)　①彼は上司の断りなしに、仕事を休んだ。
②何の相談もなしに決めるなんて、ひどいじゃないか。
③周辺住民の同意なしに強引に建設を進めたため、反対運動が起きた。

④脳の指令なしに筋肉が急速に収縮することにより、痙攣が起こる。

(注意1)・Aがないことに対する話し手の疑問、驚き、不満を表すことが多い。

(対比1)「AなしでB」(意味1 P.198)
「AなしでB」はAの次にBをするのが普通なのに、AをしないでBという意味。ほとんど「AなしにB」と置き換え可能。ただし、「AなしにB」のほうが話し手の不満や疑問などが強く現れる。

「AぬきでB」(意味1 P.266)
「AぬきでB」は意識的に全体からAの部分を除いた状態でBだが「AなしにB」は本来はA→Bの順で事が起こるはずなのにAがないのにBという意味である。

○　仕事の話ぬきで会おう。
×　仕事の話なしに会おう。
×　目的ぬきで旅にでる。
○　目的なしに旅にでる。

「AことなしにB」(意味1 P.90)
置き換え可能。「AなしにB」はAからBという段取りがないという意味だが、「AことなしにB」は本来BをするときはAもするはずだが、それがないという表現。

「AなくしてB」(意味1,2 P.197)

(接続1)[名詞①] なしに

(意味2)「AなしにはBない」の形で。もしAがなければ、Bできない。(AはB成立の必要条件)

(例文2)①体が不自由なため、まわりの支援なしには、生活できない。
②彼の協力なしには、この事件のなぞは解明されなかったであろう。
③サービス業に就くには、コミュニケーション能力なしには無理だ。
④この事業はA銀行の資金援助なしには成功しなかった。

(対比2)「AなしでB」(意味2 P.198)
置き換え可能。

「AなくしてB」(意味1 P.197)

(接続2)[名詞①] なしには [動詞－ナイ形] ない

A　など
AなどのB

意味1　Aを例として示す。たとえばA。AでなくてもAと同類ならよい。

例文1　①夏休みのご旅行でしたら、沖縄などいかがですか。
　　　　②台風のときは瓦や看板が飛んでくるなど危険ですから、外へは出ないでください。
　　　　③海岸で花火をあげる、大声で騒ぐ、ごみを持ち帰らないなど、他人の迷惑になる行為をしてはいけない。
　　　　④東京などの大都市では、1票の格差が選挙のたびに話題になっている。

意味2　直接Aのことを言っているのだが、婉曲的な表現で断言を避ける。Aを軽んじて述べることもある。

例文2　①今日は雨など降って寒うございますから、お風邪を召しませんように。
　　　　②推理小説の結末を言うなど、ルール違反だ。
　　　　③読書など暇な人間のすることだ。
　　　　④あいつなど、ぼくの敵じゃない。

対比1,2　「AなんかB」（意味2　P.207）
　　　　　「AなんてB」（意味3　P.208）

接続1,2　[動詞]　など
　　　　　[名詞①]　など

意味3　だいたいA。Aというようなこと。「Aなどと〜」の形でも使われる。

例文3　①父は定年後、田舎で母と暮らすなどと言い出した。
　　　　②日銀は金利引き下げはしないなどといっているが、本当だろうか。
　　　　③留学している娘が、まだ帰国したくないなど、言ってくる。
　　　　④友達に「もう来るな、帰れ」など、ひどいことを言われた。

対比3　「AなんてB」（意味2　P.208）
接続3　[文]　など

A　なみ
Aなみの／Aなみに

意味1 Aの水準と同じぐらい、Aと同程度ということを表す。

例文1 ①学力テストの結果が全国平均なみだったので校長は安堵した。
②彼女はバレーボール選手なみの背の高さだ。
③まだ10月なのに、12月下旬なみの寒さだ。
④贅沢は望まないが人並みの生活をしたい。

注意1 ・Aは一般的な共通認識として基準となるものに限られる。
　　　×　このロボットは猫なみの知能を持っている。

接続1 ［名詞①］なみ

A　なら　A　で　B
AないならAないでB

意味1 Aの場合はBという対処法、考え方がある。

例文1 ①いつ来てもいいが、来るなら来るで連絡するべきだ。
②反対するならするで、理由を言ってほしい。
③この道が危険なら危険できちんと標示をしておいてほしい。
④友だちなら友だちで、もっと誠意を見せなさい。

対比1 「AたらAたでB」（意味2　P.128）

接続1 ［動詞］なら［動詞］で
　　　　［イ形容詞①］なら［イ形容詞①］で
　　　　［ナ形容詞③］なら［ナ形容詞③］で
　　　　［名詞①③④⑤⑥］なら［名詞①③④⑤⑥］で

A　ならいざしらず　B
AはいざしらずB／疑問詞＋AかはいざしらずB／Aかどうかはいざしらず

意味1 もしAだったら、当てはまる、納得できるが、AではないのでB。

(例文1) ①冬ならいざしらず、いくら流行でも真夏に毛皮つきのブーツは変だ。
②子どもならいざしらず、彼女は30歳にもなって挨拶もできないのか。
③わからないことを先輩に質問するならいざしらず、自分で勝手に処理してしまうなんて失敗の元だ。
④払えないならいざしらず、払えるのに払わないのはおかしい。

(接続1) [動詞ール形] ならいざしらず
[動詞ーナイ形] ないならいざしらず
[名詞①] ならいざしらず

(意味2) 「AはいざしらずB」の形で。Aのことはわからないが、AはどうでもいいがAと関係なくB。

(例文2) ①由来はいざしらず、お茶を入れたとき、茶柱が立っていればいいことがあると言われている。
②住所はいざしらず、名前だけでも聞いておくべきだった。
③他人がどう思うかはいざしらず、君は自分のしたいことをしなさい。
④彼女が認めるかどうかはいざしらず、責任は彼女にある。

(注意2) ・Aが動詞の場合は、「か／かどうか」がつく。

(接続2) 疑問詞＋[動詞] かはいざしらず
[動詞] かどうかはいざしらず
[名詞①] はいざしらず

A　ならではの　B
BはAならではだ

(意味1) BはAに特徴的なことで、ほかにはあまり見られない。さすがはAだからだと感嘆する表現。

(例文1) ①あの旅館はいつも山里ならではの料理でもてなしてくれる。
②このあたりの激しい色使いなど、まさにゴッホならではでしょう。
③このシーツの心地よさは、まさにタオル地ならではだ。
④これは詩人ならではのやさしい語り口でわかりやすく書いた本です。

(注意1) ・いかにもAにふさわしいと、皮肉を込めて言うこともある。
○　大都市ならではの混雑に巻き込まれてヘトヘトだ。

接続1) [名詞①] ならではの

A　なり　B

意味1　Aという状態になったことがきっかけで、続いてB。
例文1　①二人は顔を合わせるなり、喧嘩をはじめた。
　　　②私が話しはじめるなり、やじが飛んできた。
　　　③立ち上がるなりめまいを感じ、その場に座り込んだ。
　　　④押し入れを開けるなり、布団が落ちてきた。

意味2　Aのすぐ後にB。AB間の時間差がほとんどないことを述べたい。
例文2　①彼は座席に座るなり、いびきをかいて寝てしまった。
　　　②先生は教室に入ってくるなり、試験問題を配りはじめた。
　　　③うちの子は学校から帰ってくるなり、「おやつ、おやつ」とうるさい。
　　　④駅を出るなり、雨が降りだした。

対比1,2　「AたとたんにB」（意味1,2　P.121, 122）
「AたとたんにB」はAとBとの間に時間差がないと話し手が主観的に感じているだけなので実際には時間差がある場合にも使える。さらにBの変化に視点があり、意外な変化Bに驚くというニュアンスがある。
　○　彼は結婚したとたんに、家事を手伝ってくれなくなった。
　×　彼は結婚するなり、家事を手伝ってくれなくなった。
「Aや否やB」（意味1　P.313）

注意1,2　・Bに命令・意向文は来ない。
　×　家へ帰るなり、電話してください。
　・Bに当然の結果は来ない。
　×　自動販売機のボタンを押すなり、ジュースが出てきた。

接続1,2　[動詞―ル形] なり

意味3　Aの後ずっとAの状態のままB。本来されるべきことがされていない。
例文3　①朝、パンをかじったなり、何も食べていない。
　　　②彼から手紙をもらったなりで、まだ返事を書いていない。
　　　③あの子はおもちゃを出したら、出したなりで、片付けもしない。

④出かけるのに、お金をテーブルの上に置いたなりで行ってしまった。

対比3 「AたきりだAたきりBない）」(意味1 P.112)
「AなりB」はAの後始末・処理がBでなされていないという意味で使うが、「AたきりBない」はAの行為・状態が続かず途切れてしまうことに視点がある。
○ もう冬だというのに、忙しくてまだ夏服を出したなりだ。
× もう冬だというのに、忙しくてまだ夏服を出したきりだ。

「AままB」(意味3 P.296)
置き換え可能。ただし「AなりB」のほうがやや古い表現。

接続3 [動詞一タ形] なり

A なり B なり

意味1 （何でもよいのだが）たとえばAやBなどと、選択肢を挙げる表現。

例文1 ①夕食は惣菜を買うなり、外食するなり、適当にすますからいいよ。
②初日は観光に付き合うけど、二日目はショッピングなり、観光なり、自由にしたらどう？
③出発まで映画を見るなり、お茶を飲むなりして、時間をつぶそう。
④忙しいんだから、突っ立っていないで、手伝うなりなんなりしてよ。

対比1 「AとかB（AとかBとか）」(意味4 P.165)
どちらもA，Bと選択肢を挙げる表現。「AなりBなり」はAでもBでもその他何でもいいという気持ちがあるため、自分のことに使えば、どこか投げやりなニュアンスになり、相手のことに使えば、やや突き放したり、非難したりしている感じが含まれることがある。A，Bを具体的に表すときには「AなりBなり」は使えない。
○ 今年の夏は、京都とか奈良とかいろんなところへ行ったんだ。
× 今年の夏は、京都なり奈良なりいろんなところへ行ったんだ。

「AようがBようがC」(意味1 P.317)
「AようがBようがC」はAをしてもBをしても結局はCだという意味。「AなりBなり」は選択肢をあげる表現。
○ こんなに込んでいたら、バスに乗ろうがタクシーに乗ろうが一緒だ。
× こんなに込んでいたら、バスに乗るなりタクシーに乗るなりしても

一緒だ。
(接続1) ［動詞ール形］なり［動詞ール形］なり
［名詞①］なり［名詞①］なり

A なりに B
AなりのB

(意味1) Aに見合ったB、AにふさわしいBを見いだし、それを述べる表現。
(例文1) ①素人は素人なりに、プロはプロなりに、いい作品を出している。
②よく働く人には、それなりの給料を払います。
③この部屋は狭いなりに、家具の配置などよく工夫してある。
④教わるなら教わるなりの態度があるだろう。
対比1 「AとしてはB」(意味3 P.176)
(接続1) ［動詞］なりに
［イ形容詞①］なりに
［ナ形容詞①②］なりに
［名詞①③④⑥］なりに

(意味2) 他人はどう見るかは別として、（話し手は）Aとしては十分Bであると考えている。表面的な判断や安易な判断に対して異議を唱える言い方。
(例文2) ①これは私なりによく考えた結論です。
②予想外に強硬な態度の裏には、政府なりの思惑があるのだろう。
③出来栄えは悪いけど、彼女なりに一生懸命作った料理なんだ。
④負けはしたが、おまえたちなりによく戦ったと思うぞ。
対比2 「AとしてはB」(意味4 P.177)
「AとしてはB」はAの身分・立場・状態ではBだという意味。「AなりにB」のAは人や組織。Aが人や組織の場合は置き換え可能。
○　今日は、5月としては暑いくらいだ。
×　今日は、5月なりに暑いくらいだ。
Aに人や組織がきても、「AとしてはB」はAの立場からBという意見を述べる表現であり、「AなりにB」は十分Bだという評価を表す。
○　わたしとしては、一生懸命やった。　　　　（全力を尽くした）

○　わたしなりに、一生懸命やった。　　　　　　　（弁解・弁明的）

接続2　［名詞①］なりに

なんか　A

意味1　なんとなく、理由はわからないがA。はっきりしないがAだ。
例文1　①最近、なんか疲れるんだ。
②あの映画は評判はいいが、私にはなんか物足りなかった。
③「新しい仕事、どう？」「いろいろあって、なんか大変なんだ。」
④彼女が入社してから、職場がなんか明るくなった。

接続1　なんか［動詞］
　　　　　なんか［イ形容詞①］
　　　　　なんか［ナ形容詞③］

A　なんか　B
AかなんかB

意味1　Bで表したいことの一例をAで示す。たとえばA。
例文1　①「今晩、何食べる？」「焼肉なんか、どう？」
②これがギリシャ建築です。この柱なんかにその特徴がよく出ています。
③マークシートは鉛筆で書くんだ。万年筆やボールペンなんかはだめだ。
④夏休みに旅行するなら、ハワイかグアムなんかどう？

接続1　［名詞①］なんか

意味2　「AはB」のあいまいな表現。また、Aを提示し強調することによって、Bで話し手の価値観を表す。
例文2　①「連休にヨーロッパへ行ってきたんだ。」
　　　　　「へぇ〜、いいなぁ。俺(おれ)なんか淡路島だよ。」
　　　　　「かわいそう。私なんかタヒチよ。」
②「仕事をやめるよ。」「やめるなんか言うなよ。」
③テレビなんか見ないで、早く寝なさい。

④「一人暮らしは寂しいでしょ。」「寂しくなんかないよ。」
(注意2) ・強調したいものの後につけることができる。
　　　　○　おまえ（なんか）に私（なんか）の気持ち（なんか）わかるものか。
　　　　○　日曜日（なんか）に会社へ（なんか）行きたく（なんか）ないよ。
　　　・「Aなんかない」の形の時はAにイ形・ナ形・名詞が使える。
(対比1,2)「Aなど」(意味1,2　P.200)
　　　　「AなんてB」(意味3　P.209)
　　　　置き換え可能。「Aなど」「Aなんか」「Aなんて」の順に口語的。
(接続2) [イ形容詞④] なんか
　　　　[ナ形容詞⑪] なんか
　　　　[名詞①⑨] なんか
　　　　[文] なんか

(意味3) 「AかなんかB」の形で。Aのようなもの。Aか何かほかのものの略。
(例文3) ①ちょっと、水かなんか飲ませていただけませんか。喉が乾いて…。
　　　　②ねじ回しかなんか、先の尖ったものを持ってきて。
　　　　③昼は軽くうどんかなんか食べたいな。
　　　　④初めての給料で両親に時計かなんか買おうと思っているんだ。
(注意3) ・「AかなんかB」の「なん」は疑問詞の「何」である。対象によって、
　　　　「AかどこかB」「AかだれかB」の形もある。
　　　　○「めがねはどこかな。」「さっき、机の上かどこかで見たよ。」
(接続3) [名詞①] かなんか

なんて　A
なんとA

(意味1) Aに対して、驚いたり、感動したりする気持ちを表す。
(例文1) ①ここからの景色は、なんて美しいんだろう。
　　　　②私財をすべて人のために使うとは、なんて人なんだ。
　　　　③産地から食卓までなんと多くの人が流通にかかわっていることか。
　　　　④今年の新入社員は、みんななんとよく働くことか。
(注意1) ・「Aことか」の「こと」の代わりに名詞がつく場合もある。

○　なんと見事な（梅か／ことか）。

接続1　なんと［動詞］（ことか／のだ）
　　　　なんと［イ形容詞①］（ことか／のだ）
　　　　なんと［ナ形容詞④］（ことか／のだ）
　　　　なんと［名詞⑦］（のだ）

A　なんて　B

意味1　BをAで説明する。AというようなB。
例文1　①別荘なんてものは、だれにでも縁があるもんじゃないよ。
　　　　②神山なんて人は知らないなぁ。
　　　　③死のうなんて考えはやめろ。
　　　　④今日、彼が来るなんて話は聞いていない。
接続1　［動詞］なんて
　　　　［動詞－意向形］なんて
　　　　［名詞①］なんて

意味2　AというのはBだ。Aに対する判断をBで述べる。
例文2　①あの俳優が死んだなんて、絶対うそだ。
　　　　②彼がお金に困っているなんて、信じられない。
　　　　③夜中の2時に今からすぐ出てこいだなんて無理だ。
　　　　④知っていたくせに「えっ？」だなんて、白々しい。
対比2　「Aなど」（意味3　P.200）
接続2　［文］なんて

意味3　婉曲表現。話題になっていることをAで示し、Bで意見を述べる。
例文3　①東京へなんて、行ってないよ、おれ。
　　　　②「野球、見る？」「野球なんて、つまらないよ。」
　　　　③地位や財産なんて、いらないよ。大切なのはやりがいだ。
　　　　④失敗なんて、彼にかぎってあるわけないだろう。
対比3　「Aなど」（意味1,2　P.200）
　　　　置き換え可能。ただし、「AなんてB」のほうが口語的。

「AなんかB」(意味2 P.207)
置き換え可能。ただし、「AなんてB」は助詞の前には来ない。
- ○　あなたになんか会いたくない。
- ○　あなたになんて会いたくない。
- ○　あなたなんかに会いたくない。
- ×　あなたなんてに会いたくない。

(接続3)［名詞①（⑨）］なんて

A　なんてものではない
Aなんてもんじゃない

(意味1) ことばで言い表せる程度ではなく、実際はAより程度がさらに進んでいることを表す。マイナス評価にもプラス評価にも使う。

(例文1) ①彼の部屋は汚いなんてものではない。3年は掃除していない感じだ。
②「あの映画おもしろかった？」
　「おもしろいなんてもんじゃないよ。最悪だった。」
③君の料理はおいしいなんてものじゃないね。プロなみだよ。
④「パーティーは楽しかった？」
　「楽しいなんてもんじゃなかったね。夢のようだった…。」

(対比1)「Aどころではない」(意味1 P.170)
「Aどころではない」はAの方向に極端に程度が進むのみであるが、「Aなんてものではない」はAの方向だけでなく反対の意味にもなる。
- ○　彼女はおとなしいなんてものじゃないよ。大変なお転婆娘だ。
- ○　彼女はおとなしいなんてものじゃないよ。一言も喋らないんだよ。
- ×　彼女はおとなしいどころじゃないよ。たいへんなお転婆娘だ。
- ○　彼女はおとなしいどころじゃないよ。一言も喋らないんだよ。

(接続1)［動詞］なんてものではない
　　　［イ形容詞①］なんてものではない
　　　［ナ形容詞③］なんてものではない
　　　［名詞①③④⑤⑥］なんてものではない

A1 に A2 ない

意味1 Aをしようと思うが、心理的にどうしても出来ない。

例文1 ①犯人が拳銃を持っていたから、逃げるに逃げられなかったんだ。
②退社時間を過ぎても上司が仕事をしていたら、帰るに帰れない。
③こんな点数じゃ、見せるに見せられないじゃないか。
④人から土産にもらう飾り物は、捨てるに捨てられなくて困ってしまう。

注意1 ・慣用的に使うこともある。
　　　○　ボーナスを全額、盗られちゃったのだから、泣くに泣けない。
　　　○　怒るに怒れない　　○　笑うに笑えない　　○　言うに言えない）

対比1 「A1たくてもA2ない」（意味1　P.113）
「A1たくてもA2ない」は、希望しているができないという意味。「A1にA2ない」は、希望しているが心理的にできないという意味。したがって、「A1にA2ない」から「A1たくてもA2ない」への置き換えは可能だが、逆はできないものもある。
　　　○　停電しているので好きな番組が見たくても見られない。
　　　×　停電しているので好きな番組が見るに見られない。
「AとしてもB（A1ようとしてもA2ない）」（意味5　P.179）
「A1ようにもA2ない」（意味1　P.322）

接続1 ［動詞－ル形］に［動詞－可能］ない

A に B もなにもあったものではない
AにBもなにもない

意味1 AにはBやそれに類するものなどはない。AにBという考え方は不適切だ。AにBという表現は合わない。

例文1 ①一生使う名前に流行もなにもないだろう。親ならもっと真剣に考えろ。
②残業続きで忙しい。デートするもなにもあったものじゃない。
③せっかくのキャンプが雨に降られ、楽しいもなにもなかったよ。
④「息子さん、ご立派ですね。人命救助なさったとか…。」
　「立派もなにも…。当然のことをしたまでです。」

接続1 ［動詞－ル形］もなにも

[イ形容詞②] もなにも
[ナ形容詞①] もなにも
[名詞①] もなにも

意味2 Aは本来あるはずのBもないほどひどい状態である。
例文2 ①私の惨めな青春には夢も希望もなにもなかった。
②不祥事を謝る社長には、威厳もなにもなかった。
③子どもたちのサッカーにはルールもなにもあったものじゃない。
④叱られている彼の態度には反省もなにもあったものじゃなかった。
接続2 [名詞①] もなにも

（Xは） A　にあたらない
（Xは）Aにはあたらない

意味1 XはAに該当しない。「XはAにあたる」の否定の形。
例文1 ①入学試験のための欠席は公欠扱いとなり、欠席にあたらない。
②彼とは遠縁らしいが、民法上は親族にはあたらない。
③彼の行為は犯罪にはあたらない。
④この仕事でもらうのは交通費だけだから、パートにはあたらない。
対比1 「Aにはおよばない」（意味1　P.254）
接続1 [名詞①] にあたらない

意味2 大した価値や重みがないのでAする必要がない。
例文2 ①あの国では官僚の悪事など日常茶飯事で驚くにあたらない。
②君の意見など、今さら、考慮するにはあたらないよ。
③彼のとった行動は称賛するにはあたらない。
④親の世話をするのは子どもとして当たり前だ。ほめるにはあたらない。
注意2 ・この意味を「XはAにあたる」の形では言えない。この文を肯定にする言い方には「XはAに値する」などがある。
接続2 [動詞ール形] にあたらない

A にあたり B
AにあたってB／AにあたってのB

意味1 特別なAという事態になって、(これから) B。

例文1 ①防災強化月間を迎えるにあたり、今年度のスローガンを募集します。
②文化祭の開幕にあたり、村長にお言葉をいただきたいと思います。
③手術を受けるにあたっての十分な説明を受けていない。
④家を売るにあたり、信頼できる不動産鑑定士に調査を依頼した。

対比1 「Aに際してB」(意味1　P.229)
「AにあたりB」のAは、積極的に受け入れようとする事態であるため、マイナスのことはつきにくいが、「Aに際してB」はAに制約はない。
　○　父は死に際して、母に初めてねぎらいの言葉をかけた。
　×　父は死にあたって、母に初めてねぎらいの言葉をかけた。
ただし、あえて覚悟を決めてAを受け入れるというニュアンスでは使うことができる。
　○　内閣は国家的危機にあたり、機敏な対応がとれなかった。
「Aに臨んでB」(意味1　P.253)
「AうえでB」(意味2　P.37)
「AにおいてB」(意味4　P.216)

意味2 Aという目的を設定し、それに対してBという手段を講じる。

例文2 ①祭りを成功させるにあたって、みんなの団結が必要だ。
②社業繁栄にあたり、さらなる事業計画の見直しに努める。
③明治政府は条約改正にあたり、まず民主的な憲法の制定を急いだ。
④店を拡張するにあたって、銀行から融資を受けることにした。

注意1,2 ・「あたり」と「あたって」は、同じ意味である。日常会話では使いにくい、硬い表現である。

接続1,2 ［動詞ール形］にあたり
　　　　［名詞①］にあたり

A にあっては B
AにあってB

意味1 Aの状態・立場・身分・場合では、当然B。

例文1 ①学生という身分にあってはアルバイトより学業を優先させるべきだ。
②外国にあっては、常に気を引き締めて生活しなければならない。
③社長という立場にあっては個人より会社の利益を考えるべきだ。
④この非常時にあって、いかにすべきかが問題だ。

注意1 ・会話では「AにあってB」の形で使うことがある。相手に注意を与えたり、叱責したりする場面で多く表れる。
　　○　学生という身分にあって、そんなことをしたら駄目じゃないか！

意味2 「AではBだ」と強調する硬い表現。

例文2 ①国内にあっては、この薬は製造中止になっている。
②我が社にあっては、セクハラ問題はいまだかつて起こったことがない。
③本校にあっては、留学生も日本人学生も同等の扱いをしている。
④当病院にあっては、面会時間を7時から9時までと定めております。

対比2　「AにおいてはB」（意味3　P.216）
「AにおいてはB」には場所、時・場合、〜という点という3つの意味がある。時・場合という意味のみ置き換えが可能。
　　○　アメリカにおいては、銃の規制はまだされていない。
　　○　アメリカにあっては、銃の規制はまだされていない。
　　○　アメリカにおいては、3度、オリンピックが開催された。
　　×　アメリカにあっては、3度、オリンピックが開催された。
「AとあってはB」（意味1,2　P.151）
「AとあってはB」は、Aは理由を示し、Bには自己の力でコントロールできないこと（気持ち）がくる。「AにあってはB」では、BにはAという立場に対する客観的な見解がくる。基本的に置き換えできない。

接続1,2 [名詞①] にあっては

A に至る
Aに至るまでB／Aに至ってB／Aに至ってはB／Aに至ってもB

意味1 事態が進んで、Aという状態になる。Aという状態になったのにB。

例文1 ①さまざまな困難を乗り越え、二人は念願の店を持つに至った。
②目撃者が現れるに至っても、彼は無罪を主張した。
③死者が出るに至って、政府はようやく伝染病対策本部を設けた。
④計画は順調に進んでいるが、まだ公表の段階には至っていません。

意味2 「Aに至るまでB」の形で。普通では考えられないAまで、という話し手の驚きや呆れの気持ちを表す。

例文2 ①彼女は赤が好きで、壁紙からベッドカバーに至るまですべて赤だ。
②この置き物は細部に至るまで手の込んだ彫刻が施されている。
③今や小学生に至るまでおしゃれに金をかける時代だ。
④あの人は頭の先から爪先に至るまでブランド物で固めている。

意味3 「XからAに至るまでB」の形で。XからAまでの時間・範囲を示す。

例文3 ①この本を読むと、起業から株式会社化するに至るまでのノウハウがよくわかる。
②昨年から今日に至るまで足の痛みが続いている。
③この事件は犯人逮捕から裁判に至るまで常に世間を騒がし続けた。
④当校は、入門から専門書購読に至るまで、あらゆるレベルの日本語教育を行っています。

意味4 「Aに至ってはB」の形で。(いろいろな例の中から) Aという極端な例を挙げ、AはBという程度だと、驚いたり、呆れたりする。

例文4 ①司法試験の合格率は全国平均50％だったのに、A大学に至っては80％を超えているらしい。
②地震の被害は大きく、鉄道が復旧するに至っては半年ぐらいかかる。
③今回のテストはどの教科も点数が悪かったが、数学に至っては5点しか取れなかった。
④彼女は家事は何でも得意だが、料理に至ってはプロ並みだ。

接続1~4) ［動詞ール形］に至る
　　　　　［名詞①］に至る

A　にいわせれば　B
Aからいわせれば B

意味1　Aの意見ではB。Aの意見を推測してBで述べる。

例文1　①犬に服を着せたりマニキュアしたりと、世はまさにペットブームだが、犬好きの私にいわせればあれは動物虐待だ。
②釣りをしない人にいわせれば釣った魚を海に返して何が面白いのかということだが、太公望にいわせれば釣り上げる瞬間がすべてなのだ。
③他国から侵略を受け続けた大陸の国々からいわせれば、島国の日本の危機管理能力などゼロに近いだろう。
④メーカーにいわせれば電気製品は消耗品だから、修理より買い換えたほうがお得ということらしい。

対比1　「AがいうにはB」
「AがいうにはB」は、Aの意見や考えを知っている話し手がそれを代弁して述べる表現である。「AにいわせればB」は伝聞表現ではない。
○　私にいわせれば、アメリカンフットボールも格闘技だ。
×　私がいうには、アメリカンフットボールも格闘技だ。
「AにしてみればB」(意味2　P.235)

接続1) ［名詞①］にいわせれば

A　において　B
AにおいてはB／AにおいてもB

意味1　Aという場所でB。公的な知らせなどによく使う表現。

例文1　①会議は123号室において行われる。
②第1回オリンピックはギリシャにおいて開催された。
③合格者の受験番号はホームページにおいても発表しています。
④今朝、東海地方において発生した地震による津波の心配はありません。

意味2 Aという側面から見るとBである。Aという点でB。
例文2 ①成績においては、彼はクラスで一番だ。
②今回の計画には、大筋において賛成です。
③当劇場は座席の快適性においても、音響設備においても、関西一だと自負しております。
④衛生管理においては、当工場は県内一の厳しい基準を設けております。
対比2「Aに関してB」(意味1　P.224)
「AにおいてB」は、あるもののAという側面から見るとBであるという意味であり、「Aに関してB」は、BはAに関係があるという意味。
　○　学業においては、彼は優秀だ。　（学業という面から見ると優秀だ）
　○　学業に関して、彼は優秀だ。　　（学業に関連する事柄で優秀だ）
　○　この事件に関して、何か知っていますか。
　×　この事件において、何か知っていますか。
「AにかけてはB」(意味1　P.222)

意味3 Aという時・場面・状態ではBするのがふさわしい。
例文3 ①入学試験において、質問は一切認められない。
②医者という立場において、苦しむ人を放っておくことはできない。
③緊急時において、敏速な判断が要求される。
④日本企業において、まだ協調性が重視されている。
対比3「AにあってはB」(意味2　P.213)
接続1～3　[名詞①] において

意味4 Aをするには、前提としてBが必要である。
例文4 ①駅前道路を拡張するにおいて、付近住民の立ち退きが必要だ。
②この仕事を引き受けるにおいて、契約書をかわした。
③入学を許可するにおいて、次の書類の提出を求める。
④これらの劇薬を取り扱うにおいて、細心の注意を払ってください。
対比4「AにあたりB」(意味1　P.212)
「AにあたりB」は、Aの事態を迎えてBをするという意味なので、「AにおいてB」（意味4）と置き換えは可能。しかし、「AにおいてB」はBがAするために必要な前提条件であるときのみ使え、「AにあたりB」を「AにおいてB」で置き換えられることは少ない。

○　入学式に臨むにあたって、礼服を新調した。
×　入学式に臨むにおいて、礼服を新調した。

(接続4) ［動詞ール形］において

A　に応じて　B

(意味1) Aという基準によってBは変化する。Aに合うB、A'に合うB'がそれぞれあることを表す。

(例文1) ①収入に応じて、納税額が決められている。
②レベルに応じてクラスを設定します。
③症状に応じて、薬を変えなければならない。
④規則は絶対的なものではなく、その場の状況に応じて判断します。

対比1　「AによってB」(意味1,4　P.265)
「AによってB」はAを拠り所としてBという意味だが、「Aに応じてB」のBは、二者択一ではない選択を表す。
○　このテストの結果によって、合否が決まる。
×　このテストの結果に応じて、合否が決まる。
○　このテストの結果に応じて、クラスが決まる。

(接続1) ［名詞①］に応じて

A　にかかっては　B
AにかかったらB

(意味1) Aの力や影響力がすごいので、一般的な見込みと全く違う結果Bになる。

(例文1) ①ごみ置き場を荒らされないように策を講じたが、頭のいいカラスにかかっては効果がなかった。
②どこから手をつけていいのかわからないほど汚いこの部屋も、掃除のプロにかかっては、きれいになるのもあっという間だ。
③10人前のステーキも、大食いの彼にかかったら軽いものだ。
④海岸に落ちている流木も、彼にかかったら前衛的なアートになる。

(接続1) ［名詞①］にかかっては

A にかかわらず B

意味1 Aに関係なくBである、Bになる。話し手の述べたいことはBにある。
例文1 ①出欠にかかわらず、返事は10日までにお願いします。
②この商品は使用、未使用にかかわらず、返品できません。
③見る、見ないにかかわらず、NHKの受信料は払わなければならない。
④ユニバーサルデザインとは、健常者、障害者にかかわらず、だれでも快適に過ごせるデザインのことである。
注意1 ・慣用的表現として「好む（と）好まざる（と）にかかわらず」「望む望まざるにかかわらず」などがある。
接続1 [動詞ール形] [動詞ーナイ形] ないにかかわらず
[イ形容詞②] [イ形容詞③] にかかわらず
[ナ形容詞①] [ナ形容詞⑦] にかかわらず
[名詞①] にかかわらず

意味2 どんなAでもBである、Bをする、Bになる。
例文2 ①年令にかかわらず、どなたでもできるスポーツです。
②この中の魚は大きさにかかわらず、どれでも一律100円です。
③一度納入された学費は理由のいかんにかかわらず、返却できません。
④時間帯にかかわらず、バイト代は1時間1000円です。
対比2 「AにもかかわらずB」（意味1 P.262）
「AにもかかわらずB」は、Aという行為・状態から当然、予想・期待された結果にならず、Bという結果になったということを表しているが、「AにかかわらずB」は、Aにいろいろな状態があり、そのいずれにも関係なくBであるということを表している。
　　○　彼は70歳という年令にもかかわらず、子どもをもうけた。
　　×　彼は70歳という年令にかかわらず、子どもをもうけた。
　　×　能力にもかかわらず、初任給は15万円です。
　　○　能力にかかわらず、初任給は15万円です。
注意1,2 ・Aの言葉は「年齢・能力・値段…」など幅を持った意味の言葉。
　　×　この本にかかわらず、答えを導きだした。
対比1,2 「Aを問わずB」（意味1　P.341）
接続2 [名詞①] にかかわらず

A にかかわる
AにかかわるB

意味1 Aに関係がある、Aと関係を持つ。

例文1 ①彼にかかわるとろくなことはないぞ。
②この事件にかかわったすべての人を再調査するべきだ。
③私はこの会社の人事にかかわっている。
④これは個人のプライバシーにかかわることだから、詳しく話せません。

対比1 「Aに関してB」(意味1 P.224)
BはAに関係があるという意味では同じ。「Aにかかわる」はAとの関係が深いという意味が含まれるので、置き換えできないものもある。
○ 消費税に関するアンケートに答えた。
× 消費税にかかわるアンケートに答えた。

意味2 Aに悪影響を与えるかもしれないと、注意を促す表現。

例文2 ①急いでくれ。患者の命にかかわることだ。
②クレーム処理は、失敗すると信用にかかわる重要な仕事だ。
③面接当日の服装も、合否にかかわるから注意しなさいよ。
④これは我が社の名誉にかかわることだから、慎重に調査してくれ。

接続1,2 [名詞①] にかかわる

(Xは) A に限ったことではない

意味1 XはAだけではなく、ほかにも同じようなことがあることを表す。Xはさほど珍しくないというニュアンスを含んでいる。

例文1 ①このような失敗は今回に限ったことではない。
②制服の着用を義務づけているのは、わが校に限ったことではない。
③我が家で赤飯を食べるのはお祝いの日に限ったことではない。
④この仕事が忙しいのは、何も日曜日に限ったことではない。

対比1 「(Xは) Aだけではない」
「(Xは) Aだけではない」は単にXはA以外の場合・時もあるという意味で、使用範囲は広い。

○　試験は面接だけではない。
×　試験は面接に限ったことではない。

「Aに限らずB」(意味1　P.221)
「Aに限らずB」はAだけでなく、より広い範囲のBも、の意味である。
「（Xは）Aに限ったことではない」は範囲を限定しない表現である。
○　この仕事は日曜日に限らず平日も忙しい。　　　　　（平日も忙しい）
○　この仕事が忙しいのは、日曜日に限ったことではない。
　　　　　　　　　　　　　　　　　　　　　　（日曜日が特別ではない）

(接続1) ［名詞①］に限ったことではない

A に限って B
Aに限ってはB

(意味1) 話し手がAに対して持っている評価と合わないBを示され、信じられないという気持ちを表す。

(例文1) ①彼に限って、遅れてくるということはないだろう。
②あの店に限って、そんなまずい料理を出すはずがない。
③うちの子に限って、万引きをするなんて考えられません。
④夫に限って会社の人気者だなんてありえないわ。家では無口なのに…。

(意味2) ほかと違ってAだけがB。

(例文2) ①このビールは関西地方に限って販売されている。
②出かける予定をしていた今日に限って、天気が崩れた。
③この見舞い金はご自宅が全壊した方に限って、支払われるものです。
④市場では株価が下落しているが当社に限っては大幅に上昇している。

(注意2) ・「Aに限ってはB」の形になると、意味は「Aに限ってB」と同じだが、言外にAではないものはBではないという意味を含む。
○　クレジットの申し込みは未成年者に限っては親の同意が必要だ。

(意味3) Aの場合はほとんどいつもBと話し手が思っている表現。

(例文3) ①ほしい本に限って、いつも在庫がないといわれる。
②言葉巧みに近づいてくる男に限って、下心がある。

③私が予習してきた日に限って、先生は私を当てない。

④いそがしいときに限って、このパソコンは調子が悪くなる。

(接続1〜3) [名詞①] に限って

A に限らず B （もC）

(意味1) 聞き手が持っているAはCだという考えに対し、より広い範囲のBもC。

(例文1) ①最近では、男性に限らず女性も危険な仕事に従事するようになった。

②イタリア料理に限らずヨーロッパ料理はオリーブオイルをよく使う。

③エコノミー症候群は飛行機を利用したときに限らず起こる。

④最近のゲームは子どもに限らず、大人も夢中にさせるものが多い。

(対比1) 「AだけでなくB」

「Aに限らずB（もC）」のBは、みんなという意味だが、「AだけでなくB」は単にAもBもという意味。

○　試験は筆記だけでなく面接もある。

×　試験は筆記に限らず、面接もある。

「AのみならずB」（意味1　P.270）

「Aに限ったことではない」（意味1　P.220）

(接続1) [名詞①] に限らず

A に限り B

(意味1) Bが適用されるのはAだけである。

(例文1) ①この道路は日曜日に限り、歩行者に開放される。

②1週間に限り、期限を延長して待ちましょう。

③このチラシをお持ちの方に限り、粗品を進呈いたします。

④未開封の商品に限り、返品を受け付けます。

(注意1) ・広く一般に告げるときに使われる表現で、書き言葉で多く使われる。

(対比1) 「AかぎりB」（意味2　P.52）

(接続1) [名詞①] に限り

A　にかけては　B

意味1　Aは特にすぐれている部分・分野を示し、その範囲ではB。Bにはプラスの言葉がくる。

例文1　①法律にかけては、彼はだれよりも詳しかった。
②リンゴ作りにかけては、だれにも負けない自信がある。
③社員一人あたりの生産性にかけては、あの会社が抜きん出ている。
④自動車修理にかけては、当社にお任せください。

対比1　「Aに関してB」（意味1　P.224）
「Aに関してB」のBにはプラス・マイナス両方の言葉がくる。
　○　法律に関してはあまり詳しくない。
　×　法律にかけてはあまり詳しくない。
　○　彼女は彼のことに関してはまったく知らない。
　×　彼女は彼のことにかけてはまったく知らない。
「AにおいてB」（意味2　P.216）
「AにかけてはB」は、Aが特に優れている分野。「Aにおいて（は）B」は、Aという側面から見てB。
　○　成績においては、彼はクラスで一番だ。（成績という面から見て…）
　×　成績にかけては、彼はクラスで一番だ。
　　　（成績というのが広い範囲を指しているため、特に優れているという表現と結びつきにくい）
　○　数学の成績にかけては、彼はクラスで一番だ。

接続1　［名詞①］にかけては

A　にかたくない

意味1　状況から見て、第三者の立場や胸中や意図をAすることが容易だ。

例文1　①あの馬の調教に手こずるだろうことは、想像にかたくない。
②中間管理職の彼の立場は理解するにかたくない。
③あの人の胸中は察するにかたくない。
④この計画を実行するには、多くの困難が伴うことは予想にかたくない。

注意1　・慣用的表現で、書き言葉に見られる。

(接続1)　[動詞ール形] にかたくない
　　　　[名詞①] にかたくない

A　にかわり　B
AにかわってB

(意味1)　今までAであったところがB。
(例文1)　①部長にかわり、ご挨拶を申し上げます。
　　　　②昨日までの曇天にかわり、今日は気持ちのいい晴天になるだろう。
　　　　③大腸がんは増加傾向にあり、胃がんにかわって死因の一位となった。
　　　　④薄手のブラウスにかわり、ウールのセーターが活躍する季節になった。
(接続1)　[名詞①] にかわり

A　に関して　B
Aに関するB

(意味1)　BはAに関係がある事柄（もの）を示す。
(例文1)　①今回の事件に関して、警察にたくさんの情報が集まった。
　　　　②入学試験に関しては、各学部にお問い合わせください。
　　　　③消費税に関するアンケートにお答えください。
　　　　④家の増改築に関するご用命は、当社まで…。

対比1　「AについてB」（意味1　P.247）
　「黒か白か」「賛成か反対か」のように二者択一のときは「AについてB」を使う。
　　○　賛成か反対かについて、立場をはっきりさせる。
　　×　賛成か反対かに関して、立場をはっきりさせる。
　「Aに対してB」（意味1　P.244）
　「Aに対してB」のAはBの行為や事柄の対象を示すが「Aに関してB」はAに関係のあることをBするという流れになる。
　　○　彼に対してひどいことを言ってしまった。　　　（言う相手は「彼」）
　　○　彼に関してひどいことを言ってしまった。

(言う相手は「彼以外の人」、言う内容が「彼」)
「Aにかかわる」(意味1　P.219)
「AにおいてB」(意味2　P.216)
「AにかけてはB」(意味1　P.222)

接続1　[名詞①] に関して

A　にきまっている

意味1　話し手の強い推量。話し手はAだと信じ込んでいる。
例文1　①頑張っても、どうせいい成績なんか取れないにきまっている。
　　　　②あの人のことだから、合格するにきまっているよ。
　　　　③この小説の犯人は彼女にきまっている。
　　　　④あの人の作る料理なんて、まずいにきまっている。

対比1　「Aことにきまっている」
「Aことにきまっている」は客観性を強く出す表現で話し手の意志の及ばないところでの決定。「Aにきまっている」は話し手の推量判断。
　○　今日、彼女は来るにきまっている。　　　　　（確率が大である）
　○　今日、彼女は来ることにきまっている。　　　（決定している）

意味2　当然Aだ。
例文2　①金はないよりあるほうがいいにきまっている。
　　　　②雪の中で寝ると、死ぬにきまってるじゃないか。
　　　　③親ですもの子どもたちのことを心配しているにきまっているでしょ。
　　　　④「儲かってる？」「とんでもない。毎月赤字にきまっているじゃない。」

接続1,2　[動詞] にきまっている
　　　　[イ形容詞①] にきまっている
　　　　[ナ形容詞①⑤⑥⑦] にきまっている
　　　　[名詞①③④⑥] にきまっている

A にくい
AにくいB

意味1 Aをしようと思えばできるが、難しい。

例文1 ①あの先生はすぐ怒るので、質問しにくいです。
② 靴が大きすぎて、とても走りにくかった。
③ スプーンでうどんは食べにくい。
④ この条件はわが社に不利な部分があるので、応じにくい。

対比1「Aがたい」(意味1 P.55)
「Aがたい」はしようと思ってもできないことであり、「Aにくい」はしようと思えばできるが、するのが難しいこと。
○ 彼はとても読みにくい字を書く。
× 彼はとても読みがたい字を書く。

意味2 簡単にはAできない。

例文2 ①虫歯になりにくいガムが今、人気だ。
② 子どもに与えるには、溶けにくいチョコレートがいい。
③ 駅の切符売り場で機械を通りにくい札しかなくて困った。
④ 私は初めての場所では、その場の雰囲気にどうもなじみにくいんです。

意味3 気持ちのうえで、Aするのが難しい。

例文3 ①前回も断ったので、今回は断りにくい。
② 申し上げにくいことですが、ご融資できかねます。
③ あそこは格式の高いレストランなので、入りにくい。
④ きのう喧嘩したから、彼の家には行きにくい。

意味4 Aをしたときの感覚が心地悪い。満足できない。

例文4 ①この靴はデザインはきれいだが、はきにくいです。
② 座りにくい椅子に長く座っていると、腰が痛くなってしまう。
③ この万年筆は書きにくいので、手が疲れる。
④ この服はシンプルだが、何となく着にくくて肩がこる。

接続1~4 [動詞―マス形] にくい

A に比べて B は C
それに比べてBはC

意味1 Aを基準にBとの違いを確かめ、BはCであることを述べる表現。

例文1 ①きのうに比べて、今日は暖かい。
②この本に比べて、その本は絵が多い。
③太平洋側に比べて、日本海側は冬に雪が多い。
④年をとると、若いときに比べて風邪を引きやすくなる。

注意1 ・「Aに比べてBのほうが〜」という形でよく使われる。AとBは別々のトピックにはならない。
○　B大学に比べて、A大学のほうが広い。
×　A大学が広いのに比べて、B大学は学生数が多い。

対比1 「Aに対してB」(意味2 P.244)
「Aに比べてB」はAB間に何らかの差があれば使えるが、「Aに対してB」はABが対立的な関係になければ使えない。
○　昨日の暑さに比べて、今日はややましだ。
×　昨日の暑さに対して、今日はややましだ。
「AにひきかえB」(意味1 P.257)

接続1 [動詞] ＋の＋に比べて
[イ形容詞①] ＋の＋に比べて
[ナ形容詞②] ＋の＋に比べて
[名詞①] に比べて
[名詞③④⑥] ＋の＋に比べて

意味2 「A（〜は〜だ）。それに比べて、B（〜は〜だ）。」の形で。AとBを、単純に比較する文である。

例文2 ①アフリカ象は体高が4m近くある。それに比べてインド象は3m程度とやや小ぶりである。
②文法テストは易しかった。それに比べて、会話テストは難しかった。
③日曜は忙しかったなぁ。それに比べて今日は暇すぎるよ。
④隣のご主人、今日も休日出勤だわ。それに比べてうちの主人は…。

注意2 ・「A。それに比べてB。」は接続表現である。

対比2 「Aに対してB」(意味2 P.244)

「それに比べてB」はAを基準としてBを述べるが、「それに対してB」はAとBが対立・対照関係にある。
- ○ 仮名(かな)は音を示すだけで意味は表さない。それに比べて漢字は音と意味の両方を表している。
  　　　　　(話し手自身の価値基準によって漢字の利便性を述べている)
- ○ 仮名(かな)は音を示すだけで意味は表さない。それに対して漢字は音と意味の両方を表している。
  　　　　　(表音・表意文字という対立関係を述べている)

「Aにひきかえ B」(意味2　P.258)

(接続2) [文]。それに比べて[文]。

A　にくわえて　B
Aにくわえ B

(意味1) AだけでなくB。AにBがプラスされ大きな結果・効果を生む。

(例文1) ①あの会社は社長の放漫経営にくわえて、商品偽装も発覚した。
②日常のストレスにくわえ、隣の工場からの騒音でイライラしていた。
③兄にくわえ、弟も家業を手伝うようになった。
④犯人は身の代金の要求にくわえ、投獄されている仲間の釈放を求めた。

(対比1) 「AだけでなくB」

「AだけでなくB」はAもBもという積み重ねに視点があるが、「AにくわえてB」はAにBがプラスされたという視点がある。
- ○ 彼女は花嫁修業として、料理だけでなくお茶やお花も習っている。
- ○ 彼女は花嫁修業として、料理にくわえお茶やお花も習っている。

「AうえにB」(意味1　P.38)

「AうえにB」はAだけでも十分なのに、まだBも…という意味であり、「AにくわえてB」はA、Bがプラスされ大きな結果・効果を生むという意味である。
- ○ ただいま、一日会員にくわえ、半日会員も募集中です。
- × ただいま、一日会員のうえに、半日会員も募集中です。

(接続1) [名詞①] にくわえて

A に越したことはない

意味1 AでないよりAであったほうがいい。Aというプラスのことがあるのが望ましい。

例文1
①値段は安いに越したことはないが、やはり品質が一番だ。
②就職するなら、技術力や語学力はあるに越したことはない。
③明るいうちに帰りなさい。用心するに越したことはないですよ。
④芸能人になるなら、白い歯に越したことはないよ。

接続1 ［動詞ール形／テイル形］に越したことはない
［イ形容詞②］に越したことはない
［ナ形容詞⑤］に越したことはない
［名詞①］に越したことはない

意味2 「～ないに越したことはない」の形で。できれば、Aというマイナスのことがないのが望ましい。

例文2
①平和が一番だ。戦争なんてないに越したことはない。
②自動車保険は使わないに越したことはないが、もしものときのために入っておいたほうがいい。
③天災は忘れた頃にやってくるといわれるが、災害など起こらないに越したことはない。
④申請手続きはわずらわしくないに越したことはない。

接続2 ［動詞ーナイ形］に越したことはない
［イ形容詞③］に越したことはない
［名詞①］がないに越したことはない
［名詞④］に越したことはない

A にこたえて B
AにこたえるB

意味1 Aの要求や期待、反響に対し、それにふさわしい反応をBでする。

例文1
①市民の要求にこたえて、市長は休日のグラウンドの開放に踏み切った。
②学生のリクエストにこたえて、先生は一曲歌いだした。

③子どもたちの要望にこたえるかたちで、練習は行われた。

④お客様の声にこたえて、送料の無料化を実施いたしております。

<u>対比1</u>「AにそってB」（意味2　P.243）

「AにそってB」も「AにこたえてB」も、Aの期待・目的・要求に応えるという意味では同じだが、「AにそってB」には、段階を追って対応していくニュアンスがあり、「AにこたえてB」には、それがない。

○　皆さんのご期待にそえず申し訳ございません。

○　皆さんのご期待にこたえられず申し訳ございません。

○　この計画にそって開発を進めていこう。

×　この計画にこたえて進めていこう。

(接続1)　［名詞①］にこたえて

A に際して B
Aに際しB

意味1　Aという場面・機会を目前にして、B。

例文1　①結婚するに際して、お互いの財産目録を作った。

②法廷で証言するに際して、まず宣誓が求められる。

③出発に際して、積み荷を再度点検する。

④ご予約に際し、身分証明書の提示をお願いいたしております。

<u>対比1</u>「Aに臨んでB」（意味1　P.253）

「Aに臨んでB」はAが大きな意味のある場面で使われるが、「Aに際してB」にはそのような制約はない。

○　みなさん、食事に際して祈りを捧げましょう。

×　みなさん、食事に臨んで祈りを捧げましょう。

また、「Aに際してB」はAの前にBという時間の流れとなるが「Aに臨んでB」はAという場面でBとなる。

○　彼は面接に臨んで、はっきりと自分の意見を述べた。

×　彼は面接に際して、はっきりと自分の意見を述べた。

「A際にB」（意味1　P.99）

「AにあたりB」（意味1　P.212）

(接続1)　［動詞―ル形］に際して

［名詞①］に際して

Aに先立ってB
Aに先立つB／Aに先立ちB

意味1 Aの前段階としてB。

例文1 ①空港拡張工事に先立って、用地買収を完了させる必要がある。
②アメリカでは大統領選挙に先立ち、予備選挙が行なわれる。
③家族に先立ち、夫だけが任地におもむいた。
④駅前開発に先立ち、周到な調査が行われた。

注意1 ・慣用的表現もある。
　　○　先立つ不幸をお許しください。　　　　　　　　　（先に死ぬ）
　　○　旅行に行きたいけれども、先立つものがない。　　（お金がない）

接続1 ［名詞①］に先立って

AにしたがってB
AにしたがいB

意味1 Aの変化によって、他の変化が引き起こされる。Bという事態になったのは、Aという変化があったからだ。

例文1 ①年を取るにしたがって、頑固さが目立ってきた。
②子どもの数が減るにしたがい、小学校の統廃合が増えてきた。
③女性の社会進出が進むにしたがい、家庭の介護力が低下した。
④子どもの成長にしたがって、家族で出かけることも少なくなった。

対比1 「AにともなってB」（意味1　P.252）
両方ともAの変化はプラス・マイナス、増減など対立するもの。ただし、「AにともなってB」のBは変化でなければならないが「AにしたがってB」のBは変化によって引き起こされた事態でもよい。
　　○　この会社は受注量にしたがって、ボーナスが支払われる。
　　×　この会社は受注量にともなって、ボーナスが支払われる。
「AとともにB」（意味1　P.181）

「AとともにB」の意味1のように、同時性の強いものには「AしたがってB」は使えない。
○　二十歳になるとともに責任がのしかかってきた気がする。
×　二十歳になるにしたがって責任がのしかかってきた気がする。
「AとともにB」(意味2　P.182)
「AとともにB」の意味2のように、並行的な変化の場は「AにしたがってB」と置き換えが可能である。
「AにつれてB」(意味1　P.250)
Aの変化が一定方向の場合は、置き換えが可能だが二方向の場合は置き換えができない。
○　売上高の増減にしたがって、その年のボーナスも変わってくる。
×　売上高の増減につれて、その年のボーナスも変わってくる。

硬い ← ← ← ← ← ← [表現] → → → → → 軟らかい			
全体的な変化 (＝同時性)	少しずつの		
^	二方向変化が可能		一方向変化のみ
とともに	にともなって	にしたがって	につれて

(接続1)　[動詞－ル形] にしたがって
　　　　　[名詞①] にしたがって

(意味2)　命令、指示や規則・規定の通りにする。
(例文2)　①ルールにしたがってゲームをする。
　　　　　②お申し込みは画面の指示にしたがって操作してください。
　　　　　③彼は医者の忠告にしたがって酒をやめた。
　　　　　④万一の時は、従業員の誘導にしたがって避難してください。
 対比2 　「AにそってB」(意味2　P.243)
(接続2)　[名詞①] にしたがって

（Xは）　A　にして　B

(意味1)　XはAであり、またB。Xについての二つの異なる面を説明する。

例文1 ①彼は流通界の実力者にして、歌人である。
　　　②バラは高貴にして、華麗な花である。
　　　③この地方は夏清涼にして、冬温暖と、住むに穏やかな土地柄だ。
　　　④知識を教えるだけでは、教師にして、教師にあらずと言えるだろう。
注意1・古風な言い回しや格言、広告宣伝コピーなどに多く見られる。
接続1　[ナ形容詞①] にして
　　　　　[名詞①] にして

意味2 Bが起こった時点やかかった時間Aを強調する表現。
例文2 ①交通事故で、一瞬にして家族を失ってしまった。
　　　②30歳にして、初めて恋に落ちた。
　　　③今にして思えば、あの時あそこへ行かなければよかったのだ。
　　　④志半ばにして、命を落としてしまった。

意味3 AだからBだ。AでもBだとAを強調する。
例文3 ①現場を見た人にして、はじめて語れることばであろう。
　　　②有能なリーダーの彼にして、なお解決できない問題が山積みだ。
　　　③研究熱心な彼にして、初めて成し遂げた快挙だ。
　　　④あの親にしてこの子ありだ。
注意3・AとBの組合せは、Aの能力や性格に非常に合致している。Aだからこそ Bであるといえる。また、AでもB、AさえBという表現。
接続2,3　[名詞①] にして

意味4 Bの状況・状態をAで強調する表現。
例文4 ①生まれながらにして、家庭環境に恵まれていた。
　　　②不幸にして、交通事故で家族を失ってしまった。
　　　③事故に巻き込まれたが、幸いにして命だけは助かった。
　　　④キャンセル待ちでやっと乗った飛行機が、不運にして墜落したそうだ。
接続4　[名詞①] にして
　　　　　[ナ形容詞①] にして

（Xは）A　にしては　B

意味1　Aから当然予想される基準や標準に現実のBの程度が合わない。XがBであるとは、積極的に言えないが、Aという条件を考え合わせればB。

例文1　①学生の下宿にしては、部屋はこぎれいに片付いていた。
②ダイエットに大金を使ったにしては、効果は薄かった。
③今日は、春にしては汗ばむぐらいの陽気だ。
④勉強したにしては、成績が悪い。

注意1　・文脈によって、Aは仮定の場合と確定の場合がある。
　　○「この指輪、何かしら？　ダイヤモンドかなぁ？」
　　　「ダイヤモンドにしては、安いんじゃない？」　　　　　（仮定）
　　○　彼は英語教師にしては発音が悪い。　　　　　　　　　（確定）
・「A。それにしてはB。」は接続表現で、意味は「〜にしては」と同じだが、Bが強調される。また、会話で用いる場合は相手の言動を言う場合が多い。
　　○「今、ダイエット中なの。」「それにしては、よく食べるわね。」

対比1　「AとしてはB」（意味2　P.176）
「（Xは）AとしてはB」はAを限定し、その意味ではXはBだが、Aの範囲を超えれば、XはBとは言えないかもしれないという意味で、「AにしてはB」はAの持つ一般基準などから考えてBだと述べる。
　　○　彼は医者にしては無能だ。
　　　　　　（医者の持つ一般基準・規定概念から能力がないと判断される）
　　○　彼は医者としては無能だ。　（彼の要素の中の医者の部分は無能だ）
「AとしてはB」（意味3　P.176）
「AとしてはB」はAの中ではBだ、Bのほうだという意味である。「AにしてはB」は話し手にはAは当然〜だという考えがあるが、実際はその考えを越えてAはBだという表現である。
　　○　鶏の卵としては大きい。　　　　　（鶏の卵の中では大きいほうだ）
　　○　鶏の卵にしては大きい。　　　（鶏の卵と考えるには大きすぎる）
「A割にB」（意味1　P.333）
「AにしてはB」と置き換え可能である。ただし、Bが特定のもの・人に対する評価や予想の場合は、そのことを知らないほかの人には予想が不可能なので、評価・予想の意味合いの強い「A割にB」では置き換え

られない。
○　いつもドジな田中さんの割にはよくやった。　　（評価・予想が可能）
×　田中さんの割にはよくやった。
「A割にB」はBの評価・程度に幅がある。
○　はじめての商談にしては、成功といえる。
×　はじめての商談の割には、成功といえる。

「AにしてもB」(意味1　P.236)
「AにしてもB」はAを考慮しても現状のBは納得できないという意味で、「AにしてはB」はAから考えられる、当然の状態・結果にBはならないという意味。
○　今日は帰りが遅くなると言っていたにしても、遅すぎる。
○　今日は帰りが遅くなると言っていたにしては、早かった。
しかし、Aの事実を話し手がどのようにとらえているかによって、どちらの使い方でもできる場合がある。
○　彼は日本に来てまだ1年ですが、それにしては日本語が上手ですね。
　　（1年ならまだ日本語が下手なのが当然なのに、1年の割に上手だ）
○　彼は日本に来てまだ1年ですが、それにしても日本語が上手ですね。
　　（1年でこのぐらいの程度だろうと思っていたのだが、実際はもっと程度が上だった）

(接続1)　[動詞] にしては
　　　　[イ形容詞①] にしては
　　　　[ナ形容詞①⑤⑥⑦] にしては
　　　　[名詞①③④⑥] にしては

A　にしてみれば　B

(意味1)　話し手がAという立場や次元に立ち、その心情や考えを推測する表現。

(例文1)　①周りは何気なくからかったのだが、本人にしてみれば、さぞショックだったに違いない。
②神社などで聞く雅楽は聞きなれない人にしてみれば、音楽とはいえないものだろう。
③異常気象や温暖化も、地球にしてみれば、些細(ささい)な変化なのだろう。

④今でこそ日常的なインスタントラーメンだが、発明当時にしてみればまさに画期的な食品だったはずだ。

対比1　「AからみるとB」（意味2　P.71）
「AからみるとB」は、Aという一方的な立場からの意見をBで述べる表現。「AにしてみればB」は、Aの立場でその心情を推測する表現。
○　家事は重労働だというが、男からみるとあんなに楽な仕事はない。
×　家事は重労働だというが、男にしてみればあんなに楽な仕事はない。

意味2　Aの立場からの意見をBで述べる。Aの意見を推測してBで述べる。
例文2　①日本人の私にしてみれば、肺がんになったのはタバコ会社のせいだと訴訟を起こす社会などまさにナンセンスだ。
②寝坊した彼にしてみれば、目覚まし時計が鳴らなかったのが悪いということらしい。
③彼らにしてみれば、カンニングが見つかったのは運が悪かっただけということなのだろう。
④結婚しても仕事を続ける女性にしてみれば、安心して子どもが産めるような社会になってほしいということなのだろう。

対比2　「AにいわせればB」（意味1　P.215）
Bが意見の場合はほとんど置き換え可能。ただし、「AにしてみればB」はAの立場からの意見なので、立場が明確に示されていない文では「AにしてみればB」への置き換えはできない。
○　フルマラソンという競技は私にいわせれば根性のスポーツだ。
×　フルマラソンという競技は私にしてみれば根性のスポーツだ。

接続1,2　[名詞①] にしてみれば

（Xは）A　にしても　B
AにしたってB／それにしてもB

意味1　Aという条件・状況・理由を考慮してもBという結果は予想外。すぐには信じられない、簡単に納得できない。AとBはすでに起こったこと。
例文1　①体調を崩していたにしても、この成績は悪すぎる。
②彼は今日、帰りが遅くなると言っていたが、それにしても遅いですね。

③親が裕福であるにしても、子どもがこんな買物をするなんて贅沢だ。
④運がよかったにしても、これほどうまくいくとは思わなかった。

(注意1)・「A。それにしてもB。」は接続表現である。意味は同じであるが、AとBを切り離すことによって、Bが強調される言い方となる。「〜にせよ・〜にしろ」は古い言い方。

下記のようにBに続く言い方がa・bの二通りある。

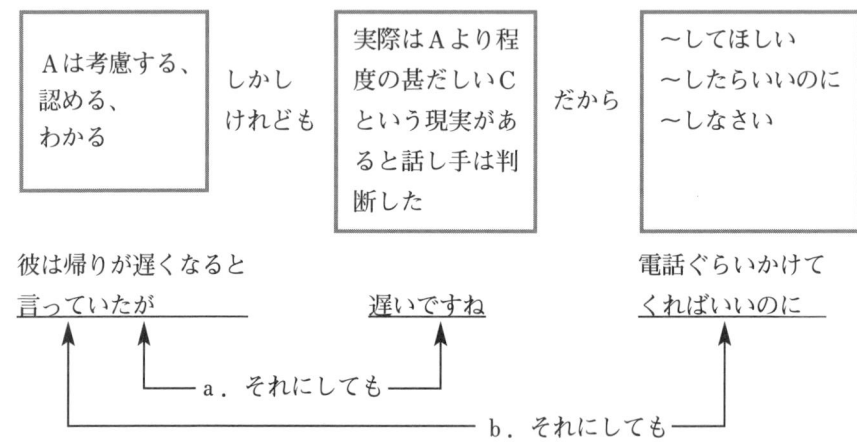

| Aは考慮する、認める、わかる | しかしけれども | 実際はAより程度の甚だしいCという現実があると話し手は判断した | だから | 〜してほしい〜したらいいのに〜しなさい |

彼は帰りが遅くなると言っていたが ──── 遅いですね ──── 電話ぐらいかけてくればいいのに
   └──── a. それにしても ────┘
       └──── b. それにしても ────┘

 a. 彼は今日、帰りが遅くなるといっていたが、それにしても遅い。
 b. 彼は今日、帰りが遅くなるといっていたが、それにしても電話ぐらいかけてくればいいのに…。

(対比1)「AにしてはB」(意味1 P.234)
   「AにつけB」(意味2 P.249)

(接続1)[動詞] にしても
   [イ形容詞①] にしても
   [ナ形容詞③] にしても

(意味2) Aの場合でもBという条件・留保が必要。B成立によりA成立の条件が整う。Aはまだ行われていないが、その前にBを考えなければならない。

(例文2) ①マンションを買うにしても、ローンでしか買えないよ。
②この商品を輸入するにしたって、関税が下がってからだ。
③辞職するにしても、辞めるまでは社員なのだから責任はある。
④商売をするにしても、元手が必要だ。

(注意2)・動詞を省略して、「名詞＋にしても」という形で表す場合もある。

○ パソコンにしても多種多様だから、どんな機能が必要かよく考えろ。
(パソコンを買う／使うにしても～)

<u>対比2</u> 「AとしてもB」(意味1　P.177)
「AとしてもB」のほうが話し手の意識の中でAの起こる可能性が低い。
○ この病で死ぬにしても、苦しみたくない。
(死を身近なものとして発話)
○ もしいつかこの病で死ぬとしても、苦しみたくない。
(意識の中の死の可能性は低い)

<u>意味3</u>　Aが成立するかどうかはわからないが、成立するとほぼ認めたうえでなお、それでもBである。

<u>例文3</u>　①彼が他の人と結婚するにしても、わたしは彼を愛し続けるでしょう。
②あの大学に合格しないにしても、受けてみようと思う。
③あすは晴れるにしても、午後からだろう。
④手術が成功したにしても、復学できるのは一カ月ぐらい先だろう。

<u>対比3</u> 「AとしてもB」(意味2　P.177)
「AとしてもB」は、もしAのように行動してもという仮定の程度が強い。「AにしてもB」は、Aになると認めた場合というニュアンス。
○ 雨が降るとしても、小雨程度だろう。
(たぶん降らないと思うが、降っても小雨だろう。)
○ 雨が降るにしても、小雨程度だろう。(降るだろうが、小雨だろう。)
「AにしてもBにしても」(意味2　P.240)
「AにしてもBにしても」は「AにしてもAないにしても」という形であり、Aが成立するかしないかは、半々の確率と話し手は受けとめている。「AにしてもB」はAが成立すると認めた上での表現に近い。

<u>接続2,3</u>　[動詞] にしても

<u>意味4</u>　ほかの何かと同じように、例外なくAの場合でもBである。

<u>例文4</u>　①教師にしても、学生によい成績をとらせたいという気持ちは強い。
②君が行ってくれるというなら、私にしても安心だ。
③我々にしても、尊敬できる上司がいるかどうかでやる気が違う。
④政府の対応はいつも後手に回る。環境問題にしてもそうだ。

<u>対比4</u> 「AにとってB（AにとってもB）」(意味1　P.251)。

「AとしてもB」（意味3　P.178）

意味5　たとえAの場合でも、Bは必ずしもAから予想される結果とは限らない。Aには一般に共通するイメージや価値を持つことばがくる。

例文5　①ダイヤモンドにしても、最近では２，３万円ぐらいで手に入る。
②フランス料理にしても、安くておいしい店がないわけではない。
③映画スターにしても、だれもが豪邸に住んでいるとは限らない。
④営業マンにしたって、いつもニコニコばかりはしていられない。

接続4,5　［名詞①③④⑥］にしても

意味6　小さな単位AでもBなのだから、ほかはすべてBだといえる。

例文6　①彼女はかばんひとつにしても、大切に何年も使っている。
②彼は世間を知らない。切符１枚にしても自分で買ったことはない。
③あいさつひとつにしても、人柄がにじみ出るものだ。
④虫１匹にしても、そこには魂が宿っているのだ。

意味7　ほんの少しの取るに足らないことをAで取り上げ、強調する。客観的に見てAは少ないが、話し手にとっては大きな意味を持つ。

例文7　①ほんの一瞬にしても疑ったことを今では後悔している。
②ほんの一時期にしても東京に住んでいたことがある。
③「休みがたった３日しかとれなかったよ」
　「３日にしてもとれただけ、ましじゃないか」
④一項目にしても、合意できたことに意義がある。

注意6,7　Aは数を含む名詞。

接続6,7　［名詞①］にしても

意味8　「A。それにしてもB。」の形で。前件との直接のつながりはあまりなく、会話の冒頭に出てくることが多い。話題提示・場面づくり・感嘆・改めて何かを述べるときに使う。

例文8　①「お砂糖いくつ？」
　「いえ、結構。それにしてもあなたは甘党なのに太らないわね。」
②「昨日のテレビ見た？」
　「見た、見た。それにしても学園ドラマって面白いね。」

③それにしても、今年の夏は暑いですな。
④それにしても、この料理おいしいね。

(注意8) ・目の前にあるものやその場の環境などによって思いついたことを述べる場合が多く、話し手と聞き手の間には共通認識がある。
・「A。それにしてもB。」は接続表現である。

(注意1~8) ・「AにしたってB」は話し言葉。

(接続8) [文]。それにしても [文]。

（Xは）　A　にしても　B　にしても　（Y）
AにせよBにせよ／AにしろBにしろ

(意味1) AやBは例示。Aの場合もBの場合もX＝Yという状況・状態。

(例文1) ①彼女の持ち物は洋服にしてもハンドバッグにしても、地味すぎる。
②料理にしろ洗濯にしろ、彼の方が私よりうまい。
③テレビを見るにしても新聞を読むにしても、老眼鏡が手放せない。
④お金は貸すにしても借りるにしても、友情を壊すおそれがある。

対比1 「AであれBであれC」(意味1　P.140)

(接続1) [動詞] にしても [動詞] にしても
[名詞①] にしても [名詞①] にしても

(意味2) A、BどちらにしてもY。AとBは肯定と否定の動詞が入る。

(例文2) ①行くにしても行かないにしても、とにかく連絡ください。
②読むにしても読まないにしても、ひとまずこの本を借りておこう。
③受けるにしても受けないにしても、一度志望校を見ておけ。
④彼が来るにせよ来ないにせよ、私は出席します。

(注意2) ・話し手の述べたいことはYで、Xは省略される場合が多い。
・Bを省略した形で使うこともある。
○　そんなことをされたら、私にしても困ります。
→「AにしてもB」(意味4　P.237) と同じ
○　あの大学を受けないにしても、願書だけはもらっておけ。
→「AにしてもB」(意味3　P.237) と同じ
・「AにせよBにせよ」「AにしろBにしろ」「AにしてもBにしても」

の順で話し言葉的。
対比2 「AにしてもB」（意味3　P.237）
対比1,2 「AてもBても」
「AにしてもBにしても（Y）」のYがAやBより前の場合は「AてもBても」で置き換えできない。
○　この野菜は焼くにしても煮るにしても、一度茹でたほうがいい。
×　この野菜は焼いても煮ても、一度茹でたほうがいい。
接続2 [動詞]にしても [動詞ーナイ形]ないにしても

A　にしのびない

意味1　Aをするのは惜しい、もったいないという気持ちを表す。
例文1 ①家には捨てるにしのびない思い出の品がたくさんある。
②この巨木を切るにしのびなかったが、道路工事のため仕方なく切った。
③こんなに才能のある人を、このまま埋もれさせておくにしのびない。
④頂上から見た景色は荘厳で、すぐに立ち去るにしのびなかった。

意味2　Aを続けることができないほどひどい。
例文2 ①世界遺産になるのはいいが、観光客が押し寄せ、踏み荒らされ、自然が台無しにされるのは見るにしのびない。
②事故現場はあまりにも残酷で、正視するにしのびなかった。
③彼は聞くにしのびないほど汚い言葉で、母親を罵った。
④ネット上に書き込まれた中傷記事には読むにしのびないものが多い。
対比2 「Aにたえない」（意味1　P.245）
「Aにしのびない」は、ひどいというマイナスのことのみだが、「Aにたえない」は、名詞にも接続し、とてもAだとプラスの意味にも使える。
○　母親は息子の晴れ姿を見て、喜びにたえなかった。
×　母親は息子の晴れ姿を見て、喜びにしのびなかった。
接続1,2 [動詞ール形]にしのびない

（Xは）　A　にすぎない
Aにすぎない B

意味1　XはAでしかない、XはAであるだけだ。話し手はAをつまらない・くだらない・価値のない・数が少ないものと思っている。

例文1　①英語がわかるといっても、あいさつ程度にすぎない。
②当然のことをしたにすぎないのに、そんなに感謝されると恐縮です。
③ただ美しいにすぎない言葉より、心のこもった行いのほうがいい。
④あの店の料理は見た目がきれいであるにすぎない。

対比1　「Aにほかならない」（意味1　P.259）

接続1　［動詞－タ形／テイル］にすぎない
［イ形容詞②⑤］にすぎない
［ナ形容詞⑤⑥］にすぎない
［名詞①③⑥］にすぎない

（Xは）　A　に相違ない

意味1　XはAであると強く断言する表現。

例文1　①これはきのうあなたが盗まれた財布に相違ないですか。
②「今、述べたことは真実に相違ないか。」
　「はい、真実に相違ありません。」
③これだけのメンバーが出演するなら、切符はすぐ完売するに相違ない。
④こんなにたくさんの書類を一人で整理したんだから、さぞ大変だったに相違ない。

対比1　「Aに間違いない」
　「Aに間違いない」は「Aに相違ない」の柔らかい表現。
　「Aに違いない」（意味1　P.246）

接続1　［動詞］に相違ない
［イ形容詞②⑤］に相違ない
［ナ形容詞⑤⑥］に相違ない
［名詞①③⑥］に相違ない

A に即して B
Aに即したB

意味1 Aを踏まえて、それに合わせる形でB。

例文1 ①阪神大震災の記録に即して、地震対策のマニュアルが作成された。
②現状に即した予算編成に切り替えるべきだ。
③この問題を自分の身に即して考えてみた。
④本文の内容に即したタイトルがついていればわかりやすい。

対比1 「AにそってB」（意味2　P.243）

接続1 [名詞①] に即して

A にそって B
AにそったB

意味1 長く続いているAに並行してB。長く続いているものに並行して進む。

例文1 ①並木道にそって歩くと、季節の移り変わりを感じる。
②歴史の流れにそった学習をすれば、理解が深まる。
③リンパの流れにそって、マッサージをするといい。
④この点線にそって切り取ってください。

対比1 「Aに面してB」（意味2　P.261）

「Aに面してB」はAを基準にして、XとAの位置関係を示す。Aが長く続くもの（例：道）であっても、それを「面」として捉える。

a：ホテルは海に面して建っている。　　b：ホテルは海にそって建っている。

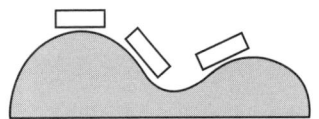

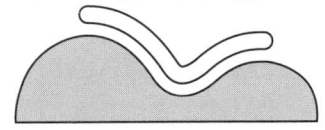

上記の二文を比べると、aはホテルを一つの個体として捉えておりbは海岸線に合わせ、長く延びたリゾートホテルのようなものが続いている感じを与える。また、線状に点在、あるいは続いているものがきた場合は、

a：通りに面して看板が並んでいる。　　b：通りにそって看板が並んでいる。

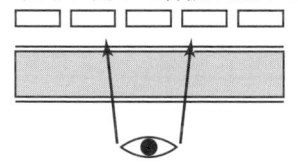

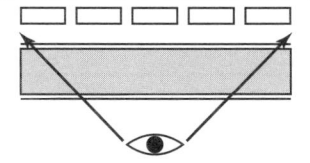

二文とも表している情景は同じであるが、話し手の視点はbの方が広い。

意味2 目的や期待、考え、意見などに合わせる。

例文2 ①給料に関しては、できるかぎりご希望にそっていくつもりです。
②皆さんのご期待にそえず、誠に申し訳ございません。
③裁判は被害者の感情にそった対応も必要だ。
④この開発計画にそって、都市の開発を進めていこう。

対比2 「AにしたがってB」（意味2　P.231）

「AにしたがってB」は命令や規則の通りにすること。具体的な意見を示すため、拘束性は強い。「AにそってB」はその考えや意見の示す方向にしたがうという意味で拘束性はゆるい。

○　規則にしたがって罰する。
×　規則にそって罰する。
○　会議で提出された案にしたがって都市開発を進める。
○　会議で提出された案にそって都市開発を進める。

ただし、上の二文は、案の指し示す方向から外れないようにという意味で両方使える。

「Aに即してB」（意味1　P.242）

「Aに即してB」のAは事実として存在するもの。「AにそってB」のAは事実として存在するものでも、期待や計画など変化していくものでもいいので「Aに即してB」から「AにそってB」への置き換えは可能。

○　式はこの進行表にそって進めていく予定だ。
○　式はこの進行表に即して進めていく予定だ。

「AにこたえてB」（意味1　P.229）

接続1,2 ［名詞①］にそって

A に対して B
Aに対するB／それに対してB

意味1 AはBの対象を示す。

例文1 ①母は妹に対してとても優しい。
② 増税に対する市民の考えを聞く。
③ 当店は万引きに対しては厳しく対処しています。
④ 発熱に対して処方される薬剤の副作用が問題になっている。

対比1 「Aに向かってB」（意味1,2 P.260）
「Aに関してB」（意味1 P.223）
「AについてB」（意味1 P.247）
「Aに反してB」（意味2 P.256）

接続1 ［動詞］＋こと＋に対して
［名詞①］に対して

意味2 AとBは比較・対立関係にある。Aは～だ。一方、Bは～だ。

例文2 ① 500人の敵に対して、味方は200人しかいない。
② 妻がスポーツ好きなのに対して、ぼくは読書好きだ。
③ 今年開業したホテルに対して、老朽化した旅館では勝負にならない。
④ 女性の中で経済力を結婚しない理由に挙げたのは約3割だった。それに対して、男性は5割近くもいた。

注意2 ・「A。それに対してB。」は接続表現である。

対比2 「Aに反してB」（意味1 P.256）
「AにひきかえB」（意味1,2 P.258）
「Aに比べてBはC」（意味1,2 P.226）

接続2 ［動詞］＋の＋に対して
［イ形容詞①］＋の＋に対して
［ナ形容詞②］＋の＋に対して
［名詞①］に対して
［名詞①］＋（なの）＋に対して

意味3 割合を一般的事柄として示す。AはBという行為の対象となる数である。

例文3 ① 子ども一人に対して5000円、国から補助金が支払われる。

②しょうゆ2に対して酢1の割合で合わせる。
③玄米1合に対して、白米3合を混ぜて炊くとおいしい。
④少子高齢化により、やがて若者1に対して、老人2の社会がやってくるに違いない。

(注意3)・Aは名詞と数との組み合わせ。
(対比3)「AにつきB」(意味2 P.248)
(接続3)[名詞①]に対して

A　にたえない
Aにたえる B／Aにたえる／AにたえないB

(意味1) Aを続けることができないほどひどい。Aの気持ちがとても強い。
(例文1) ①事故現場の有様は、見るにたえなかった。
②派手な格好の男が、聞くにたえない下品な野次を飛ばしていた。
③みんなの視線を浴びて黙って座っているにたえない雰囲気だった。
④私たちのためにこのような盛大な会を開いていただき、感謝の念にたえない思いです。

(対比1)「Aにしのびない」(意味2 P.240)

(意味2)「Aにたえる」の形で。Aするだけの価値や力がある。
(例文2) ①近ごろは大人の鑑賞にたえる映画が少なくなった。
②この五つの作品のうちで、評価にたえるのはこれだけだ。
③古文書はみんな長期保存にたえる和紙に書かれている。
④宇宙や南極など厳しい環境での使用にたえる繊維が開発された。

(接続1,2)[動詞-ル形／テイル]にたえない
　　　　[名詞①]にたえない

A　に足る

(意味1) 十分Aできるほど優れている、Aに見合うと評価する表現。
(例文1) ①彼は上司として、信頼に足る人物だ。

②あの男には理事長職に足るだけの能力があるとは思えない。
③残念ながら、君は推薦するに足る成績を修めていない。
④今の野党は政権を担うに足る政党にまだ育っていない。

(注意1)・「Aに足る」の否定は「Aに足らない」とはならず、文末で否定する。
　　○　彼は信頼に足る人物ではない。
　　×　彼は信頼に足らない人物だ。

(接続1,2)[動詞ール形]に足る
　　　　[名詞①]に足る

（Xは）　A　に違いない

(意味1) たぶんXはAだろう。確信度の高い推量表現である。
(例文1) ①彼はお金を落として、きっと困っているに違いない。
②両親が俳優なんだから、息子もハンサムに違いない。
③こんないたずらをするのはあの子に違いないわ。
④筆跡からすると、この手紙は山本さんが書いたに違いない。

(対比1)「Aに相違ない」(意味1　P.241)
「(Xは)　Aに相違ない」はXはAだと強く断言する表現。
　　○　「あなたが今述べたことは、真実に相違ないですか？」
　　　　「はい、真実に相違ないです。」

「Aには違いない」(意味1　P.256)
「(Xは)　Aには違いない」はXはAであることを事実として認めるが、続いてその一部否定や補足がくる。
　　○　彼女の妹だったら、美人に違いない。
　　○　彼女の妹は美人には違いないが、とてもわがままだ。

(接続1)[動詞]に違いない
　　　[イ形容詞①]に違いない
　　　[ナ形容詞①⑤⑥⑦]に違いない
　　　[名詞①③④⑥]に違いない

A について B
AについてのB／AについてはB

意味1 AはBの主題（内容）を示す。

例文1 ①夏に旅行するので、あなたの国について、いろいろと教えてください。

②貿易問題についての新聞記事を読んだ。

③この事件の詳細について、お話を伺いたい。

④弁論大会で、日本での生活についての話をした。

対比1 「Aに対してB」（意味1　P.244）

「Aに対してB」のAはBの行為の対象であり、「AについてB」のAはBの行為の内容である。

○　患者に対して話す。　　　　　　　　　　（話す相手は患者）

○　患者について話す。　　　　　　　　　　（話す内容は患者のこと）

「Aに関してB」（意味1　P.223）

「AにつきB」（意味3　P.248）

「AをめぐってB」（意味1　P.342）

接続1 ［動詞］＋こと＋について

［名詞①］について

意味2 他と違って、Aの場合はB。

例文2 ①返品については、下記の電話番号にお問い合わせください。

②春分、秋分の日については、毎年2月に国立天文台が発表している。

③お支払い方法については、後ほどご連絡いたします。

④彼女は国民的人気がある歌手だが私生活については全く謎だ。

接続2 ［名詞①］について

A につき B

意味1 AはBの理由を表す。

例文1 ①雨天につき、運動会は中止します。

②会議中につき、立入禁止。

③本日、多忙につき、欠席いたします。

④好評につき、販売期間を延長いたしました。

(注意1) ・掲示やアナウンスなどで使用することが多い。
　　　○　道路工事中につき、この先通行止め。　　　　　　　(掲示)
　　　×　道路工事中につき、車が込んでいて遅れてしまった。

(意味2) 単位AにBが割り当てられる。
(例文2) ①一人につき5枚ずつ紙を配る。
　　　②ボート代は1時間につき、800円いただきます。
　　　③1年につき10日、有給休暇がとれます。
　　　④お買い上げ2000円につき、1回くじ引きができます。
(注意2) ・割り当てることを強調しない場合、「AにB」の形でも使う。
　　　○　あの人の家には一部屋に（つき）1台テレビがあるらしい。
(対比2) 「Aに対してB」(意味3　P.245)
　　　「AにつきB」は何かを割り当てるときの基準単位を具体的に示し、「A
　　　に対してB」は二つの事柄の割合を一般的に示す。
　　　○　売り上げ200万円につき5万円がもらえる。
　　　　（売り上げ200万円が基準単位となる。つまり400万円なら10万、
　　　　600万円なら15万円ということを想定している。）
　　　○　もらえるのは売り上げ200万円に対して5万円である。
　　　　　　　　（売り上げともらえる分の関係を単純に決定している。）
　　　○　ワイン1本につきグラス1個進呈。
　　　×　ワイン1本に対してグラス1個進呈。
　　　「AあたりB」(意味1　P.28)

(意味3) AはBの行為の対象を表す。
(例文3) ①今の発言につき、反論申し上げる。
　　　②そのことにつき、質問があります。
　　　③この点につき、意見を述べた。
　　　④まずはじめに、今後の予定につきご説明いたします。
(対比3) 「AについてB」(意味1　P.247)
　　　「AつきB」は硬い表現で、議論や報告などに用いられ、「AついてB」
　　　より使用範囲が狭い。
　　　○　あの人の職歴について、知っていることがあったら教えてください。

×　あの人の職歴につき、知っていることがあったら教えてください。
○　会議の結果、以下の点に（ついて／つき）我々の意見が認められた。

(接続1〜3)　[名詞①] につき

A　につけ　B
A１につけA２につけB／AにつけてもB／それにつけてもB／なにかにつけB

(意味1)　Aを繰り返すたびに、自然とB。

(例文1)　①彼の話を聞くにつけ、彼が信じられなくなる。
②その手紙を読むにつけ、母のことが思い出される。
③中学生の非行の記事を読むにつけ、教育のあり方を考えさせられる。
④優勝したときのことを思い出すにつけ、自然と笑みが浮かぶ。

(注意1)　・「AにつけB」はBで心理状態を強く言い表すときのみ「AにつけてもB」と置き換え可能。
　　○　彼の名前を聞くにつけ腹が立つ。
　　○　彼の名前を聞くにつけても腹が立つ。

対比1　「AたびにB」(意味1　P.124)

(接続1)　[動詞ール形] につけ

(意味2)　「A１につけA２につけB」の形で。A１の場合もA２の場合もB。
「なにかにつけB」の形で。何か機会があればいつもB。

(例文2)　①いいにつけ、悪いにつけ目立つ存在だ。
②彼はなにかにつけ、わたしの邪魔をする。
③英語が苦手な私は、手紙を読むにつけ書くにつけ辞書が必要だ。
④年をとったからか、嬉しいにつけ悲しいにつけ最近よく涙が出る。

(注意2)　・A１とA２は対比的な語であるが、どの語でも使えるのではない慣用的表現。
・「AにつけてもB」という表現は、「AにつけB」の強調表現。
　　○　彼は何をするにつけても、上司と相談する。
　　○　彼は何をするにつけ、上司と相談する。

対比2　「AにしてもB（それにしてもB）」(意味1　P.236)

「それにつけてもB」はそれまでの話をふまえて、いろいろあるがやっぱりB、そうは言ってもやっぱりBの意味で、話し言葉で用いる場合は「それにしてもB」と同じ。
○　それにつけても許せないのは、あいつの卑怯なやり方だ。
○　それにしても許せないのは、あいつの卑怯なやり方だ。
しかし、「それにしてもB」は話題が変わるときや何かに気が付いたときなどに用いるが、「それにつけてもB」は使えない。
○「外で食事するのって、久しぶりだわ。」
○「ほんとね。…それにしてもおいしいね。」
×「ほんとね。…それにつけてもおいしいね。」

(接続2)　[動詞－ル形] につけ
　　　　[イ形容詞②] につけ

A　につれて　B

(意味1)　Aの動詞の変化によって、Bの変化が生じる。Aは進行的である。Aの状況変化と並行的にBの事態も一定方向に変わっていく。
(例文1)　①日が経つにつれて、さびしい気持ちも薄れてきた。
　　　　②雨足が強くなるにつれて、道を歩く人々の姿もまばらになっていった。
　　　　③円高が進むにつれて、海外旅行客の数は増大した。
　　　　④医療技術の進歩につれて、平均寿命が延びてきた。
(対比1)　「AとともにB」(意味2　P.181)
　　　　「AほどにB」(意味1　P.291)
　　　　「AにしたがってB」(意味1　P.231)
　　　　「AにともなってB」(意味1　P.252)
(注意1)　・Aの動詞は変化や進行を表すものである。
(接続1)　[動詞－ル形] につれて
　　　　[名詞①] につれて

（Xは） A　にとって　B
AにとってもB／AにとってはB

意味1 Aの立場から考えてみるとXはB。

例文1 ①美しい自然は人間にとって、かけがえのないものです。
②若いころに苦労するのは、君の将来にとって、役立つはずだ。
③梅雨の長雨も草花にとっては、恵みの雨だ。
④産地直送は生産者にとっても、消費者にとっても、便利なシステムだ。

対比1 「AにしてもB」（意味4　P.237）
「AにしてもB」は、Aの場合もBを表し、「（Xは）AにとってもB」は、Aの立場、観点からはXはBを表す。
○　私にしても休みは取りたい。
×　私にとっても休みはとりたい。
○　来てくださってありがとう。私にとっても楽しいひとときでした。
×　来てくださってありがとう。私にしても楽しいひとときでした。

接続1 [名詞①]　にとって

A　にとどまらず　B

意味1 Aの範囲におさまらず、Bにも及ぶ。影響力・勢いの強さを示す。

例文1 ①この日本酒は、国内にとどまらず、海外にもファンを増やしている。
②この事件は政界にとどまらず、財界にも飛び火した。
③損害額は千万単位にとどまらず、億の位にまでいくといわれている。
④かつての日本では、ゴルフやマージャンが単なる娯楽にとどまらず、仕事上必要な技能だった。

対比1 「AばかりかBも」（意味1　P.277）
「AだけでなくB」
「AばかりかBも」「AだけでなくBも」は、AもBも、AそのうえBもという広い意味で、AとBは別個のものでも、あるいは続きのあるものでもいいが、「AにとどまらずB」は、勢いにのってAからBに進んでいくという意味を示すため、使用範囲は狭くなる。
○　ガス代ばかりか水道代も値上がりするらしい。

× ガス代にとどまらず、水道代も値上がりするらしい。
　　　○ 最近は忙しくて、土曜日だけでなく日曜日も仕事をしています。
　　　× 最近は忙しくて、土曜日にとどまらず日曜日も仕事をしています。
(接続1) [名詞①] にとどまらず

A　にともなって　B
AにともないB／AにともなうB

(意味1) ある変化Aを受けてほかのBが変化する。AB間には時間差がある。
(例文1) ①交通量が増えるにともなって、事故も増加した。
　　　②少子化にともない、受験産業の衰退が進むだろう。
　　　③台風の北上にともない、警戒区域が広がった。
　　　④留学生の増加にともなって、大学の難易度は上昇した。
(対比1) 「AとともにB」(意味2　P.182)
　　「AとともにB」はAが一定方向の変化だが、「AにともなってB」は一方向への進行ではなく、増減や多少などの対立する二方向である。
　　　○ 株価の変化にともなって、配当金も増減する。
　　　× 株価の変化とともに、配当金も増減する。
　　「AほどにB」(意味1　P.291)
　　何回も繰り返すことによってBが変化していく。
　　　○ 話すほどに、彼のよさがわかる。
　　　× 話すにともなって、彼のよさがわかる。
　　「AにつれてB」(意味1　P.250)
　　「AにつれてB」はA、Bそれぞれの刻々とした変化にも使える。
　　　○ 夜が深まるにつれて、星の数が増えてきた。
　　　× 夜が深まるにともなって、星の数が増えてきた。
　　「AにしたがってB」(意味1　P.230)
(接続1) [動詞ール形] にともなって
　　　[名詞①] にともなって

(意味2) Aの事態に付随してB。Aとほぼ同時にB。
(例文2) ①ビル建設にともない、皆様にご迷惑をおかけいたします。

②化学工場の爆発にともなって、大火災が発生した。
③患者は発作にともなう呼吸困難で死亡した。
④わが社は事業拡大にともない、新たな人材を募集することになった。

(接続2) [名詞①] にともなって

A に臨んで B
Aに臨みB ／ Aに臨んだB

(意味1) 大きな意味のあるAという場面でB。

(例文1) ①友人の結婚式に臨んで、二人の幸せを願わずにはいられなかった。
②平常心で試験に臨んではじめて、実力が発揮できるのだ。
③笑顔いっぱいで記者会見に臨んだ選手は、今年の抱負を語った。
④別れに臨み、悲しみがこみあげてきた。

対比1 「AにあたりB」(意味1 P.212)
「Aに臨んでB」のBはAという場面で起こることであるが、「Aにあたり B」ではAということを想定してBを準備するというときに使う。すなわちAの前にBという流れになる。
○　入学式にあたり、式服を新調した。
×　入学式に臨んで、式服を新調した。
「Aに際してB」(意味1 P.229)

(意味2) Aという方向を向いてB。

(例文2) ①このホテルは太平洋に臨んで建っている。
②湖に臨んだ高台に教会がある。
③京浜工業地帯は、海に臨んだ工業地帯である。
④日本アルプスに臨んで、療養所が建てられていた。

対比2 「Aに面してB」(意味2 P.261)
「Aに臨んでB」のAは海、山などが多く、遠くに大自然が広がっているというイメージであるが、「Aに面してB」ではAとBが接したり、向かい合っているなどの位置関係を述べている。
○　窓に面した通りには、花が植えられていた。
×　窓に臨んだ通りには、花が植えられていた。

接続1,2 [名詞①] に臨んで

A　にはおよばない
Aにもおよばない／Aもおよばない

意味1　Aまでする必要はない。

例文1　①面接では丁寧な言葉であれば、無理に敬語を使うにはおよばない。
　　　②この症状は単なる風邪です。ご心配にはおよびませんよ。
　　　③電話で返事をください。わざわざ来るにはおよびません。
　　　④こちらこそお世話になっているんです。礼にはおよびません。

注意1　・「Aは言うにおよばずB」というのは、Aは当然で言わなくてもわかるだろうがBも、という意味の慣用的な表現。

対比1　「Aにあたらない」（意味1　P.211）
　　　「Aにあたらない」は大した価値がないからAする必要はないという意味で、「Aにはおよばない」はAまでする必要はないという意味である。
　　　〇　この作品は評価するにあたらないひどい出来だ。
　　　×　この作品は評価するにはおよばないひどい出来だ。
　　　〇　大丈夫です。ご心配にはおよびません。
　　　×　大丈夫です。ご心配にはあたりません。
　　　「AはもちろんBもC」（意味1　P.285）

意味2　Aより下の程度だ。Aには達しない。

例文2　①インドカレーが辛いといっても、タイ料理にはおよびませんよ。
　　　②工場の機械を昼夜フル回転で生産したが、予定量にはおよばなかった。
　　　③今年の新車モデルは若者を満足させるにはおよばないものが多い。
　　　④我がチームは優勝するにはおよばなかったが、全力は尽くした。

注意2　・「Aには遠くおよばない」「Aには到底およばない」のように遠く・到底などの強調の言葉が入る場合もある。
　　　・「Aの足元にもおよばない」は、Aよりずっと下の程度だという意味。
　　　〇　私など、あなたの足元にもおよびません。

対比2　「Aほどでもない」
　　　Aが幅のあるものなら置き換え可能だが、決まったレベルや数値の時は

置き換えできない。
- ○ 今年も1位にはおよばなかった。
- × 今年も1位ほどでもなかった。

接続1,2) [動詞ール形] にはおよばない
[名詞①] にはおよばない

意味3) 「Aもおよばない」の形で。そこまではまったくAできない。
例文3) ①宇宙空間はわれわれの想像もおよばない世界だろう。
②犯人は普通の人なら考えもおよばない方法で、金塊を盗み出した。
③ネット上には親たちの理解もおよばないひどいサイトがあり、それを子どもたちは利用しているのだ。
④息子が芸能人になるなんて、思いもおよばなかったよ。

対比3) 「Aもつかない」
意味は同じだが、想像／考え／思いもつかないなど、慣用表現が多い。

接続3) [名詞①] もおよばない

（Xは） A には違いない
XはAには違いないがB

意味1) XはAであると認める（が…）。後文は前文の一部否定や補足。
例文1) ①この商品は高いには違いない。しかし、品質はいい。
②彼は財産を持っているには違いないが、自由に使えるわけではない。
③保険に入っていれば、安心には違いないが、掛け金もたいへんだ。
④「遊びに行こうよ。今日、休みなんだろう？」
「うん、休みには違いないけど、宿題が山のようにあるんだよ。」

対比1) 「AことはA」（意味1 P.95）
「AことはA」は後文に話し手のAに対する不満の気持ちが表れることが多い。「XはAには違いない（が）」の後文は一部否定や補足。
- ○ 彼女がせっかく作ってくれたんだから、無理して食べたことは食べたが、あんなにまずい料理はなかったよ。
- × 彼女がせっかく作ってくれたんだから、無理して食べたには違いないが、あんなにまずい料理はなかったよ。

「Aに違いない」(意味1 P.246)
(接続1) [動詞] には違いない
[イ形容詞②⑤] には違いない
[ナ形容詞①⑤⑥] には違いない
[名詞①③⑥] には違いない

A に反して B
Aに反したB／Aに反しB

(意味1) Aと合わない、つながらない現実のBを示す。
(例文1) ①見かけに反して、彼は心優しい人だった。
②客が押し寄せるだろうという予想に反して、空席が目立った。
③政府の意図に反して、物価はそれほど下がらなかった。
④ファッションだといって、季節に反した服装をしている若者が多い。
(対比1)「Aに対してB」(意味2 P.244)
「Aに対してB」は対立する二つの事柄を併記する。「Aに反してB」は現実が予想・願望などと異なることを示す。
　○　私の楽観的な予想に反して、現実はあまりに厳しかった。
　×　私の楽観的な予想に対して、現実はあまりに厳しかった。

(意味2) Aに従わないでB。Aの通りにしないでB。
(例文2) ①上司の命令に反し、独断で仕事を進めた。
②父の遺言に反して、土地を手放さざるをえなかった。
③規則に反した行為は厳しく取り締まる。
④飛行機は重力に反して空を飛んでいるのだ。
(注意2) ・Aは「人」ではなく、人の意見・考え・気持ちなど。Aは影響力のあるもので、BはAに釣り合うような重要な事柄。
　○　社長の意向に反して、彼はA社と取り引きをした。
　×　子供の意見に反して、母はチャンネルをかえた。
(対比2)「Aに対してB」(意味1 P.244)
「Aに対してB」は対象を示す。「Aに反してB」は反発する、従わないという意味である。

○　彼がみんなの前でとった態度に対して、非難が巻き起こった。
×　彼がみんなの前でとった態度に反して、非難が巻き起こった。
○　田中さんの意見に対して、山田さんは意見を述べた。
　　　　　　　（山田さんの意見の対象は田中さんの意見）
○　田中さんの意見に反して、山田さんは意見を述べた。
　　　　　　　（山田さんの意見は田中さんの意見に反する）

接続1,2　[名詞①] に反して

A　にひきかえ　B
それにひきかえB

意味1　Bを強調または暗示するために、Bと正反対のAを例示している。AかBどちらかに、良・悪の評価の対象がくることが多い。

例文1　①兄が短気で喧嘩っぱやいのにひきかえ、弟は落ち着いている。
②娘の結婚式で冷静な母親にひきかえ、父親は泣きっぱなしだった。
③都市部では野党支持が多かったのにひきかえ地方では与党寄りという結果が出た。
④他店が不景気で困っているのにひきかえ、ここだけは大入り満員だ。

注意1　・一つのテーマについての評価が多く、AとBは別のテーマにならない。
×　あの店の店員が親切なのにひきかえ、この店は品数が少ない。

対比1　「Aに比べてBはC」（意味1　P.226）
「AにひきかえB」はA，Bともに既知のことがくるが「Aに比べてBはC」は未知のものでもかまわない。
○　今日に比べて明日は暖かくなるそうだ。
×　今日にひきかえ明日は暖かくなるそうだ。

「AにひきかえBはC」のAとBは、プラス、マイナス正反対に評価されるものだが、「Aに比べてBはC」は、A，Bに差があれば使える。
○　このサクラの木が満開なのに比べて、あの桜は八部咲きだ。
×　このサクラの木が満開なのにひきかえ、あの桜は八部咲きだ。
○　このサクラの木が満開なのにひきかえ、あの桜はまだ開いていない。

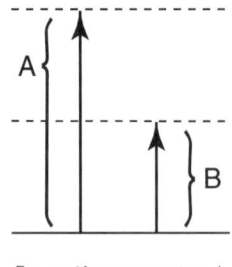

「Aに比べてBはC」 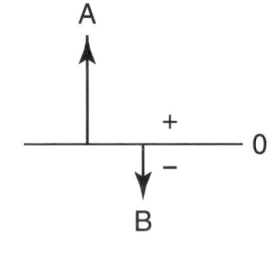　　　　　　「AにひきかえB」

「Aに対してB」(意味2　P.244)

「Aに対してB」は「Aは〜だ。一方、Bは〜だ」という対立・対照的なふたつの事態を述べている。

○　成田空港が内陸部にあるのに対して、関西空港は海上にある。
×　成田空港が内陸部にあるのにひきかえ、関西空港は海上にある。
　　　　　　　　　　　　　　　　　　　　　　　　　　　（評価がない）
○　成田空港が内陸部にあって騒音問題を抱えているのにひきかえ、関西空港は海上空港なのでその心配がない。　　　　（＝対して）

接続1　[動詞]　＋の＋にひきかえ
　　　[イ形容詞①]　＋の＋にひきかえ
　　　[ナ形容詞②]　＋の＋にひきかえ
　　　[名詞①]　にひきかえ
　　　[名詞③④⑥⑦]　＋の＋にひきかえ

意味2　「A。それにひきかえ、B。」の形で。AかBどちらかを強調・暗示するために、評価のできるものを例示する。

例文2　①兄は働き者だ。それにひきかえ、弟は遊んでばかりだ。
　　　②お宅のお子さんまじめねぇ。それにひきかえ、うちの子は…。
　　　③うちの娘は本当にだらしない。それにひきかえお隣は…うらやましい。
　　　④新築の家は機密性が高く暖かい。それにひきかえうちの家は隙間風が入ってきて寒い。

注意2　・「A。それにひきかえB。」は接続表現である。

対比2　「Aに対してB（それに対してB）」(意味2　P.244)
　　　「Aに比べてBはC（それに比べてBはC）」(意味2　P.227)
　　　「それに比べてBはC」「それにひきかえB」はBを省略できるが、「そ

れに対してB」はできない。
- ○　彼はよく努力している。それに比べて君は…。
- ○　彼はよく努力している。それにひきかえ君は…。
- ×　彼はよく努力している。それに対して君は…。

(接続2)　[文]。それにひきかえ[文]。

(Xは)　A　にほかならない
Aからにほかならない

(意味1)　XはAであって、A以外のものではない。XはAであるということの強調表現。

(例文1)　①合格できたのは、努力の結果にほかならない。
②親が厳しいのは子どもを愛しているからにほかならない。
③恐がらなくてもいい。「たたり」なんて、迷信にほかならない。
④世界の安全と平和は日本の安全と平和にほかならない。

対比1　「Aにすぎない」(意味1　P.241)
「(Xは)　Aにすぎない」にはXがAであることに対する話し手のつまらない・価値がない・少ないなどの気持ちが含まれている。
- ○　たとえ世間が認めなくても、彼の行いは立派な行為にほかならない。
- ×　たとえ世間が認めなくても、彼の行いは立派な行為にすぎない。
- ○　たとえ人気があっても、ルパンは犯罪者にほかならない。
- ○　たとえ人気があっても、ルパンは犯罪者にすぎない。

(接続1)　[動詞ーテイル]（＋から）にほかならない
[名詞①]　にほかならない

A　に向かって　B

(意味1)　AはBの動作を行うときの顔や体の正面、目標、進む方向を示す。

(例文1)　①机に向かって勉強する。
②風に向かってボートを漕いでも、進まなかった。
③飛行機は東京に向かって出発した。

④明るい未来に向かって進んでいく。

対比1「Aに面してB」(意味1　P.261)
「Aに向かってB」はBに動作がくるのに対して、「Aに面してB」はBに固定された状態（貼る・取り付ける・設置するなど）がくる。
　　○　鏡に向かって座る。　　　　　　　　（鏡の方に体を向けて座る）
　　×　鏡に面して座る。
　　○　窓は道に面してつけられた。　　（窓がつけられている正面は道だ）
　　×　窓は道に向かってつけられた。
「Aに対してB」(意味1　P.244)
「Aに向かってB」のAは具体的な方向性を示す。「Aに対してB」のAは対象を示すが場所にはならない。
　　○　太陽に向かって祈る。　　　　　　（太陽の方角に体を向けて祈る）
　　×　太陽に対して祈る。　　　　　　（祈る相手は太陽ではなく「神」）
　　○　彼は食べ物に対して執着が強い。
　　×　彼は食べ物に向かって執着が強い。

意味2　AはBの動作の対象となる人。（必ずしも、正面の方向でなくてもいい）
例文2　①だれに向かってそんなことを言っているんだ！
　　②あの子は親に向かって乱暴な口を利くようになった
　　③そんなことをするなんて、客に向かって失礼じゃないか！
　　④弱者に向かって手を上げるなど、許せない行為だ。

対比2「Aに対してB」(意味1　P.244)
「Aに向かってB」は意味1で示したように、面と向かっていることが強調されるため、Bには具体的な行為を示す語が必要で、「Aに対してB」より勢いが感じられる。「Aに対してB」は、Aが単なる対象なので、Bに必ずしも具体的な行為を示す語を必要としない。
　　○　あのレストランの店員は客に向かって失礼なことを言った。
　　　　　　　　　　　　　　　（具体的な行為の対象としての「客」）
　　○　あのレストランの店員は客に対して失礼だ。
　　　　　　　（単に「失礼」という態度の対象としての「客」である）
　　×　あのレストランの店員は客に向かって失礼だ。
　　　　　（「失礼」が具体的にどのような行為を指しているかがわからない）

接続1,2［名詞①］に向かって

（Xは）　Aに面して　B
Aに面したX

意味1　XはAの正面にある。Bは存在を表す状態性の動詞。

例文1　①ホテルは海に面して建っている。
②窓は道に面してつけられていた。
③土産物屋は改札口に面してポツンと建っていた。
④駅ビルの南側に面して商店街がある。

注意1　・Aは面として捉えられるものであり、Xと同程度かそれ以上に大きい。
　　○　塔は森に面して立てられた。
　　×　塔は木に面して立てられた。
・Xには自身の意志で動かないものが来る。
　　×　僕は今、木村くんに面して立っている。

対比1　「Aに向かってB」（意味1　P.260）

意味2　「Aに面したB」の形で。Aが基準となり、Xに視点を当てる文である。

例文2　①窓に面した通りに花が植えられている。
②通りに面したカラフルな看板によって町の賑やかさがより増しているように思われた。
③中庭に面した教室の窓ガラスが割れていた。
④中央体育館に面したあのビルが私の会社です。

注意2　・AとXは接したり、向かい合ったりしており、必ずしも正面ではない。

対比2　「AにそってB」（意味1　P.242）
「Aに臨んでB」（意味2　P.253）

意味3　抽象的・客観的・衝撃的事態に直面する。慣用的表現である。

例文3　①父の死に面して、改めて父の偉大さがわかった。
②次々と明るみに出る閣僚の不祥事に政府は苦境に面している。
③この労使交渉が決裂すれば、我々は失業の危機に面することになる。
④あの国は今、深刻な食糧不足に面している。

接続1～3　[名詞①] に面して

Ａ　にもかかわらず　Ｂ

意味1　Ａという行為・状態から当然予想・期待された結果にならずＢとなった。結果Ｂは、Ａという行為・状態に影響を受けない、左右されない。話し手の残念・意外などの感情を表す表現。

例文1　①勉強したにもかかわらず、点数は悪かった。
②彼は熱があるにもかかわらず、無理して会社に出てきた。
③あの店は他の店より値段が高いにもかかわらず、いつも客で満員だ。
④息子は進学を望んでいた。にもかかわらず、私はその願いをかなえてやることができなかった。

注意1　・「Ａ。にもかかわらずＢ。」は接続表現である。

対比1　「ＡもののＢ（ＡとはいうもののＢ）」（意味1　P.312）
「ＡとはいうもののＢ」は、表面的にはＡだが実際はＢという表現にも使える。「ＡにもかかわらずＢ」は、Ａ・Ｂともに事実である。
　○　自信があるとはいうものの、内心不安だった。
　×　自信があるにもかかわらず、内心不安だった。

「ＡのにＢ」
残念・意外などの感情を表す面では同じであるが、「ＡのにＢ」は会話で多く使われ、「Ａのに…」とＢが省略される形でもあらわれる。
　○　いやなくせに、ことわればいいのに…。
　×　いやなくせに、ことわればいいにもかかわらず…。

「ＡとはいえＢ」（意味1　P.184）
「ＡにかかわらずＢ」（意味2　P.218）
「ＡあげくＢ」（意味2　P.27）
「ＡもかまわずＢ」（意味1　P.300）

接続1　[動詞] にもかかわらず
[イ形容詞①] にもかかわらず
[ナ形容詞⑤⑥⑦] ＋（の）＋にもかかわらず
[名詞①③④⑥] にもかかわらず

A に基づいて B
Aに基づきB

意味1 Aを基本・基準・基礎としてB。

例文1 ①電車運賃は乗車キロ数に基づいて算出されます。

②この小説は事実に基づいて書かれている。

③成績に基づき、奨学金の授与が可能かどうか検討されます。

④今回行った調査データに基づいて、道路の整備計画をたてた。

対比1「AによってB」(意味2 P.264)

「AによってB」のAが情報源の場合は「Aに基づいてB」へ置き換えられない。Aが根拠となる場合は置き換え可能。

○ 我々は報道によってニュースを知る。

× 我々は報道に基づいてニュースを知る。

○ この資料に基づいて、話を進めていきます。

(資料通りではないが資料にそって)

○ この資料によって、話を進めていきます。

(資料を使って、資料通りに)

接続1 [名詞①] に基づいて

A にもまして B
それにもましてB

意味1 日常・以前の状態Aと比べ、現在・その後の傾向がさらに強くなりB。

例文1 ①今回の会合はいつにもまして、多くの参加者が集まった。

②父は年をとってからは、前にもまして頑固になった。

③今年の冬は例年にもまして、寒さが厳しかった。

④もともと臆病な男だったが、会社をクビになって以来、以前にもまして、消極的になってしまった。

接続1 [名詞①] にもまして

意味2「A。それにもましてB。」の形で。前文の事態Aより後文の事態Bのほうが傾向・程度が強い。

例文2 ①君は遅刻も多いが、それにもまして心配なのは成績のほうだ。
②彼は仕事もできるが、それにもまして魅力的なのは人望がある点だ。
③判断ミスもひどいが、それにもまして許しがたいのは嘘の報告だ。
④娘が遊びに来てくれるのはうれしいことだが、それにもまして楽しみなのは孫の顔を見ることだよ。

注意2 ・「A。それにもましてB。」は接続表現である。

接続2 ［文］。それにもまして［文］。

A　によって　B

AによるとB／AによればB／AによってはB／AによるB

意味1 AはBという結果や状態になった原因・手段。

例文1 ①人間は努力することによって、成長するのだ。
②駅前の商店は大型店進出によって、経営不振に追い込まれた。
③彼女は長男を戦争によって失い、次男を病気により死なせてしまった。
④遺影は故人の愛した花によって飾られていた。

意味2 AはBの情報源・根拠・もとになるもの。

例文2 ①私は事故のニュースを新聞によって知りました。
②彼の証言によれば、その時、警報機は鳴っていなかったようだ。
③天気予報によると、今週1週間は晴天が続くそうだ。
④校則によってマイカー通学が禁止されているのだから仕方がない。

対比2 「Aに基づいてB」（意味1　P.263）
「AところによるとB」（意味1　P.172）

意味3 Aは受身文の行為者を表す。AはBという行為・状態の発生源である。

例文3 ①この本は夏目漱石（なつめそうせき）によって書かれた。
②アメリカ大陸はコロンブスによって発見された。
③犯人はその場に居合わせた警官によって逮捕された。
④文明は人によって作られ、人によって破壊されるのだ。

意味4 それぞれのAでB。A次第で状況や様子に違いが表れる。

(例文4) ①あいさつの仕方は国によって違っている。
　　　②彼は相手によって態度を変える。
　　　③日本語は男女による表現の違いがある。
　　　④値段によっては買わないこともない。
対比4　「Aに応じてB」(意味1　P.217)
(接続1～4) [動詞]＋こと＋によって
　　　　　[名詞①] によって

A　にわたって　B
AにわたりB／AにわたるB／AにわたったB

(意味1) Aという期間・範囲に及んでB。
(例文1) ①落雷により、市内全域にわたって停電した。
　　　②宇宙船との15秒にわたった交信の中断が回復した。
　　　③彼は全教科にわたり、最高点を取った。
　　　④２年にわたる捜査が実を結び、犯人が逮捕された。
(注意1) ・Aは期間や範囲を表す名詞。
対比1　「Aを通じてB」(意味2　P.340)
　「Aを通じてB」のAは一年、一生など区切りのある期間や範囲でそれを一単位として表す。「AにわたってB」のAには、その限定がない。
　○　この地方は一年を通じて、穏やかな気候だ。
　×　この地方は一年にわたって、穏やかな気候だ。
(接続1) [名詞①] にわたって

A　ぬきで　B
AぬきのB／AぬきではBない／AぬきにしてB

(意味1) 本来あるべき、含まれがちなAを除いた状態でB。
(例文1) ①今日は感情論ぬきで、冷静に話し合おう。
　　　②忘年会なんだから、商売の話ぬきにして、楽しくやりましょう。
　　　③ワサビぬきの寿司なんて、まずくて食べられないよ。

④父の料理はお世辞ぬきでうまい。

対比1 「AなしでB」(意味3 P.198)
「AぬきでB」は本来あるべき物の中からAを除いたことを表すが、「AなしでB」はAを使わないことを表す。
○　僕は松葉杖なしで歩けるほどに回復した。
　　　　　　　　　　　　　　　（松葉杖を使わない状態で歩ける）
×　僕は松葉杖ぬきで歩けるほどに回復した。
本来の「僕」に松葉杖が含まれないので「ぬきで」は使えない。同様に、
×　眼鏡ぬきで、あの看板の字が読める。
「AなしにB」(意味1 P.199)

意味2 「AぬきではBない」の形で。本来あるべき状態からAを除いた場合、Bは成り立たない。

例文2 ①今の経済は環境問題ぬきでは語れない。
②根拠となるデータぬきにしては、説明にならない。
③主役の肉ぬきでは、すき焼きとは呼べない。
④こんな大切なこと、部長ぬきでは決められない。

接続1,2 ［名詞①］ぬきで

A　ぬく
AぬいたB

意味1 一つのことを可能なかぎり、困難にめげず、達成するまでA。とことん深くA。

例文1 ①日本に来たからにはどんなに辛いことがあっても頑張りぬく。
②これは考えぬいた末に出した結論だから、簡単に変えるつもりはない。
③オリンピックでは選手たちの鍛えぬかれた技と肉体が堪能できる。
④彼女は生涯、一人の男性だけを愛しぬいた。

対比1 「Aきる」(意味1 P.76)
「Aきる」は一つのことを残すところなくするという完了の意味だが、「Aぬく」はそれが困難なことであっても、努力してその状態から抜け出すという意味。

○　長編小説をやっと読みきった。
×　長編小説をやっと読みぬいた。
×　長い闘病生活を耐えきった。
○　長い闘病生活を耐えぬいた。

また、「Aきる」は主語が人間でなくても成り立つが、「Aぬく」は主語が人間（意思のあるもの）である場合が多い。

○　澄みきった青空
×　澄みぬいた青空

「**Aつくす**」(意味1　P.133)

「Aつくす」はたくさんあるものを残すところなく、Aするという意味である。また、主語に無生物を持ってくると状態を表せる。

○　冷蔵庫にある食材を食べつくしてしまった。
×　冷蔵庫にある食材を食べぬいてしまった。
○　黒い雲が空を覆いつくした。
×　黒い雲が空を覆いぬいた。

「Aつくす」と「Aぬく」が両方使える文でも、ニュアンスが異なる。

○　大臣の秘書をしていたので、政治の世界のことは知りぬいている。
　　　　　　　　　　　　　　　　　　　（深く裏まで知っている）
○　大臣の秘書をしていたので、政治の世界のことは知りつくしている。　　　　　　　　　　　　　　　　　　　　　　　（全部知っている）

「**Aとおす**」

「Aとおす」は最初から最後までAという状態を続けたという意味で、「Aぬく」は頑張ってAしたことの方に焦点がある。

○　東京から大阪まで、1カ月かかって歩きとおした。
　　　　　　　　　　　　　　　　　　（最初から最後まで歩いた）
○　東京から大阪まで、1カ月かかって歩きぬいた。（頑張って歩いた）

「**Aあげる**」

「Aあげる」は具体的に何かを作り完成させるという部分に焦点があり、「Aぬく」は深くとことんまでAという部分に焦点がある。

○　論文を書きあげた。
×　論文を書きぬいた。

「**Aこむ**」

「Aこむ」は何度も何度も、あるいは一つのことを深くAという意味だ

が、これで終わりという意味はない。「Aぬく」はとことん、最後までというニュアンスがあり、困難な過程とある時点での達成を述べる。
○　磨きぬかれた技
○　磨きこんだ廊下
「Aつづける」
「Aつづける」は同じ状態のAを持続することだが、「Aぬく」は困難なことでもとことん深く達成するという意味。
○　遅刻しそうだったので、駅まで走りつづけた。
×　遅刻しそうだったので、駅まで走りぬいた。
○　一人の人を愛しつづけた。　　　　　　（愛する状態を続けた）
○　一人の人を愛しぬいた。　　　（困難にもめげず、生涯深く愛した）

(接続1) ［動詞ーマス形］ぬく

　　　　Ａ　の　Ａ　ないのって
　　　　　ＡのＡないののＢ

(意味1) とてもＡだとＡの程度のすごさを説明する表現。
(例文1) ①普段から敬語を使わないから、就職して苦労するのしないのって…。
②あの映画、感動するのしないのって。すごくよかったよ。
③部長にコピーを頼まれたんだけど、その量の多いの多くないのって。
　　１日じゃできなかったんだから。
④「先生とカラオケに行ったんだ。」
　「で、どうだった？」
　「それが、うまいのうまくないのって、プロかと思うくらいだったよ。」

(接続1) ［動詞ール形］の［動詞ーナイ形］ないのって
　　　　［イ形容詞②］の［イ形容詞③］のって

(意味2) ＡとかＡではないとか、もめたり、騒いだりしている様子。
(例文2) ①野党は与党の出した案を廃案にするのしないのって騒いでいる。
②あの夫婦はけんかするたびに、別れるの別れないのって言ってるけど、
　　いつの間にかまた仲直りしている。
③毎年、冬になればインフルエンザが流行するのしないのって話になる。

④体重増加でクビになるのは不当だと言って、会社を訴えるの訴えない
　　　のの騒ぎになった。
(接続2) [動詞ール形] の [動詞ーナイ形] ないのって

A　の至(いた)り

(意味1) これ以上ないくらいAであるという感情の強調表現。
(例文1) ①日本代表に選ばれたことは、光栄の至りです。
　　②社長に直々にお会いできて、感激の至りです。
　　③社内での横領事件が発覚し、まさに汗顔の至りです。
　　④私のような者にお褒めのことばをいただき、恐縮の至りでございます。
(注意1) ・慣用的表現である。

(意味2) Aを原因として、ある出来事にまで結びつく。
(例文2) ①あの頃は若気の至りで、お恥ずかしいことも多々ありました。
　　②部員が大量にやめたのは、指導者である私の不徳の至りです。
　　③管理する立場にいながら、その規則を誤解していたことは誠に不明の
　　　至りでございます。
　　④解雇を上司のせいにするのは短慮の至りだ。
(注意2) ・決まり文句としてしか使われないので、用例は限られる。
(接続1,2) [名詞①] の至り

A　のきわみ

(意味1) Aの程度が高まって、行き着くところまで行った。とてもAだということを強調する表現。
(例文1) ①海外に別荘がいくつもあるなんて、贅沢(ぜいたく)のきわみだ。
　　②部屋に何も置かないなんて、シンプルライフのきわみだ。
　　③本人の前であんなことを言うなんて、非常識のきわみだ。
　　④事故で家族を失い、自身も不自由な体で一生を過ごした彼女の半生は、
　　　不幸のきわみだった。

対比1 「Aきわまりない」(意味1　P.77)
接続1 [名詞①] のきわみ

A　のみならず　B　(もC)
ひとりAのみならずB

意味1　AだけでなくBもCという状態になる。
例文1　①食中毒の原因とされる給食のみならず、プールまでもが中止された。
②ASEANは一国のみならずアジア地域全体の利益のため協力すべきだ。
③スープカレーは北海道のみならず、全国にも知られるようになった。
④ひとり私のみならず、社員の多くが不安を抱えていた。

対比1 「Aに限らずB」(意味1　P.221)
「AのみならずB（もC）」はAだけでなくさらにBもCの意味で、「Aに限らずB（もC）」はAだけでなく、より広い範囲のBもCの意味。
○　生活が貧しく、電気のみならずガスも止められてしまった。
×　生活が貧しく、電気に限らずガスも止められてしまった。
○　生活が貧しく、電気代に限らずすべての支払いが滞っている。

接続1 [名詞①] のみならず [名詞①] も

A　のもとで　B
Aの名のもとに（で）B

意味1　Aの影響の及ぶ範囲、Aという状況の中でB。
例文1　①卒業してからも、先生のもとで研究を続けたいと考えております。
②厳しい財政状況のもとで、知事は改革を求められている。
③消防士の指導のもとで、防災訓練はすみやかに行われた。
④この新製品は営業担当者と技術者の協力のもとで開発されたものだ。

意味2　「Aの名のもとに（で）B」の形で。Aという名目でBが行なわれる。BはAという名に反することである。
例文2　①戦争中は正義の名のもとに、殺戮が繰り返された。

②これは教育の名のもとで行われる虐待だ。
③医療の名のもとに行われていた不正行為が明らかになった。
④経済成長という大義のもとで弱者切り捨てが行われようとしている。

(注意2) ・ほかに「Aのスローガン・旗印・理念…のもとに（で）」などがある。
(接続1,2) ［名詞①］のもとで

A ば B ものを

(意味1) もしAならばBなのだが、実際はそうではないということを、悔しく残念に思ったり、相手を責めたりする気持ちを表す。

(例文1) ①怪我さえしなければ、あんな奴に負けないものを。
②もう少し早く知らせてくれれば、間に合ったものを。
③消火器が1本でもあれば、火を消し止められたものを。
④勉強すれば、もっと成績があがるものを。

(注意1) ・「ものを」の後には「Aでない（なかった）のでBにならない（ならなかった）」が省略されている。

対比1 「Bのに」
「Bのに」には、「雨が降ったらいいのに」のように願望を表したり、「5時までに帰るって言ってたのに」のように逆接を表したりするものがあるが、「Bものを」と同様に残念な気持ちを表す用法もある。しかし、「Bものを」は硬い言葉なので、大げさな表現になるのに対して、「Bのに」はやわらかい口語表現。

(接続1) ［動詞ーバ形］＋［動詞］ものを
［動詞ーバ形］＋［イ形容詞①］ものを
［動詞ーバ形］＋［ナ形容詞②］ものを

A 場合ではない
A 場合じゃない

(意味1) 今の状態がAをするのにふさわしくない。今しなければならない大切なことがほかにある。

例文1) ①今日中に結論を出さなきゃ…。言い争っている場合ではない。
②もうすぐ飛行機が出るというのに、無駄話をしている場合じゃないよ。
③テレビばかり見ている場合じゃないだろ。少しは将来のことを考えろ。
④あっ、そうだ。昼寝している場合じゃなかったんだ。あしたテストだ。

対比1)「Aどころではない」(意味2 P.171)
「Aどころではない」は、Aのことをする余裕がないという意味である。「Aている場合ではない」は相手に対するアドバイスによく使う。自分に使う場合は忘れていたことに気づいたときなどに使う。
　○「1万円ばかり、貸してくれないかな。」
　　「貸すどころじゃない。」　　　　　　　　（ぼくも今ピンチなんだ）
　×「1万円ばかり、貸してくれないかな。」
　　「貸している場合じゃない。」

接続1)[動詞—テ形]いる場合ではない

A　はいなめない
Aもいなめない

意味1) 現状からは、Aという意見や推測は当然だ。Aはマイナスのことが多い。

例文1) ①この成績じゃ、勉強不足はいなめないだろう。
②結婚に経済力が必要だという事実はいなめない。
③いつもジーンズの娘が着物を着ていると、若干の違和感はいなめない。
④これだけはっきり防犯カメラに顔が映っていれば、彼が犯人だということはいなめないだろう。

接続1)[名詞①]はいなめない

A　はおろか　B　（もC）
AはおろかBすら／AはおろかBさえ

意味1) Aはもちろん、BもC。BがCであることを強調して述べるためにAを引き合いに出す文。

例文1) ①このソースには添加物はおろか水も含まれていません。

②日本はおろか、世界中さがしても、こんなにおいしい食べ物はない。
③あの人は漢字はおろか、ひらがなすら書けない。
④私は酒を飲むことはおろか、匂いを嗅ぐだけでも気分が悪くなる。

__対比1__ 「AばかりでなくB（もC）」(意味1 P.279)
「(Xは) AばかりでなくB（もC）」は、Aだけではない。BもC、AもBもCという意味で、後文に命令形などの意思表現が使える。
　○　勉強ばかりでなく運動もしろ／運動もしよう／運動もしたほうがいい。
　×　勉強はおろか運動もしろ／運動もしよう／運動もしたほうがいい。
「AばかりかBも」(意味1 P.277)
「AばかりかBも」は、Aだけで十分（満足・不満足）なのに、そのうえBもという意味。「AはおろかB（もC）」にはAだけで十分という意味はない。
　○　子どもばかりか妻まで殺されてしまった。
　×　子どもはおろか妻まで殺されてしまった。
また、「AはおろかB（もC）」には、Aを引き合いに出すという意味があるが、「AばかりかBも」はAもBもという意味で、Aを引き合いに出す意味はない。
　○　1万円はおろか、100円も持っていない。
　×　1万円ばかりか、100円も持っていない。
「AどころかBも」(意味1,3 P.168,169)

__接続1__ ［動詞］＋こと＋はおろか
　　　　［名詞①］はおろか

A　ばかり

Aばかりだ／AばかりのB／Aたばかり／Aてばかり／Aてばかりもいられない／Aばっかり

__意味1__ Aだけ、全体から見てAの割合が多い、Aの程度が深まる一方だ。

__例文1__ ①課長には毎日毎日怒鳴られるばかりで、気分が暗くなる。
②かばんに荷物をたくさん入れると、重いばかりで持ち運びに不便だ。
③そんなにケーキやチョコレートばっかり食べていると太りますよ。
④説明が不十分で、混乱は深まるばかりだ。

(注意1) ・「Aばかり」のAが名詞の場合とル形の場合では文の意味は同じだが、ニュアンスは異なる。名詞の場合はそのものに限定していることを、ル形の場合は行為の多さや程度を強調する。
　　　　○ 彼は何も食べないで酒ばかり飲んでいる。
　　　　○ 彼は何も食べないで酒を飲むばかりだ。

(対比1)「A一方だ」(意味1　P.34)
　　　　「Aばかり」(意味5　P.275)

(接続1)［動詞ール形・テイル］ばかり
　　　　［イ形容詞②］ばかり
　　　　［ナ形容詞④⑤］ばかり
　　　　［名詞①］ばかり

(意味2)「AばかりのB」の形で。AのようなB、AほどのBという意味。
(例文2)①峠から見た景色は、驚くばかりの美しさだった。
　　　　②あのホテルのフロントは、あきれるばかりのひどい対応だった。
　　　　③金メダルを取った選手はきらめくばかりの笑顔で表彰台に上がった。
　　　　④空が一瞬明るくなり、続いて耳をつんざくばかりの雷鳴がとどろいた。

(対比2)「AほどB」(意味1　P.289)
　　　　「AばかりのB」は「AほどのB」と置き換え可能だが、逆はできない。
(接続2)［動詞ール形］ばかりの

(意味3) すべてのことが終わり、あとはそのことをするだけ、何かをする直前。
(例文3)①全員集合し、あとは先生の指示を待つばかりだ。
　　　　②掃除も飾り付けも終え、客が来たら料理を出すばかりにしておく。
　　　　③警備も整い、あとは大統領の到着を待つばかりになっている。
　　　　④早朝の空港には整備も終わり乗客が乗るばかりの機体が並んでいた。

(対比3)「Aまでだ」(意味3　P.294)
(接続3)［動詞ール形］ばかり

(意味4)「Aたばかり」の形で。Aをした後、直後という意味。
(例文4)①起きたばかりで、まだ何も用意をしていない。
　　　　②その言葉は習ったばかりなので、よく覚えています。
　　　　③田中さんなら、いま帰ったばかりですから追いかければ間に合うよ。

④買ったばかりの洋服を汚されてしまった。

対比4「AところB（AたところB）」(意味1 P.166)

「Aたばかり」は話し手が、Aからまだあまり時間がたっていないと感じれば、直後であっても時間が経過していても使えるが、「Aたところ」は実際にAの直後でなければ使えない。

○ 教師になったばかりだから、生徒の質問に答えるのも四苦八苦だ。
× 教師になったところだから、生徒の質問に答えるのも四苦八苦だ。
○ このベンチはペンキを塗ったばかりなので、まだ座れませんよ。
○ このベンチはペンキを塗ったところなので、まだ座れませんよ。

「ばかり」は「の」と接続することができるが、「ところ」はできない。
「ところ」は「に」と接続することができるが、「ばかり」はできない。

○ 12月になったばかりのある日
× 12月になったところのある日
○ ご飯を食べたところに彼が来た。
× ご飯を食べたばかりに彼が来た

接続4 [動詞－タ形] ばかり

意味5「Aてばかり」の形で。ほかがないと思えるほどAの頻度が目立って高い状態。

例文5 ①仕事中に彼らは、くだらないことを話してばかりいる。
②古いパソコンをもらったが、壊れてばっかりで修理代が高くつく。
③寝てばっかりいると、太りますよ。
④一緒に食事にいっても、彼は飲んでばかりだからつまらない。

注意5「Aてばかりいる」は人に使う。物に使う場合は擬人化した表現。

対比5「Aばかり」(意味1 P.274)

「Aばかり」のAが名詞の場合とテ形の場合では、文の意味は同じだがニュアンスが異なる。名詞の場合はそのものに限定されていることを、テ形の場合は行為の頻度の多さを強調する。

○ あの子はゲームばかりしている。
○ あの子はゲームをしてばかりいる。

「する動詞」の場合はニュアンスが異なる。

○ 母はきれい好きで、毎日掃除ばかりしている。(掃除をする割合が多い)
○ 母はきれい好きで、毎日掃除をしてばかりいる。

（他のことをしないぐらい掃除をしている）
「Aばかり」のAがル形の場合は、ほかのことは一切なくAしかない状態。テ形の場合は、Aが起こる頻度・割合が多い、Aが繰り返されるという意味。
○ 弟は子どもの頃、泣いてばかりいた。（泣いていることが多かった）
○ 弟は何を聞いても泣くばかりだった。　　（泣く以外何もしない）
「A一方だ」(意味2　P.35)
(接続5)［動詞―テ形］ばかり

(意味6)「Aてばかりもいられない」の形で。Aの状態を続けているわけにはいかないという意味。
(例文6)①大学3年生ともなれば、夏休みといっても遊んでばかりもいられない。
②もう大人なんだからいつまでも親に甘えてばかりもいられない。
③わが社も衛生管理に努めなければ、他社の不祥事を笑ってばかりもいられない。
④「町内会の役員、引き受けたんだって？」
　「うん、忙しいからって、断ってばかりもいられないだろう。」
(接続6)［動詞―テ形］ばかりもいられない
(注意1~6)・「Aばっかり」は話し言葉。

A（数詞）ばかり

(意味1) 約〜・〜ぐらい・〜ほど、という大体の数を示す。話し手にはAは少しであるという意識がある。
(例文1)①あの服がほしかったのだが、500円ばかり足りなくて買えなかった。
②1週間ばかり休暇をもらって、旅行に行こうと思っている。
③そこにあるミカンを二つばかり取ってちょうだい。
④手伝ってくれる人が3人ばかり必要なのでだれか来てくれませんか。
(対比1)「Aくらい（ぐらい）B」(意味5　P.81)
「AほどB（Aほど）」(意味4　P.290)
「Aばかり」はたった・ほんのという意識が話し手にあることが多い。
「Aくらい」「Aほど」は大体の数や時を表す。

○　患者の命はあと3日ぐらいだ。
　　　○　患者の命はあと3日ほどだ。
　　　×　患者の命はあと3日ばかりだ。
(注意1)　・わずか・ちょっと・少しなどと一緒に用い、少ないことを強調する。
　　　○　少しばかりお時間をいただけませんでしょうか。
(接続1)　[数詞] ばかり

A　ばかりか　B　も
AばかりかBまで

(意味1)　Aだけでも十分なのに、そのうえBもある。

(例文1)　①あの店の料理は安いばかりか味もいいので、人気がある。
　　　②彼は英語ばかりか中国語も話せるらしい。
　　　③急発進、急ブレーキは危険なばかりか、燃費も悪くなる。
　　　④朝ご飯ばかりか昼ご飯までご馳走になって、申し訳ございません。

(注意1)　・「文。そればかりかB」の形で使うこともある。
　　　○　彼はこの競技を始めて1年ほどでオリンピックに出場した。そればかりか、メダルまで取ってしまった。

対比1　「AばかりでなくB」(意味1　P.279)
　　　「AばかりかBも」には、「そのうえ」という強調的な意味があるが、「AばかりでなくB」には、そのような強い意味はなく、単に主題についてAだけではないBもあるということを述べる文である。
　　　○　梅田へは、地下鉄ばかりでなく、バスでも行ける。
　　　×　梅田へは、地下鉄ばかりか、バスでも行ける。
　　　「AばかりかB」は、後文に命令形はつかない。
　　　○　日本語ばかりでなく、英語も勉強しなさいよ。
　　　×　日本語ばかりか、英語も勉強しなさいよ。
　　　「AにとどまらずB」(意味1　P.251)
　　　「AはおろかB」(意味1　P.273)
　　　「AどころかBも」(意味1　P.168)

(接続1)　[動詞] ばかりか
　　　　[イ形容詞①] ばかりか

[ナ形容詞②] ばかりか
[名詞①③④⑥] ばかりか

A　ばかり　が　Bではない

意味1　AだけがBだと思っていることを否定する表現。Aにこだわることはない、もっとほかのものやほかの方法がある。

例文1　①本を読むばかりが勉強ではない。
②経済援助ばかりが国際貢献ではない。
③ハンサムなばかりが、いい男の条件ではない。
④スタイルがよくて、細いばかりがモデルではない。

対比1　「AばかりでBない」(意味1　P.278)

接続1　[動詞―ル形] ばかりが
[イ形容詞②] ばかりが
[ナ形容詞④⑤] ばかりが
[名詞①③] ばかりが

A　ばかりで　B　ない

意味1　Aという状況だけで、Bではない。Bの状況は話し手にとって不満を感じるものである。

例文1　①このカバンは重いばかりで、ちっとも入らない。
②私が聞いても、父は笑っているばかりで何も答えてくれなかった。
③都会はビルばかりで空が見えない。
④有名な教授の講義を受けたが、退屈なばかりでおもしろくなかった。

注意1　・「Bない」が省略されて、話し手の判断が後文にくることがある。
　　○　ただ働くばかりで（楽しいこともなく）一生を終わる人もいる。

対比1　「AばかりがBではない」(意味1　P.278)
「AばかりでBない」はAだけであってBではないことを表し、「AばかりがBではない」はBのなかに含まれるのはAだけではない、Aのほかにもあることを表す。

○ （彼は）酒を飲むばかりで、何も食べない。
○ 酒を飲むばかりが、ストレス解消法ではない。

接続1　[動詞ール形] ばかりで
　　　　[イ形容詞②] ばかりで
　　　　[ナ形容詞④] ばかりで
　　　　[名詞①] ばかりで

（Xは）　A　ばかりでなく　B（もC）
Aばかりしていないで B

意味1　XについてAだけでなくBもあると述べる文である。AもBもCだ。

例文1　①彼は日本語ばかりでなく、英語やフランス語も話せる。
　　　②今年の夏休みは海で泳いだばかりでなく、山にも登った。
　　　③ホテルは宿泊するばかりでなく会議やパーティーにも利用される。
　　　④この施設は学生ばかりでなく、だれでも利用できる。

対比1　「AばかりかBも」（意味1　P.277）
　　　「AはおろかB」（意味1　P.273）
　　　「AどころかBも」（意味1　P.168）

接続1　[動詞] ばかりでなく
　　　　[イ形容詞①] ばかりでなく
　　　　[ナ形容詞②] ばかりでなく
　　　　[名詞①③④⑥] ばかりでなく

意味2　Aだけではだめだ、Bが必要だ。

例文2　①口ばかりでなく、実行することが大切だ。
　　　②仕事するばかりでなく、息抜きも必要だ。
　　　③乗り物は速いばかりでなく、安全性も求められている。
　　　④質問ばかりしていないで、覚えなさい。

接続2　[動詞ール形] ばかりでなく
　　　　[イ形容詞②] ばかりでなく
　　　　[ナ形容詞④] ばかりでなく
　　　　[名詞①] ばかりでなく

A　ばかりに　B
Aばっかりに B

意味1　AだからこそBというよくない結果となった。

例文1　①あの人を信じたばかりに、とんだ目にあってしまった。
　　　　②彼は才能があるばかりに、学内でも疎まれている。
　　　　③俺は酒が好きなばかりに、家族にも迷惑をかけたと思っているよ。
　　　　④背が高くなかったばかりに、代表選手から外されてしまった。

対比1　「AだけにB」(意味1　P.114)
　　　　「AがためにB」(意味1　P.56)

注意1　・Aでほかの理由を排除する、ただ、そのことだけが原因でという理由の強調があり、Bは普通ならそんなことはしないという好ましくない結果。話し手の後悔・残念の気持ちが含まれることもある。

接続1　[動詞]　ばかりに
　　　　[イ形容詞①]　ばかりに
　　　　[ナ形容詞②]　ばかりに

意味2　Aには話し手の希望がきて、それを望むために普通ではしないような行動Bに出る。

例文2　①大学に合格したいばかりに、問題用紙を盗んだらしい。
　　　　②母親が恋しいばかりに、30キロの道を一人で歩いてきたのだ。
　　　　③保険金を手に入れたいばかりに、妻を殺してしまった。
　　　　④息子は運動会に出たくないばっかりに、頭が痛いと言っている。

接続2　[動詞-マス形]＋たい／たくない＋ばかりに
　　　　[イ形容詞②③]　ばかりに

注意1,2　・会話体や強めて言うときには「ばっかりに」となる。
　　　　　○　お金がほしいばっかりに、とうとう盗みまでしてしまった。

A　はさておき　B
Aはさておいて B／Aかはさておき B

意味1　しばらく続けたAはこの程度でやめて、次にB。

例文1 ①給料は安いし、休みはないし…。まあ、会社のグチはさておき、話を本題に進めましょうか。
② 前置きはさておきまして、次にこの商品の説明をさせていただきます。
③ 冗談はさておき、この問題は早急に解決しなければならないことだ。
④ 名刺交換はさておき、さあ乾杯をしてパーティーを始めましょう。

注意1 ・「それはさておきB」の形で使うこともあるが意味は同じ。

接続1 ［名詞①］はさておき

意味2 Aは今、話題にせず先にB。Aは考えずに今はB。

例文2 ①「お正月に温泉にでも行こうよ。私、旅館に泊まりたいな。」
「お正月に行くなら、どこに泊まるかはさておき、飛行機だけでも予約しておかないと取れないよ。」
② トム・クルーズってハンサムですよね。好みはさておき、客観的に見てそう思いませんか。
③ この本、内容はさておいて、話題性はありますよ。
④ 多少の例外はさておき、早期発見によりほとんどの乳がんは完治する。

注意2 ・Bに評価が含まれる場合は、Aはその評価と反対のニュアンスを持つ。
　　〇　このホテル、外観はさておきサービスは最低だ。　　（外観はよい）
　　〇　彼は言葉遣いはさておき事務能力はある。　　（言葉遣いは悪い）
・「何はさておきB」は、まず第一にBという意味の慣用的な表現。
　　〇　大学の合格通知をもらい、何はさておき両親に電話をかけた。

対比2　「Aは別にしてB」
「AはさておきB」には、Aより先にBを話題にするという意味があるが、「Aは別にしてB」にはこの意味はない。
　　〇　「おなかすいた。何食べようか。」
　　　　「何を食べるかはさておき、まずビールを飲もうよ。」
　　×　「おなかすいた。何食べようか。」
　　　　「何を食べるかは別にして、まずはビールを飲もうよ。」

「AはともかくB」（意味3　P.284）
置き換え可能である。

接続2 ［名詞①］はさておき
　　　　［疑問詞］＋［動詞］かはさておき
　　　　［疑問詞］＋［イ形容詞①］かはさておき

　　　　[疑問詞]＋[ナ形容詞①]　かはさておき
　　　　[疑問詞]＋[名詞①②⑥]　かはさておき

A　はずがない
Aはずはない／Aないはずがない／AはずのないB

意味1　当然Aではない、Aにはならないという確信をもった推量表現。話し手の心に「もしかしたらAかもしれない」という部分が少しある。

例文1　①あと5分しかないんだから間に合うはずがない。
　　②勉強していないのに、100点とれるはずがないでしょう。
　　③「あの人、田中さんじゃない。」
　　　「昨日から東京出張って言ってたから、大阪にいるはずないだろう。」
　　④こんな病気で死ぬはずはないと思うが、ちょっと心配だ。

対比1　「Aわけがない」(意味1　P.325)

意味2　過去の推量が現実に裏切られたのを見て、落胆・意外・驚きなどの気持ちを表す。

例文2　①こんな単純な仕事、彼が失敗するはずがないんだが…。
　　②貸してくれるはずのない彼が100万円も貸してくれた。
　　③そこにいるはずのない敵が忽然と現れた。
　　④日本では銀行は倒産するはずはないと言われていたんだが…。

対比2　「Aわけがない」(意味1　P.326)

接続1,2　[動詞]　はずがない
　　　　[イ形容詞①]　はずがない
　　　　[ナ形容詞⑤⑥⑦]　はずがない
　　　　[名詞②③④⑥]　はずがない

意味3　「Aないはずがない」の形で。当然Aだという確信をもった推量表現。話し手は心中、もしかしたらAではないかもしれないと思っている。

例文3　①約束したんだから、来ないはずがないんだけど、遅いなぁ。
　　②電池を入れ替えたから動かないはずはないんだけど、壊れたのかなぁ。
　　③あんなに魅力的な彼女に恋人がいないはずはないでしょう。

④テキストの通りに作ったんだから、おいしくないはずはないんだけど。

__対比3__ 「Aわけがない」(意味3　P.326)

__接続3__ ［動詞ーナイ形］ないはずがない
　　　　［イ形容詞③］はずがない
　　　　［ナ形容詞⑦］はずがない
　　　　［名詞④］はずがない

__意味4__ 絶対にAではないと強い気持ちで言い切っている表現。

__例文4__ ①経費をごまかす政治家を信頼できるはずがない。
　　　　②嫌いな人にプロポーズされて、うれしいはずないでしょ。
　　　　③テストは白紙で出してしまったんだよ。合格するはずないじゃないか。
　　　　④朝から晩まで家の前で道路工事をされて、静かなはずないだろう。

__接続4__ ［動詞］はずがない
　　　　［イ形容詞①］はずがない
　　　　［ナ形容詞⑤⑥⑦］はずがない
　　　　［名詞②④］はずがない

A　ばそれまでだ
Aたらそれまでだ

__意味1__ それまで積み重ねてきた努力や経歴が、もしAと仮定すれば、そのためにすべて台無しになる。

__例文1__ ①いくら練習を重ねても、本番で失敗すればそれまでだ。
　　　　②せっかく開発した新商品だが、客に受け入れられねばそれまでだ。
　　　　③どんなに見事な奇術も、タネがばれたらそれまでだ。
　　　　④上司には従っておけ。一度でも反抗すればそれまでだぞ。

__接続1__ ［動詞ーバ形］それまでだ

Ａ　はともかく　Ｂ
AはともかくとしてB／AならともかくB

意味1 Aはまだ許すことができるが、Bまでは許すことが出来ない。

例文1 ①ボーナスが遅れるのはともかく、出ないなんてあんまりだ。
②歌うのはともかくとして、踊るのは勘弁してくれ。
③手伝うのならともかく、邪魔をするなら出ていってくれ。
④焼いた魚ならともかく、生は食べられない。

注意1 ・「AならともかくB」の「なら」は仮定でありAならば許してもいいがBは駄目だという意味になる。この形は意味1でしか使えない。

接続1 ［動詞ール形＋の］はともかく
　　　　［イ形容詞②］＋の＋はともかく
　　　　［ナ形容詞②］＋の＋はともかく

意味2 Aはあきらめるが、Bだけでもなんとか実現したい。

例文2 ①外国語はともかく、自分の国の言葉ぐらいはきちんと話しなさい。
②漢字は、書くのはともかくとして、読めるようにしておきなさい。
③優勝はともかく、Aクラス入りはなんとかしたい。
④入学を辞退したのだから、入学金はともかく、授業料は返してほしい。

接続2 ［名詞①］はともかく

意味3 Aについては保留しておいて、大切なのはBである。

例文3 ①私のことはともかく、君の方の仕事は順調かい？
②試合内容はともかく、一勝したことに意義がある。
③受験するしないはともかく受験に必要な書類は準備しておきなさい。
④宿泊先はともかくとして、旅行の行き先だけでも早く決めよう。

対比3 「AはさておきB」(意味2　P.281)

接続3 ［動詞ール形＋ナイ形］はともかく
　　　　［名詞①］はともかく

A　はもちろん　B　も　C

意味1　Aは当然Cだが、Bもまた C。話し手が述べたいことは、BもC。

例文1　①日本に来た当初は、漢字はもちろん、ひらがなもわからなかった。
　　②私は泳ぐことはもちろん、浮くこともできないんですよ。
　　③あの料理屋は味はもちろん、食器やインテリアも私好みだ。
　　④この靴は軽いのでスポーツにはもちろん、通勤にも最適だ。

対比1　「AはもとよりB」(意味1,2　P.286)
「AはもちろんBもC」と意味は同じであるが、「AはもとよりB」の方が硬い表現である。
　　○　海外に行くときは、パスポートはもちろん薬も持って行きなさい。
　　×　海外に行くときは、パスポートはもとより薬も持って行きなさい。
「AはもとよりB」には、もともと・はじめからという意味もある。
　　○　彼女はもとより素直な子だった。
「AにはおよばないAは言うにおよばずB）」(注意1　P.254)
「AはもちろんBもC」も「Aは言うにおよばずB」もともにAもBもという意味だが、「Aは言うにおよばずB」はAは言うまでもなくB、Aは言わなくてもわかるだろうという話し手の気持ちが強い。
　　○　試験中話すのはもちろん携帯を見てもカンニングとみなす。
　　○　試験中話すのは言うにおよばず携帯を見てもカンニングとみなす。
　　○　私は酒を飲むのはもちろん、匂いだけでも気分が悪くなる。
　　×　私は酒を飲むのは言うにおよばず、匂いだけでも気分が悪くなる。

接続1　［動詞］＋こと＋はもちろん　［動詞］＋こと＋も
　　［名詞①］はもちろん［名詞①］も

A　はもとより　B

意味1　Aは言うまでもなくBも。AはもちろんBも。

例文1　①公演中はテープ録音はもとより、携帯電話での撮影も禁止だ。
　　②沖縄旅行は台風で、泳ぐことはもとより、買い物もできなかった。
　　③地球温暖化防止のため、わが社ではエンジンの改良はもとより、燃費の低減を目指して研究開発を続けております。

④本気でダイエットをするなら、カロリーコントロールはもとより、運動もしなければ、目に見えた成果は得られない。

意味2 Aはもともと、はじめからB。
例文2 ①失敗はもとより覚悟していた。
　　②こういう問題はもとより校長の判断を仰がねばならないことだ。
　　③責任はもとより私にあるのだ。
　　④人間はもとより独りでは生きられない動物だ。
対比1,2「AはもちろんBもC」(意味1　P.285)
接続1,2［名詞①］はもとより

A　反面　B

意味1 一人（一つのもの）の中に、A，B相反する傾向・性質が存在する。
例文1 ①豊かな暮らしの反面、私たちの生活から失われていく自然も多い。
　　②この携帯は機能が充実していて便利な反面、複雑で使いにくい。
　　③後輩に負けて悔しい反面、うれしさもあった。
　　④アルバイトをやめて成績が上がってきた反面、生活は苦しくなった。
対比1「A一方B」(意味1　P.33)
接続1［動詞］反面
　　　［イ形容詞①］反面
　　　［ナ形容詞②］反面
　　　［名詞②③④⑥］＋の＋反面

A　ぶり
AぶりにB／AぶりのB／Aっぷり

意味1 Aのようす。Aとしてのやり方。
例文1 ①運動会ではわが子の成長ぶりをビデオに収めようと、親は必死である。
　　②スポーツ選手は食べっぷりがいいね。見ていて気持ちがいいぐらいだ。
　　③二人の新婚家庭にお邪魔して、その生活ぶりを拝見したい。

④彼女の顔を見たときの彼のあわてぶりといったらなかったよ。
(注意1)・「Aっぷり」の形は、Aをする様子に勢いがあったり、潔かったりしたときに使われる。
(接続1)［動詞－マス形］ぶり／っぷり
　　　　［名詞①］ぶり／っぷり

(意味2) Bまでの期間がA。
(例文2) ①我が校は実に17年ぶり、2度目の全国優勝に輝いた。
　　　　②古井戸に落ちた3歳の男児が5時間ぶりに保護された。
　　　　③インフルエンザが治り、1週間ぶりの風呂は気持ちよかったな。
　　　　④出張では外食ばかりだったので、10日ぶりの我が家の味もいいものだ。
(注意2)・Aが「秒・分・1時間」などのように、空いている感覚が持てないものには使いにくい。
(接続2)［名詞①］ぶり

A　べきだ

AべきB／Aべきではない／Aべし／AべくB／Aべからず／AべからざるB／AべくしてB／Aべくもない

(意味1) Aしたほうがいい、Aしないほうがいい、Aしなければならないと、話し手の意見や価値観を強く述べる。
(例文1) ①少なくとも6時間は睡眠をとるべきだよ。
　　　　②相手が目上の人でも、言うべきことははっきりと言うべきだ。
　　　　③一度や二度の失敗で、あきらめるべきではない。
　　　　④子どもは親の言うことを聞くべきだ。
(注意1)・「Aべし」の形で命令表現になることがある。
　　　　○　仕事には、常に最善を尽くすべし。

(意味2)「AべきB」の形で。AするのがふさわしいBだ。
(例文2) ①深刻化するいじめや不登校の増大など、学校は憂うべき状態にある。
　　　　②アジアの経済発展は、わが国にとっても歓迎すべきことだ。
　　　　③彼女は親切でいつも明るい愛すべき人物だ。

④映画のラストで驚くべき真相が明らかにされる。

(注意2)・「Aべし」の形で注意・関心をひくために新聞見出しや広告などで使うことがある。
　　○　12歳にしてこの堂々たる演技は、まさに恐るべし。
　　・Aは感情を表す動詞。

(意味3)「AべきB」の形で。当然そうなると予想されたことや、確実にそうなること。
(例文3)①来るべき時がついにやってきた。これで我が社もおしまいだ。
　　②生あるものは、いずれ散るべき運命にある。
　　③来たるべき20日に、決起集会を行う。
　　④次期社長はあの人に決まったのか。やはりなるべき人がなったな。

(意味4)「AべくしてAた」の形で。Aは当然の結果だ。
(例文4)①相手との力の差を考えれば、この試合は勝つべくして勝ったといえる。
　　②芸術一家に生まれた彼は、トップスターになるべくしてなったのだ。
　　③未経験者がしっかりとした装備もせず山に入ったんだから、この遭難は起こるべくして起こったのだ。
　　④国の恋人と7年も離れていたのだから、二人は別れるべくして別れたといえる。

(意味5)「AべくB」の形で。Aを目的としてBをする。
(例文5)①未知の生命を発見するべく、アフリカの密林へと向かった。
　　②我々は問題を穏便に解決するべく、議論を重ねてきた。
　　③医師たちは一人でも多くの命を救うべく、働き続けた。
　　④生徒を力づけるべく、自身の失敗談を語った。

(対比5)「AためにB」(意味1　P.126)
　　意味は同じ。「AべくB」は硬い表現で、書き言葉的でありAは日常的な行為にはあまり使われない。
　　×　キャンディーを買うべくスーパーへ行った。

(意味6)「Aべからず」「AべからざるB」の形で。Aは禁止。Aてはならない。
(例文6)①芝生に立ち入るべからず。

②当マンションにおいては、ペットを飼うべからず。
③幼児虐待は許すべからざる犯罪だ。
④商取引において信用は、必要欠くべからざるものだ。

(注意6) ・硬い表現で、告知文などに使われることが多い。

(意味7) 「Aべくもない」の形で。Aすることができない。Aする余地や可能性がない。

(例文7) ①わが社が業界第一位になったということは、疑うべくもない事実だ。
②今の生活を続けていたら安定した収入など望むべくもないことだ。
③犯人が死んでしまっては、本当の動機はもはや知るべくもない。
④突然の事故で家族を失った彼の心情は推し量るべくもない。

(接続1~7) [動詞ール形] べきだ
ただし、「する」は、[する／す] べきだ

A ほど B
AほどのB／AほどBない／A(数詞)ほど

(意味1) Bの程度をAでたとえたり、説明したりする。
(例文1) ①合格発表で自分の名前を見つけ、飛び上がりたいほどうれしかった。
②せっかくの夏休みなのに、山ほどの宿題を出された。
③この地域の大気汚染は深刻なほど進行している。
④数え切れないほどの星が輝いていた。

対比1 「Aくらい（ぐらい）B」(意味1 P.79)
「AばかりのB」(意味2 P.274)

(接続1) [動詞ール形] ほど
[動詞ーナイ形] ほど
[イ形容詞②] ほど
[ナ形容詞④] ほど
[名詞①] ほど

(意味2) 「AほどBない」の形で。Aが一番Bだ。
(例文2) ①相撲の世界ほど、時代がかった伝統を重んじているところはない。

②あの先生ほど学生のことを心配している人はいない。
③お母さんの作った料理ほどおいしいものはない。
④サッカーほど多くの国で愛好されているスポーツはないだろう。

対比2 「Aくらい（ぐらい）B」（意味6　P.81）
「AほどB」との置き換えは可能。

接続2 [名詞①] ほど

意味3 Bという価値・評価を持つA。
例文3 ①彼ほど立派な人物がそのようなことをするとは思えない。
②私の母ほど几帳面な人に手落ちはないと思います。
③あのマンションほど高い物件をいったいだれが購入するのだろう。
④大阪ほどの大都市近郊でも、農作物は作られている。

接続3 [名詞①] ほど

意味4 「A（数詞）ほど」の形で。大体の数を表す。
例文4 ①ちょっと10分ほど待ってください。
②このお茶には15種類ほどの薬草が入っている。
③ここにあるりんごは1個100円ほどだ。
④コンサートには3000人ほどのファンが集まった。

注意4 ・Aは数詞である。

対比4 「Aくらい（ぐらい）B」（意味5　P.81）
「〜時」には「Aぐらい」は使えるが「Aほど」は使えない。ほかは置き換え可能。
○　10時ぐらいに東京に着きます。
×　10時ほどに東京に着きます。

「A（数詞）ばかり」（意味1　P.276）
「A（数詞）ばかり」には少ないというニュアンスが含まれるが、「ほど」にはない。
○　40度ほど熱が出た。
×　40度ばかり熱が出た。

接続4 [名詞①] ほど

A ほどに B
AほどB／A1ばA2ほどB

意味1 Aが回数を重ねたり（反復）、程度・段階が進むのに比例して、Bの程度もますます変化していく。

例文1 ①歌うほどに、気分がよくなった。
②飲むほどに、酔うほどに、酒の味は増す。
③この料理は煮込むほどに味がよくなります。
④休み中によく勉強した人であればあるほど、テスト結果がよかった。

注意1 ・「AばAほどB」の「Aば」を省略した形が「AほどにB」である。慣用的表現の「AばAほどB」は、程度の進行というより、Bを強調している。
　　　　○　見れば見るほど美しい。
　　　　○　聞けば聞くほどおもしろい。
　　　　○　読めば読むほどすばらしい。

対比1　「AにつれてB」（意味1　P.250）
「AにつれてB」のAは進行的だが、「AほどにB」は反復的。
　　　　○　台風が近づくにつれて、風雨が強くなるでしょう。
　　　　×　台風が近づくほどに、風雨が強くなるでしょう。
「AにともなってB」（意味1　P.252）

接続1（［動詞ーバ形］）［動詞ール形］ほどに

意味2 Aの程度が増すのに比例して、Bの程度も増す。

例文2 ①都心に（近ければ）近いほど、家賃は高くなる。
②ガンの発見は（早ければ）早いほど、助かる率は高い。
③観光地は（有名なら）有名なほど、込んでいる。
④（古いものなら）古いものほど、値打ちがでる。

注意2 ・この形は「～ば」「～なら」の部分を省略することもある。

接続2（［イ形容詞⑦］ば）［イ形容詞②］ほど
　　　　（［ナ形容詞⑨］（ば））［ナ形容詞④⑤］ほど
　　　　（［名詞⑧］（ば））［名詞①］ほど

ほ

A　まい
Aでは（じゃ）あるまいか

意味1 否定の推量を表す。Aないだろう。

例文1 ①こんなにきれいな青空が広がっているんだから、雨は降るまい。
②これほどのご馳走を、とても一人では食べきれまい。
③昨日あれほど注意したから、今日は遅れてくるまい。
④こ、これはダイヤモンドの原石ではあるまいか！

注意1 ・「Aではあるまいか」はAではないだろうかの意味。

意味2 「ぜったいにAないぞ」という話し手自身の強い否定の意志を表す。

例文2 ①今日はひどい二日酔いだ。もう二度と酒は飲むまい。
②子どもは大切なおもちゃを放すまいと、強く握りしめていた。
③人の悪口はもう言うまい。
④あんな男の言うことなんか、二度と信じるまい。

対比2 「Aものか」（意味1　P.304）
「Aまい」は否定の意志や決定を自分に言い聞かせている表現である。
「Aものか」は感情を前面に出し相手に訴えているニュアンスがあり、動詞以外にも使える。
　　○　今朝はひどい二日酔いだ。二度と酒は飲むまい。
　　○　彼は酒癖が悪い。あんな奴と二度と酒を飲むものか。

接続1,2 ［動詞ール形］まい
［動詞ーナイ形］まい（一段動詞（2グループ）、する・来る（3グループ）のみ）

A　まくる
A1てA1てA2まくる

意味1 とてもAする、たくさんAする、勢いづいてAが続く様子。

例文1 ①最近、彼は株取引で大成功し、稼ぎまくっているらしい。
②店頭の商品がすべて半額と聞いて、買って買って買いまくった。
③仕事では新しい契約が取れたし、ボーナスは倍増するし、宝くじは当たるし、最近、こわいぐらいツキまくっている。

④部下が失敗ばかりして頼りないので、部長は朝からキレまくっている。

接続1 [動詞ーマス形] まくる

A まじき B

意味1 絶対にAはいけない、あってはならないBだと断言する。

例文1 ①生徒をいじめるなど、教師としてあるまじき行いだ。
②セクハラは、許すまじき犯罪だ。
③教師を公然と侮辱するなど、学生としてとるまじき態度だ。
④職務上、知りえた情報はたとえ家族であっても口にするまじきこと。

接続1 [動詞ール形] まじき

A までだ
A までのことだ

意味1 前件が成立しないと仮定したら、Aになるとあっさり表明する。話し手にとっては、Aは大したことはないという気持ちを表す。

例文1 ①間に合わないときはあきらめるまでだ。
②向こうが来ないのなら、こっちから出向くまでのことだ。
③借金を返していただけないのでしたら、裁判に訴えるまでです。
④要求が受け入れられなければ、合併の計画が白紙に戻るまでのことだ。

接続1 [動詞ール形] までだ
[動詞ーナイ形] ないまでだ

意味2 Aという事実に深い意味はない。ただ、A（をした）だけのことだ。

例文2 ①終電がなくなったから、歩いて帰ってきたまでだよ。
②なぜ怒られるんだ。言われたことをしたまでじゃないか。
③あの時はたまたま運が悪かったまでさ。次に頑張ればいい。
④大学に入学したといっても、エスカレーター式の大学に入ったまでで、たいしたことはない。

接続2 [動詞ータ形] までだ

[イ形容詞⑤] までだ

意味3 すでにやるべきことはやり尽くし、あとはAをするだけの状態だ。
例文3 ①ここまで頑張ったんだから、あとは結果を待つまでだ。
②出来るだけの説明はした。あとは先方のよい返事を待つまでだ。
③教えることは全部教えた。あとは彼の力に期待するまでだ。
④俺たちは厳しい練習に耐えてきた。その力を発揮するまでだ。

対比3「Aだけだ」
「Aまでだ」は否定文にはつかないが、「Aだけだ」はつく。
○　やるべきことはすべてやった。後はつまらないミスをしないだけだ。
×　やるべきことはすべてやった。後はつまらないミスをしないまでだ。

「Aばかり」（意味3　P.274）
「Aばかり」はAという状態になるのを待っているというニュアンスだが、「Aまでだ」はA以外にもうすべきことは何もないという部分に視点がある。
○　掃除もすみ、あとは客が来るばかりだ。
×　掃除もすみ、あとは客が来るまでだ。
○　苦しい勉強に耐えてきた。あとは全力を出し切るまでだ。
×　苦しい勉強に耐えてきた。あとは全力を出し切るばかりだ。

接続3［動詞ール形］までだ

A　までもない
AまでもなくB

意味1 大したことがないので、わざわざAする必要がない。
例文1 ①大した傷じゃない。薬を塗るまでもないだろう。
②いうまでもなく、彼よりあなたのほうが優秀ですよ。
③この程度の日本語なら、辞書を見るまでもなく読めるはずだ。
④合否の結果は彼女の様子から判断できたので、聞くまでもなかった。

対比1「Aことはない」（意味2　P.96）
「Aまでもない」は、今の状態でも十分だから、わざわざAする必要がないという意味であり、「Aことはない」は、Aをしなくてもいい、A

する必要がないという意味である。
- ○ 食べたくなかったら、食べることはない。
- × 食べたくなかったら、食べるまでもない。
- ○ あの人の作った料理はまずいに決まっている。食べるまでもない。
   　　　　　　　　　　　　（食べなくてもまずいことはわかる）
- ○ あの人の作った料理はまずいに決まっている。食べることはない。
   　　　　　　　　　　　　（まずいから食べなくてもいい）

接続1 ［動詞―ル形］までもない

A まま B
Aまま／Aのまま／Aがまま

意味1　Aの状態に従う。

例文1　①彼女の音楽には楽譜がない。いつも心に感じるままに演奏している。
　　　②足の向くまま気の向くまま、自由な旅に出たいものだ。
　　　③課長は部長の言うがままだ。
　　　④高熱でうなされていたので、看護師のされるがままだった。

接続1　［動詞―タ形］まま
　　　［動詞―ル形（が）］まま

意味2　Aが変わらない状態で。Aを変えない状態で。

例文2　①あなたの見たままの状況を話してください。
　　　②サインが消えるまで座席に座ったままでお待ちください。
　　　③久しぶりに帰った我が家は家を出たときのままだった。
　　　④よくわからないので、私が聞いたままをお伝えします。

対比2　「AとおりにB（AとおりB）」(意味2　P.163)
「AとおりB」はAとBが同じことに視点があり、「AままB」はAの状態を変えないことに視点がある。
- ○ 子どもは寝ていたのでそのまま部屋に置いてきた。
- × 子どもは寝ていたのでそのとおり部屋に置いてきた。
- ○ あなたが見たとおりのことを話してください。
- ○ あなたが見たままを話してください。

(接続2) ［動詞－タ形］まま
　　　　［名詞②］まま

(意味3) 「AたままB」「AないままB」の形で。Aの動作・行為の後、次に行われるはずの動作・行為が行われない状態でB。
(例文3) ①彼は部屋のドアを開けたまま出て行った。
　　　　②酔っぱらって、服を着たままベッドに倒れ込んだ。
　　　　③部長の許可を得ないまま計画を進めてしまった。
　　　　④A国との交渉は互いに主張を譲らず、暗礁に乗り上げたままだ。
(対比3) 「AてB」
　　　　「AたままB」のAは現実にいま存在している行為の結果の状態であり、「AてB」のAは、結果の状態にも、まだ行われていないことにも使える。
　　　　○　診察室にはガウンを着たままお入りください。（今ガウンを着ている）
　　　　○　診察室にはガウンを着てお入りください。　（今からガウンを着る）
　　　　「AながらB」(意味1　P.195)
　　　　「AなりB」(意味3　P.204)
　　　　「Aたきりだ」(意味1　P.112)
　　　　「Aっぱなし」(意味1,2　P.137)
(接続3) ［動詞－タ形］まま
　　　　［動詞－ナイ形］まま

A　まみれ

(意味1) 汚いものが、全体を覆うようにくっついている様子。
(例文1) ①雨のなか、選手たちは泥まみれになってボールを追いかけている。
　　　　②男たちは汗まみれになって働いていた。
　　　　③優勝トロフィーはほこりまみれになって、部屋のすみに放ってあった。
　　　　④タンカー事故により、油まみれになった海鳥の救助に向かった。
(対比1) 「Aだらけ」(意味1　P.129)
　　　　「Aだらけ」は、ある空間や範囲の中でAが目立って多いこと。「Aまみれ」は、ある物体がかなりの部分Aで覆われていること。
　　　　○　ほこりだらけの部屋　　　ほこりまみれの靴

○　血だらけの浴室　　　　血まみれのナイフ

意味2 好ましくないAがついているようで、離れられない様子を抽象的に表す。
例文2 ①彼女は本当はこんな金まみれの生活から逃れたがっている。
　　　②汚職まみれの政治家には、この際、辞職してもらいたい。
　　　③あれだけ借金まみれだと、立ち直るのは難しいだろう。
　　　④事件の陰にはいつもあの人がいる。まさに疑惑まみれの人物だ。
対比2「Aづけ」(意味1　P.134)
「Aづけ」は、Aという状態にどっぷりとつかっているのでAばかりで厳しい状況、「Aまみれ」は自ら作った好ましくない状況に使う表現。
　　　○　イギリスでの3年間は英語づけの生活だった。
　　　×　イギリスでの3年間は英語まみれの生活だった。
　　　○　彼は借金まみれで夜逃げした。
　　　×　彼は借金づけで夜逃げした。
接続1,2 [名詞①] まみれ

A　み

意味1 形容詞の示す具体的な部分、事柄を表す。
例文1 ①腕に伝わる孫の重みを幸せと感じる。
　　　②真っ青だった彼女の顔に幾分か、赤みがさしてきた。
　　　③外国語が話せるのが彼の強みだ。
　　　④この魚は生姜と煮て、臭みを取るとおいしくなる。
注意1・「Aみ」はイ形容詞を名詞に変える。
対比1「Aさ」(意味1　P.98)
「Aさ」は程度、「Aみ」はその形容詞が具体的に表す部分・事柄を示す。
　　　○　川の深さをはかる。　　　（どのぐらい深いかという程度をはかる）
　　　○　川の深みにはまる。　　　　　　　　（川の深い部分にはまる）
接続1 [イ形容詞⑥] み

A 向(む)きの B
(Bは) A向(む)きだ

意味1 Bはほかよりも、どちらかといえばAにちょうど合うようになっている。

例文1 ①甘さを抑えた大人向きの菓子が販売されている。
②この本は内容からいって中学生向きだ。
③この素材は通気性もよく丈夫で洗濯にも強いから、夏向きですね。
④気楽に泊まれて料金も高くない家族向きの温泉宿ってありますか。

対比1 「A用のB」
「A用のB」は、Aが使うのにぴったりのBという意味であり、使用するものに限られる。

○ 犬用のガム　　　○ 大人向きの番組　　　○ 男性向きの化粧品
× 犬向きのガム　　× 大人用の番組　　　　○ 男性用の化粧品

「A向けB（A向けのB）」(意味1　P.298)

接続1 [名詞①] 向きの

A 向(む)け B
A向(む)けのB／A向(む)けにB

意味1 AのためにBがある。Bは対象をAに限定して考えられている。

例文1 ①外国向け商品の仕様は国内向けとは多少違います。
②夜、受験勉強をしながら聞いている学生向けに番組を制作している。
③介護付の高齢者向け住宅の売れ行きは、好調だ。
④最近、中高年向けのパソコン教室が増えてきた。

対比1 「A向きのB」(意味1　P.298)
「A向きのB」は、ほかと比べBはどちらかといえばAに合うという表現であるが、「A向けのB」は、はじめからAという対象を設定して、その対象に合わせたBという意味である。

○　独身女性向きのマンション　　　（独身女性の求める条件に合う）
○　独身女性向けのマンション　　　（独身女性のために作った）

接続1 [名詞①] 向け

A　めく
AめいたB／AめいてB

意味1 Aのように感じられる。

例文1 ①声だけでだれも姿を見た者がいないなんて、話が謎めくな。
②彼の話は冗談めいて聞こえたが、目は真剣だった。
③あの事件以来、脅迫めいた電話までかかってくるんですよ。
④山里の景色もすっかり春めいてきました。

接続1 [名詞①] めく

意味2 (擬態語につけて) その様子になるという意味。

例文2 ①最近の彼女はスター女優としてきらめいている。
②群集がざわめく中、首相は演説を始めた。
③馬は足を引きずって、よろめきながら歩いている。
④今年の秋の口紅はつやめいた色合いが人気だ。

注意2 ・「Aめく」のAはきらきら、ざわざわなど同じ音をくり返す擬態語の前の「きら」や「ざわ」などの部分。

接続2 [擬態語] めく

（Xは）　A　も　A　なら　B　も　B
AもBならCもD／AもBば CもD

意味1 AもBも両方とも同じように悪い。話し手の呆れた気持ちや、AやBを低く捉えた気持ちを表す。

例文1 ①こんな事件を起こすなんて、親も親なら子も子だ。
②夫婦喧嘩で警察が来る騒ぎになるなんて夫も夫なら妻も妻だ。
③兄は受験生だというのに一日中寝ているし、弟はゲームばかりしている。ほんとうに兄も兄なら弟も弟だ。
④汚職で3回も捕まった人が、また立候補している。出るほうも出るほうなら選ぶほうも選ぶほうだと思う。

対比1 「AがAだからB」（意味1　P.49）

接続1 [名詞①] も [名詞①] なら [名詞①] も [名詞①]

意味2 Xに関して言えばAもBという面があるしCもDという面がある。
　　　Xのある傾向や性質を表している表現。

例文2 ①彼は小学生なのに、母を助けて家事も手伝えば学校の勉強も怠らない。
　　　②日本の夏は温度も高ければ、湿度も高く、本当に過ごしにくい。
　　　③あの兄弟は兄がスポーツ万能なら、弟も成績がよくて羨ましい。
　　　④砂漠には木もなければ草も生えていない。

注意2 ・BやDの傾向や性質の方向は同じでなければならない。
　　　○　あの兄弟は兄が190cmなら、弟も185cmだ。
　　　×　あの兄弟は兄が190cmなら、弟も150cmだ。

接続2 ［名詞①］も［動詞ーバ形］
　　　［名詞①］も［動詞ール形］なら
　　　［名詞①］も［イ形容詞⑧］ば
　　　［名詞①］も［ナ形容詞⑨］（ば）

A　もかまわず　B
AてもかまわずB／AにもかまわずB

意味1 普通なら気にするAも気にせずB。

例文1 ①子供たちはあちこちに絵の具が飛び散るのもかまわず、遊びに興じた。
　　　②どしゃ降りの雨にもかまわず、父は出かけていった。
　　　③子どもが同乗していてもかまわず、彼はタバコを吸い続けた。
　　　④酔っ払った若者は、時間もかまわず大声で歌い騒いだ。

対比1 「AにもかかわらずB」（意味1　P.262）
　　　「AにもかかわらずB」は、Aという状況でのBという結果が話し手にとって意外だということを表す。「AもかまわずB」は、普通は気にするAを気にしないでBという表現。
　　　○　雨が降っているにもかかわらず、彼は出かけた。
　　　　　　　　　　　　　　　　　　　　　（出かけたことが意外）
　　　○　雨が降っているのもかまわず、彼は出かけた。
　　　　　　　　　　　　　　　　　　　（雨が降っていることを気にしないで）

接続1 ［動詞］＋の＋もかまわず
　　　［動詞ーテ形］もかまわず

[名詞①] ＋に＋もかまわず

A　もさることながら　B

意味1 確かにAも大切だが、Bのほうがより重要だ。
例文1 ①相手の気持ちもさることながら、まず君自身の気持ちが重要だ。
②結婚するには愛情もさることながら、経済力のある人を選ぶべきだ。
③科学の発見には、才能もさることながら、運の要素も大きいんですよ。
④用地買収もさることながら、まず周辺住民の同意を取り付けねば。

意味2 AよりもBのほうがもっと程度が進んでいる。
例文2 ①彼はディベート大会で論理もさることながら、気迫で相手を圧倒した。
②あの人の経験不足もさることながら、やる気のなさにはまいったよ。
③日本の夏は温度もさることながら、湿度も高くて過ごしにくい。
④あの店は料理もさることながら、サービスも行き届き、すばらしい。
接続1,2 [名詞①] もさることながら

A　もそこそこに　B
Aもそこそこにする

意味1 Aを十分せずに早めに切り上げてB。
例文1 ①絶好のスキー日和とあって、スキーヤーたちは朝食もそこそこにスキーを肩にゲレンデへと出て行った。
②寒かったので初日の出を拝むのもそこそこに山を下りた。
③引越し業者の到着が遅れたため、挨拶するのもそこそこにすぐ作業に取り掛かった。
④せっかくの旅行なのに、観光もそこそこに買い物に連れて行かれた。
注意1 ・「AもそこそこにB」のBには、する・済ます・終わらせるなどが省略されている。
　〇仕事もそこそこに（して／済ませて／終わらせて）、町へ出かけた。
接続1 [名詞①] もそこそこに

(意味2) まあまあ、まずまず。AはあるB程度のB。
(例文2) ①夏の暑さもそこそこに収まり、朝夕は涼しく感じるようになった。
②11月もそこそこに連休があるが、何といっても大型連休は4月末から5月のゴールデンウィークだ。
③彼の日本語もそこそこのものだね。
④特別なことは何もなかったが、夏休みもそこそこに充実していた。
(接続2) [名詞①] もそこそこに（の）

(意味3) 「Aもそこそこにする」の形で。Aもいい加減にやめろ、やめたほうがいいという表現。
(例文3) ①漫画を読むのもそこそこにしなさい。
②冗談もそこそこにしないと、痛い目にあうぞ。
③酒もそこそこにしたほうが体のためだ。
④君の嘘は聞き飽きた。もう嘘をつくのもそこそこにしろ。
(対比3) 「Aもほどほどにする」
意味は同じで置き換え可能。
(接続3) [動詞ール形] ＋の＋もそこそこにする
[名詞①] もそこそこにする

A　もの
Aもん

(意味1) ある状況がAを理由にしていることを述べる表現。
(例文1) ①「よくそんなに何時間も本を読んでいられるわね。」
「これ、おもしろいんだもの。」
②「どうして人参を食べないの？」「だって、嫌いなんだもん。」
③「これ、ほしくないの？」「私、同じものを持っているもの…。」
④あなたもやっと父親になったんだもの。しっかりしなければだめよ。
(注意1) ・女性や子どもの会話の文末によく使われる。
(接続1) [文] もの

A　もの　B

意味1 Aには話し手が多い、大きいと思う数値がきて、驚きの気持ちを表す。

例文1 ①彼は1年で1000万もの金を貯めたらしい。
②会場には5万人もの人が集まった。
③遭難した子どもは1週間もの間、何も食べずに生き延びた。
④この半年で3人もの大臣が職を辞した。

注意1 ・Aは数詞である。

対比1 「Aからある」（意味1　P.65）
「Aからある」は今、Aという状態があるという意味で、「AものB」は単にその数が多い、大きいと話し手が思っているという意味である。
　　○　1000万からある借金をどうやって返すのか。
　　○　1000万もの借金をどうやって返すのか。
　　○　彼は10時間もの手術に耐えた。
　　×　彼は10時間からある手術に耐えた。

接続1 [名詞①] もの

A　ものか
Aもんか／Aたものか／疑問詞＋Aものか／
Aてなるものか／A（が）ないものか

意味1 何があってもAしないこと、Aではないことを強調する。

例文1 ①あの店のサービスは最低だ。二度と行くものか。
②どんなにのどが渇いても、こんな汚い水、飲めるものか。
③あの人が犯人なもんか。私はずっと一緒にいたんだから。
④こんな料理がおいしいものですか。

注意1 ・男性の会話の文末に使うことが多い。会話では「もんか」の形になることもある。女性は「Aもの／もんですか」を使う。

対比1 「だれがAものか」「なにがAものか」
「だれがAものか」は文の主体が人のときのみ使える。「なにがAものか」は人とものの両方に使える。意味は「Aものか」と同じだが、さらに強調した表現。

○　だれがさびしいものか。
○　こんな料理、なにがおいしいものか。
○　あんな人になにがわかるものか。
「Aまい」（意味2　P.292）
「Aものか」（意味2,3　P.304）

接続1　[動詞ール形] ものか
　　　　[イ形容詞②] ものか
　　　　[ナ形容詞④⑤] ものか
　　　　[名詞⑦] ものか

意味2　「Aたものか」の形で。とてもひどくて（心情的に）Aできない。
例文2　①こんな流行後れの服、着られたものか。
　　　　②小学校時代の成績なんか、他人に見せられたものか。
　　　　③課長は歌が下手だ。聞けたものか。
　　　　④大阪の夏は暑い。クーラーなしで寝られるものか。
対比2　「Aものか」（意味1　P.304）
　　　　Aが動詞の可能の形の場合で、心情的にAができないという意味のときは、「ル形ものか」と「タ形ものか」は置き換え可能。
　　　　○　こんな趣味の悪い服、着られるものか。
　　　　○　こんな趣味の悪い服、着られたものか。
　　　　物理的にAができないという意味のときは「ル形ものか」しか使えない。
　　　　○　こんな小さい服、着られるものか。
　　　　×　こんな小さい服、着られたものか。
「Aものではない」（意味3　P.310）
接続2　[動詞ー可能のル形とタ形] ものか

意味3　「Aてなるものか」の形で。そのままにしていたらAになりそうな状態を阻止しようという強い意思を表す。
例文3　①あんな弱いチームに負けてなるものか。
　　　　②盗られてなるものかと、子犬はボールをくわえて走り出した。
　　　　③市長の勝手にさせてなるものかと、市民はリコール運動を起こした。
　　　　④150年続いたこの旅館を私の代でつぶしてなるものか。
対比3　「Aものか」（意味1　P.304）

「Aものか」はAないということの強調で、「Aてなるものか」はAを阻止しようという強い意志をあらわす。
- ○ 何度も注意したのに言うことを聞かない。彼のことなんか、もう知るものか。
- × 何度も注意したのに言うことを聞かない。彼のことなんか、もう知ってなるものか。

(接続3) [動詞ーテ形] なるものか

(意味4) Aだろうか。自信がないときに使う表現。
(例文4) ①ここで待っていていいものか。こんなに人通りが多ければ邪魔だろう。
②大学でこの専門を選んで、将来就職できるものか、心配だ。
③はたして、友達に嘘がつけるものか、よくわからない。
④本当にあの食品が汚染源なものか、調査の結果が待たれる。

対比4 「Aものかどうか」(意味2 P.307)
意味は同じ。「Aものかどうか」の略。

(接続4) [動詞] ものか
[イ形容詞②] ものか
[ナ形容詞④⑤] ものか
[名詞⑦] ものか

(意味5) 「Aないものか／Aがないものか」の形で。Aという状態になってほしい、したい、Aがほしいという意味。
(例文5) ①うちの店でももっといいサービスができないものか。
②野菜嫌いの子どもが何とか野菜を食べないものか、いろいろ料理を工夫しているのだが…。
③夫は残業続きだが、もう少し仕事を減らせないものか。
④健康的に痩せるいいダイエット方法がないものか。

(接続5) [動詞ーナイ形] ものか
[名詞①] がないものか

(意味6) 「疑問詞＋Aものか」の形で。疑問詞で表している事柄について、決めかねている、わからないという表現。
(例文6) ①挨拶ばかり続いて、一体いつ食事が始まるものか、見当がつかない。

②日本の結婚式にどんな服を着ていったらいいものか先生に聞いてみないとわからない。
③パーティーには何人集まるものか、どれほどの料理を用意したらいいものか、さっぱりわからない。
④どうやって犯人が忍び込んだものか、警察でもつかみかねていた。

注意6 ・「疑問詞＋か」の文と、文意は同じだが、「ものか」のほうが話し手の困惑やいらだちなどの感情を強く表現している。
○ どんな服を着ていったらいいか、聞いてみた。
○ どんな服を着ていったらいいものか、聞いてみた。

接続3 ［疑問詞］＋［動詞］ものか

意味7 「疑問詞（程度）＋Aものか」の形で。とてもAと程度の大きさを強調する表現。

例文7 ①この痛みがどれほどのものか、あなたにはわからないだろう。
②今回の地震の被害がいかにひどいものか、現地に来て確かめてみろ。
③彼女の愛情がどれだけ深いものか、今まで気づかなかった。
④ふるさとの祭りがどれほどにぎやかなものか、君に見せてあげたい。

注意7 ・「Aはいかがなものか」は慣用的表現で、話し手が現状Aに疑問を投げかけ、否定的にとらえていることを表す。
○ 中高生が深夜、コンビニに集まっている状況はいかがなものか。
・この疑問詞は程度を表すもの。

接続7 ［疑問詞］＋ものか
［疑問詞］＋［イ形容詞②］＋ものか
［疑問詞］＋［ナ形容詞④］＋ものか

A ものがある
Aだけのものがある

意味1 Aという価値や意味を表す部分がある。

例文1 ①彼女の成長ぶりには、目を見張るものがある。
②「この仕事、明日までにしなきゃならないんだって。」
「え～！ ちょっと、きついものがあるなぁ。」

③医学の進歩のためとはいえ、実験用動物の姿には哀れなものがある。
④この物語には多くの人に愛されてきただけのものがある。

接続1　[動詞ール形] ものがある
　　　　[動詞ーナイ形] ものがある
　　　　[動詞ール形] ＋だけの＋ものがある
　　　　[動詞ータ形] ＋だけ＋のものがある

A　ものかどうか

意味1　Aだろうか、Aではないだろうか。

例文1　①このままの勉強方法でいいものかどうか自信がない。
　　　　②英会話学校に申し込んでも、最後まで続けられるものかどうか…。
　　　　③彼の愛が純粋なものかどうかなんて、疑ったことがない。
　　　　④安全上、問題がないものかどうか調査してほしい。

接続1　[動詞ール形] ものかどうか
　　　　[イ形容詞②] ものかどうか
　　　　[ナ形容詞④] ものかどうか
　　　　[名詞①] が　ないものかどうか

意味2　まだしていないことAに対して、Aをしていいのか、しないほうがいいのか、思い悩んでいることを表す。

例文2　①彼を信じたものかどうか、結婚を目前に控えて気持ちが揺らいでいる。
　　　　②彼女に注意したものかどうか、決断できないでいる。
　　　　③この時期に株式投資をしたものかどうか、専門家の意見を聞きたい。
　　　　④忘れたものを取りにいったん家に戻ったものかどうか悩んだが、結局戻って遅刻してしまった。

対比2　「Aものか」（意味4　P.305）
　　　　「Aものかどうか」の「どうか」を略した形。「Aものか」と同じ意味。

接続2　[動詞ータ形] ものかどうか

A　ものだ

意味1 昔は何度もAした、Aだったことを、今はしなくなった感慨とともに懐かしむ表現。

例文1
①学生時代はよくこの道を歩いたものだ。
②昔はこの辺もにぎやかだったものです。
③ダイエットには何度も挑戦しては失敗したものですよ。
④あなたは子どものころ、よく泣きながら家に帰ってきたものよ。

対比1「Aっけ」(意味2　P.135)

接続1［動詞－タ形］ものだ

意味2 Aであることが自然ななりゆきだ。当然Aだと一般化する。

例文2
①そんなに怒るなよ。子どもは注射が嫌いなものだ。
②赤ん坊は泣くものだ。放っておけ。
③ふるさとというのは、なつかしいものだ。
④自分の間違いは誰でも認めたくないものだ。

接続2［動詞－ル形］ものだ
　　　　［動詞－ナイ形］ないものだ
　　　　［イ形容詞②］ものだ
　　　　［ナ形容詞④］ものだ

意味3 世間一般ではAが常識・当然のことだから、しなければならない、してはならないなどと、ある価値観を押しつける表現。

例文3
①食べたら片付けるものよ。
②男の子は泣かないものだ。
③人の家に行く時は、手土産の一つも提げていくものだ。
④悪いことをしたと思ったら、まず謝るものだ。

注意3・常識や当然のことでも、法律など話し手の価値観を表しているとはいえないものには使えない。
　　　　×　人を殺したら、捕まるものだ。

接続3［動詞－ル形］ものだ
　　　　［動詞－ナイ形］ないものだ

意味4 Aと強く感じていることを述べる。
例文4 ①よくここまで部屋を汚したものだね。
②死ぬまでに一度は富士山に登ってみたいものだ。
③便利なものですねぇ。携帯電話って。
④政治家にはもっと国民の生活を考えてほしいものだ。
対比4「Aことだ（Aこと）」(意味3　P.87)
接続4 [動詞] ものだ
　　　　 [イ形容詞②] ものだ
　　　　 [ナ形容詞④] ものだ

意味5 出来事の説明や推量を表し、ニュースや新聞記事によく使われる表現。
例文5 ①今回の調査は政府の要請を受けて行うものである。
②A社とB社の合併は業界再編に向けて規模の拡大を図ったものだ。
③犯人はA子さんの帰りをこの角で待っていたものに違いありません。
④この頭部の傷は争ったときにできたものと思われます。
接続5 [動詞] ものだ

意味6 Aぐらいの価値・意味があると大げさにいう表現。
例文6 ①ガンの薬が発明されれば、ノーベル賞ものだ。
②結婚式に招待した友達が過去の話を持ち出すのではないかと、冷や汗ものだった。
③新入社員なのに1日3件もの契約を取ってきたとは、表彰ものだね。
④顧客リストを間違って廃棄したのか。それは切腹ものだぞ。
接続6 [名詞①] ものだ

A　ものだから　B
AもんだからB

意味1 Aを理由にして、自分の行動の説明をする。自分の行動を正当化する、もってまわった言い方。
例文1 ①電気がついていなかったものだから、留守だと思ったよ。
②このクッキーはおいしいものだから、つい食べすぎてしまう。

③クレジットカードは便利なものだから、使いすぎて、いつも赤字だ。
④彼があんな変なことを言うもんだから、思わず笑ってしまった。

(接続1) ［動詞］ものだから
　　　　［イ形容詞①］ものだから
　　　　［ナ形容詞②］ものだから

A　ものではない
Aもんじゃない

(意味1) Aをしてはいけないということを一般論的に述べる。
(例文1) ①親友を裏切るものではない。
　　　　②子どもの頃から嘘をつくものではないと教えられた。
　　　　③親に対してそんな口を利くものではありません。
　　　　④そんなにあの人ばかり責めるものではない。

(意味2) Aないと、客観的に述べる。
(例文2) ①駐車場内の盗難や事故に関し、当社は一切の責任を負うものではない。
　　　　②法律といえども、普遍的なものではない。
　　　　③添乗員という仕事は人が考えるほど楽なもんじゃないよ。
　　　　④彼は簡単そうに言うが、実際は口で言うほど易しいものではない。

(接続1,2) ［動詞ール形］ものではない
　　　　　［イ形容詞②］ものではない
　　　　　［ナ形容詞④］ものではない

(意味3) とてもひどくてAできない。
(例文3) ①どれもこれもひどい作品で、見られたものではない。
　　　　②昨日の料理は塩辛くて食べられたもんじゃなかったわ。
　　　　③叔母が古いコートをくれたが、流行遅れで着られたものではない。
　　　　④こんな隙間風が入ってくるような家、住めたものじゃないよ。

(注意3) ・「捨てたものじゃない」は、それ程ひどくないという意味の慣用表現。
　　　　　○　おしゃれした妻を見ると、まんざら捨てたものじゃないなと思う。

(対比3) 「Aものか（Aたものか）」(意味2　P.304)

置き換え可能。「Aものか」のほうが多少、語気が強い感じがする。
接続3 [動詞ー可能のタ形] ものではない

A　ものなら　B
AものならBてみろ／AものならBてみたい

意味1 もしAが可能であればB。話し手は不可能だと思うAを望んでいる。

例文1
①若くて元気だった昔に戻れるものなら戻りたい。
②許されるものなら、今すぐにでも国の恋人に会いたい。
③みんなダイエットしたがっているが、私は太れるものなら太りたい。
④手術をして治るものなら、手術をしたほうがいいと思う。

意味2 「AものならBてみろ」の形で。相手が絶対Aできないと話し手が思い、それを挑発する表現。

例文2
①この問題を1分で解けるものなら解いてみろ。
②後輩には、先輩の真似ができるものならやってごらんと言っている。
③いつも違法駐車されている所に、止められるものなら止めてみろと植木鉢を並べた。
④いくら教えても命令を聞かないこの犬を訓練できるものならしてみろ。

接続1,2 [動詞ー可能] ものなら

A　ものの　B
AとはいうもののB

意味1 Aは認めるがAから予想できない、Aにつながらない結果、状態、事実がB。Aは事実、あるいは確実性の高い未来のこと。

例文1
①あの店は値段は安いものの、サービスは最低だ。
②雪男の存在は確認されなかったものの、足跡らしきものは発見できた。
③この会社の入社試験は、筆記は簡単なものの面接が難しいらしい。
④大学を卒業したとはいうものの、就職先が見つからない。

(注意1) ・「AもののB」のAに未来の出来事が来る場合、かなり確実性の高いものでなければ使えないが、「AとはいうもののB」は、Aという情報を得たが…という意味になり、確実性の低いものでも使える。
　　　　○　あした雨が降るとはいうものの、彼は釣りに行くとはりきっている。
　　　　×　あした雨が降るものの、彼は釣りに行くとはりきっている。
　　　　○　来月、出張が決まっているとはいうものの、父の容態が心配だ。
　　　　○　来月、出張が決まっているものの、父の容態が心配だ。

(対比1) 「AにもかかわらずB」(意味1　P.262)
　　　　「AとはいえB」(意味1　P.185)
　　　　「AといってもB」(意味1　P.160)
　　　　「AとはいいながらB」(意味1　P.183)
　　　　「AからといってB」(意味1　P.69)

(意味2) AとBを対比し、軽い逆接でつなぐ表現。話し手の言いたいことはB。
(例文2) ①彼女は子どもの頃、数学の成績は悪かったものの、国語はよかった。
　　　　②日本家屋は、夏は涼しいものの、冬は寒いという欠点がある。
　　　　③長女は活発なものの、次女は物静かだ。
　　　　④車に乗って行ったので、料理は食べたものの、酒は飲まなかった。
(注意2) ・AとBは入れ替えられるが話し手の言いたいことは変わる。
(接続1,2) [動詞] ものの
　　　　　[イ形容詞①] ものの
　　　　　[ナ形容詞②] ものの
　　　　　[名詞③④⑥] ものの
　　　　　[文] とはいうものの

A　や否(いな)や　B

(意味1) Aの直後、すぐに待ち構えたようにB。
(例文1) ①ドアを開けるや否や、犬が飛び出してきた。
　　　　②新曲が発売されるや否や、爆発的な売れ行きを示した。
　　　　③求人広告を出すや否や、応募が殺到した。
　　　　④仕事が終わるや否や、彼はかばんを抱えて飛び出していった。

(注意1) ・実際にはAとBに多少の時間差がある場合でも、話し手がA，Bの間隔が非常に短いと思えば使える。

対比1 「AかAないかのうちにB」(意味1　P.49)

AとBとの時間の関係が異なる。

○　試合が始まるや否や、球場は大歓声に包まれた。
　　　　　　　　　　　　　　　　　　（試合が始まってすぐ）
○　試合が始まるか始まらないかのうちに、球場は大歓声に包まれた。
　　　　　　　　　　　　（始まる前から大歓声に包まれている）

「AたとたんにB」(意味2　P.122)

置き換え可能。ただし、「AたとたんにB」はBに変化が起こったことに重点があるが、「Aや否やB」は時間差がないことに重点がある。

○　雨がやんだとたんに、気温が上がり始めた。
×　雨がやむや否や、気温が上がり始めた。

「AなりB」(意味2　P.203)

「AなりB」は、AのすぐあとにBという意味で、AとBに時間差がないことを述べている。「Aや否やB」は、Aの直後、待ち構えたようにBが起こることを表す

○　彼は立ち上がるなり、倒れた。
×　彼は立ち上がるや否や、倒れた。
○　人々は日付が変わるや否や、ボージョレー・ヌーヴォーの栓を抜いた。
×　人々は日付が変わるなり、ボージョレー・ヌーヴォーの栓を抜いた。

「Aが早いかB」(意味1　P.63)

(接続1) [動詞ール形] や否や

A　やら　B　やら
AのやらBのやら

(意味1) たくさんある中でAやBを例示する表現。

(例文1) ①作文やら読解やら宿題がいっぱいあって、何から手をつけたらいいのかわからない。

②彼は酒癖が悪くて、酒を飲んだら泣くやらわめくやら大変だ。

③部屋は掃除をしていないのかごみやら食べ残しやらが散乱していた。

　　　　④目の前で事故が起こり、けが人を運び出すやら、救急車を呼ぶやらで
　　　　　大騒ぎだった。
注意1　・AやBは話し手にとって嫌なもの、うっとうしいもの、面倒なものが
　　　　　多く使われる。
対比1　「Aとか（AとかBとか）」(意味4　P.165)
　　　　「AやらBやら」には話し手の「嫌だ」という感情が含まれているが、
　　　　「AとかBとか」は単なる例示である。
　　　　○　誕生日にはきれいな花とか欲しかった本とかをもらいました。
　　　　×　誕生日にはきれいな花やら欲しかった本やらをもらいました。
　　　　「AだのBだの」
　　　　話し手のA，Bに対する感情は「AやらBやら」より強いが意味は同じ。
　　　　「AだのBだの」は動詞にはつきにくい。
接続1　［動詞―ル形］やら［動詞―ル形］やら
　　　　［名詞①］やら［名詞①］やら

意味2　話し手の複雑な感情をAやBを例としてあげて表現する。
例文2　①20年ぶりの同窓会はうれしいやらなつかしいやら話は尽きなかった。
　　　　②彼が犯行に至った動機を聞いて可哀相（かわいそう）やら気の毒やら複雑な心境だ。
　　　　③話が面白すぎておかしいやらおなかが痛いやら大声で笑ったよ。
　　　　④信じていた人に裏切られたと知って悔しいやら腹が立つやら…。
接続2　｛動詞―ル形／イ形容詞②／ナ形容詞①｝やら｛動詞―ル形／イ形容詞②／ナ形容詞①｝やら

意味3　「AのやらBのやら」の形で。AかBかわからないことを表す。
例文3　①地図を忘れたので、右へ行くのやら左へ行くのやら見当がつかない。
　　　　②太っていてかわいいと言われ、喜んでいいのやら悲しんでいいのやら。
　　　　③海水浴場は、どこが浜辺やら海やらわからないぐらい人でいっぱいだ。
　　　　④彼は旅行に行きたいのやら行きたくないのやら、はっきりしない。
対比3　「AだのBだの」
　　　　「AだのBだの」はA，Bに相手の発話を引用して使うものであり、「A
　　　　やらBやら」とは意味が異なる。
　　　　○　あの人は行くだの行かないだのはっきりしない。

(「行く」と言ったり「行かない」と言ったりするのでわからない)
○ あの人は行くのやら行かないのやらはっきりしない。
(行くか行かないか知らない)

接続3) {動詞／イ形容詞①／ナ形容詞②／名詞①} (の)やら {動詞／イ形容詞①／ナ形容詞②／名詞①} (の)やら

注意2,3) ・意味2,3の接続の組み合わせは自由。

A　ゆえ　B
Aゆえ（に・の）B／Aがゆえ（に・の）B

意味1) AはBの理由である。

例文1) ①今週は月曜日が休日ゆえ、書籍の返却は火曜日にお願いします。
②子どもは純粋だといいますが、あれは無知ゆえの純粋さです。
③若さゆえの過ちだ。大目に見よう。
④三角形ABC相似、三角形DEF、ゆえに　B＝E。

接続1) [名詞①③④] ゆえ

意味2) 「Aがゆえ」の形で。Aという理由を強調し、だからBであるという表現。BをAという理由で正当化・特別視しようとする表現。

例文2) ①母が小言を言うのも、私のことを思うがゆえと有り難く聞いた。
②大金を持っているがゆえに、他人を信じられなくなることもある。
③彼らは物不足の時代を知らぬがゆえに物を大切にしない。
④すべてを知ることがいいとは限らない。知ったがゆえの苦しみもある。

注意2) ・「から」「ので」に比べ、古めかしい表現であり、日常会話ではあまり使わない。
×　おなかが空いたゆえ、ご飯を食べよう。

対比2) 「AこそB（AからこそB）」(意味5 P.84)
「AからこそB」のBは、マイナスの事態がつきにくいが、「AがゆえにB」のBには、そのような制限がない。

○ 長期欠席をしたがゆえに、授業についていけなくなった。
× 長期欠席をしたからこそ、授業についていけなくなった。
○ 君が来なかったがゆえに、楽しくなかった。
× 君が来なかったからこそ、楽しくなかった。

(接続2) [動詞] ＋が＋ゆえ

A1　ようが　A2　まいが　B
A1ようとA2まいとB／
A1かろう(が・と)　A2なかろう(が・と)　／
A1だろう(が・と)　A2でなかろう(が・と)

(意味1) AをしてもしなくてもAであってもなくても、結局はB。
(例文1) ①一度開封してしまったら、使おうが使うまいが、返品はできない。
②寮で夕食を食べようと食べまいと、寮費は一月3万円です。
③高かろうが、高くなかろうが、ほしいものはほしい。
④病気だろうが、なかろうが、仕事は休めない。
(注意1) ・イ形容詞、ナ形容詞、名詞のときは、A2が省略できる。
(接続1) [動詞－意向形] ようが　[動詞－ル形] まいが
　　　　[イ形容詞⑥] かろうが　[イ形容詞④] なかろうが
　　　　[ナ形容詞①] だろうが　[ナ形容詞⑪] なかろうが
　　　　[名詞①] だろうが　[名詞①] でなかろうが

(意味2) Aをしてもしなくても話し手には関係ないと、他者を突き放した言い方。
(例文2) ①先生に頼もうが頼むまいが君の自由だ。
②彼女が彼と結婚しようがしまいが、私には関係ないことだ。
③真実を話そうと話すまいと、あなた自身で決断することだ。
④人に迷惑をかけようとかけまいと君にとやかく言われることではない。
対比1,2 「AようがBようがC」(意味1　P.317)
(接続2) [動詞－意向形] ようが　[動詞－ル形] まいが

A　ようが　B　ようが　C
AようとBようとC

意味1 たとえAをしてもBをしても、結局はC。

例文1 ①高かろうが入手困難だろうが、私はあのバッグがほしいんです。
②こんなに道が込んでいるのでは、タクシーに乗ろうが、バスに乗ろうが遅れることは間違いない。
③君に貸す金なんかないよ。銀行で借りようが、アルバイトをしようが勝手にしたらいいじゃないか。
④有名だろうが、金持ちだろうが、常識のない人は嫌いだ。

対比1「A１ようがA２まいがB」(意味1　P.316)

Aという一つの事柄について、Aをしてもしなくても結果は同じBである。または、私には関係ないという意味であり、「AようがBようがC」とは、A,B二つの事柄を提出するかA一つの是非によるかの違いだけで、意味上の変わりはない。

○　あなたが大学へ行こうが、行くまいが、私には関係ないわ。
○　あなたが大学へ行こうが、やめようが、私には関係ない。

「疑問詞＋AようがB」(意味1　P.75)

「AようがBようがC」は具体的にAやBという例を挙げているが、「疑問詞＋AようがB」はAの程度や範囲を限定せず、すべてBだと述べている。

○　あなたがどこへ行こうが、私には関係ないわ。
○　あなたがフランスへ行こうが、国に帰ろうが私には関係ないわ。

「AなりBなり」(意味1　P.204)

接続1　［動詞－意向形］が　［動詞－意向形］が
　　　　　［イ形容詞⑥］かろうが　［イ形容詞⑥］かろうが
　　　　　［ナ形容詞①］だろうが　［ナ形容詞①］だろうが
　　　　　［名詞①］だろうが　［名詞①］だろうが

A　ようがない
Aようもない／Aようのない

意味1　（Aをしたくても）どのようにAをしたらいいかわからない、Aをする方法がわからないからできない。

例文1
①子供を失った彼女をどんな言葉で慰めたらいいのか。慰めようがないじゃないか。
②ストライキでJRも私鉄も止まっているのに、「来い」と言われても行きようがないよ。
③ひとりぼっちになり、言いようのない寂しさが私を襲った。
④いまさら悔やんでも、もうどうしようもないことだ。

注意1　・「どうしようもない」は「が／の」を使わない。

意味2　Aはずがないと確信を持って述べる表現。

例文2
①この道は簡単だから迷いようがない。
②これだけ丁寧な解説書があるのだから機械の苦手な私でもまちがいようがないだろう。
③この裁断機は安全に配慮されているので、怪我のしようがないと思うのだが…。
④カップ麺がうまく作れなかったなんて、どうしたんだ？　湯を入れるだけだから失敗しようがないと思うけど…。

接続1,2　[動詞－マス形] ようがない

A　ようではないか
Aようじゃないか／Aてもらおうでは（じゃ）ないか

意味1　目の前にいる人に対して、一緒にAをしようと先導したり、訴えたりする表現。

例文1
①みんなで一致団結し、この苦しい戦いを勝ち抜こうではないか。
②ここで話していても始まらない。部長に直訴しようじゃないか。
③いま諦めるのはまだ早い。もう一度頑張ってみようじゃないか。
④新しいゲームがどれくらいのものか、試してみようじゃないか。

意味2 相手の挑発を受け、それに応じるときの表現。

例文2 ①君があくまでそう言い張るのなら、試してみようじゃないか。
②その挑戦、受けて立とうじゃないか。
③言い分があるというなら、聞こうじゃないか。
④「君には無理だろう」「無理かどうかやってやろうじゃないか」

接続1,2 [動詞ー意向形] ではないか

意味3 「Aてもらおうでは（じゃ）ないか」の形で。相手を挑発する表現。

例文3 ①これ以上にいい考えがあるというなら、出してもらおうじゃないか。
②彼を説得できるというなら、お手並み拝見させてもらおうじゃないか。
③君が許可を出したんだから、責任を取ってもらおうじゃないか。
④この待遇に不満があるなら、やめてもらおうではないか。

接続3 [動詞ーテ形] もらおうでは（じゃ）ないか

（Xは）　A　ように　B
Aようだ／AようなB／Aようにする／Aようになる

意味1 BをAという表現を使って、例示する。

例文1 ①新幹線はレールの上を滑るように走りだした。
②今日はまるで春のような陽気ですね。
③風の音が泣いているようだ。
④一筆で書いたような細長い雲が浮かんでいる。

意味2 Aは例示ではなく、Bの一面を説明している。AはBということを示す。

例文2 ①大学院まで出たような人が、こんな事件を起こすなんて…。
②客が呼んでいるのに返事をしないような従業員は失格だ。
③観光地を走っているようなタクシーなのに、なぜ道を知らないのか。
④あなたのように働いていると、病気にならない？

対比2 「Aかのようだ」（意味2　P.62）

接続1,2 [動詞] ように
[名詞②] ように

意味3 AとおりにB。AとBと同じにB。

例文3 ①先生が発音するように発音してください。
②手術を受けて、以前のように元気になりたい。
③あなたに教えてもらったように作ったけど、おいしくできなかったわ。
④ここにはあなたが好きなように絵を書いてくださって結構です。

接続3 [動詞] ように
[イ形容詞④] ように
[名詞②] ように

意味4 たぶんAだ。Aだという断定を避ける表現。

例文4 ①私はもう彼は帰って来ないように感じました。
②会議で課長は確かそうおっしゃったように思います。
③その時は、わかったように思ったんですけど…。
④あそこに座っている人は、高校の同窓生のような気がする。名前を聞いてこよう。

注意4 ・「AようなことをB」はさらに断定を避けたいときに使う。
　　○　天気予報では雨が降るようなことを言っていましたよ。

対比4 「Aかのようだ」（意味1,2　P.62）

接続4 [動詞] ように
[名詞②] ように

意味5 AはBをするための目的・目標となる状態。

例文5 ①私はおじいさんによく聞こえるように、大声で話しました。
②落とさないように、しっかり持ってください。
③首が楽なように枕を低くした。
④子どもが寒くないようにセーターをもう1枚着せた。

対比5 「AためにB」（意味1　P.126）
Bをする目的がAであることは同じだが、「AためにB」のAは他動詞が多く、話し手の意志を表す。
　　○　大学に合格できるように、一生懸命頑張ります。
　　○　大学に合格するために、一生懸命頑張ります。
　　○　洗濯物がよく乾くように外に干しました。
　　○　洗濯物をよく乾かすために外に干しました。

(接続5) ［動詞－可能］ように
［動詞－自発（わかる・見える・聞こえる）］ように
［自動詞－ル形］ように
［自動詞－ナイ形］ないように
［イ形容詞③］ように
［ナ形容詞④］ように

(意味6) 間接的な命令。Aは命令する内容であり、Bは伝達手段。
(例文6) ①田中さんに明日ここに来るように言ってください。
②試験の時、話をしないように学生に注意しました。
③来週、本を持って来るように電話しておきます。
④もう二度と、こんなことをしないように。
(注意6) ・願いや祈りを表すときは「マス形＋ように」となる。
　　　○　大学に合格しますように。
　　　○　家族が健康でありますように。

(意味7) 「Aようにする」の形で。Aという努力をするという意味を表す。
(例文7) ①これから、あまりお酒を飲まないようにするつもりです。
②「教室では、日本語で話すようにしてください。」
　「はい、日本語で話すようにします。」
③もっと野菜を食べるようにしないと、体に悪いですよ。
④図書館では、大きい声でしゃべらないようにしましょう。
(接続6,7) ［動詞－ル形］ように
［動詞－ナイ形］ないように

(意味8) 「Aようになる」の形で。Aという状態への変化を表す。
(例文8) ①古い眼鏡を新しくしたら、黒板の字が見えるようになりました。
②市外の人でも今年からこの図書館を利用できるようになった。
③彼は最近、酒を飲むようになった。
④郊外に引っ越してから、車を運転するようになった。
(注意8) ・Aの動詞によって、意味が変わる。
　　　○　日本語の新聞を読むようになった。　　　　　　（習慣の変化）
　　　○　日本語の新聞が読めるようになった。　　　　　（能力の変化）

・ル形からナイ形への変化は「Ａないようになった」ではなく「Ａなくなった」という。
　○　この子は弟ができてから泣かなくなったね。

接続8　[動詞ール形] ように

　Ａ１　ようにも　Ａ２　ない

意味1　Ａをしたいと思ったが（何かの事情があって）できない。
例文1　①財布を落としてしまって、バスに乗ろうにも乗れなかった。
　　②毎日忙しくて、ゆっくり本を読もうにも読めない。
　　③駅がどこにあるかを聞こうにも、言葉が通じないので聞けなかった。
　　④仕事が山ほど残っていて、早く帰ろうにも帰れなかったんだ。

対比1　「Ａ１にＡ２ない」（意味1　P.210）
　「Ａ１にＡ２ない」は、心理的な事情でできないのであり、「ＡようにもＡない」は物理的に不可能という意味合いが強い。
　○　箸がなければ、ご飯を食べようにも食べられないじゃないか。
　×　箸がなければ、ご飯を食べるに食べられないじゃないか。
「Ａ１たくてもＡ２ない」（意味1　P.113）
　「Ａ１たくてもＡ２ない」は話し手はしたいと望んでいるができない。
　「Ａ１ようにもＡ２ない」はなんらかの事情で話し手自身も不可能なことを認めている。
　○　胃の手術をしたばかりだから、飲もうにも飲めない。
　　　　　　　　　　　　　　　　　　　　　　（体が受けつけない）
　○　胃の手術をしたばかりだから、飲みたくても飲めない。
　　　　　　　　　　　　　　　　　　　　　　（医者に止められている）
「ＡとしてもＢ（Ａ１ようとしてもＡ２ない）」（意味5　P.179）
接続1　[動詞ー意向形] にも [動詞ー可能] ない

A　ようによっては　B
Aようによる

意味1　Aのやり方次第でB。どのようにAかでBになる。

例文1　①原子力は平和利用ならよいが、使いようによっては恐ろしい兵器だ。
　　　　②彼の話は聞きようによっては嫌味とも取れる。
　　　　③いじめやセクハラは被害者の受け止めようによるといえる。
　　　　④高速道での運転は怖いというが、信号もないし歩行者もいないので、考えようによっては安全で走りやすいのだ。

接続1　[動詞ーマス形] ようによっては

A　ようものなら　B

意味1　Aは仮定であり、もしAをしたら、大変な結果Bになってしまう。

例文1　①テスト中にカンニングでもしようものなら、退学だ。
　　　　②社長に逆らおうものなら、会社をクビにされてしまう。
　　　　③門限を過ぎて帰ろうものなら、父に怒鳴りつけられたものだ。
　　　　④大雨が降ろうものなら、この山はたちまち崩れてしまうだろう。

意味2　Aという状態になれば、いつもすぐBと反応する、Bという状態になる。

例文2　①受験生のいる家では「滑る」という言葉を言おうものなら、家族全員の顔色が変わる。
　　　　②お婆ちゃんは孫がくしゃみでもしようものなら、すぐ厚着をさせる。
　　　　③女房は「大売出し」というチラシを目にしようものなら、財布を握り締めて飛んでいく。
　　　　④決められた日以外にごみを捨てようものなら、管理人がうるさい。

接続1,2　[動詞ー意向形] ものなら

A よりほかない
Aよりほか（に・は）ない／Aほか（に・は）Bない／
Aほか（は）ない

意味1 ただAだけ、Aという評価しかできない。

例文1 ①あの俳優の演技には、感服するよりほかない。
②母校の不祥事を知り、情けないというよりほかなかった。
③子どものいたずらを叱らなければならないのに、あまりのかわいさに笑うよりほかなかった。
④最近の露出過多のファッションは呆れるほかない。

対比1 「Aしかない」（意味1　P.104）
意味は同じだが、「Aしかない」の方がやや柔らかい表現。

接続1 ［動詞ール形］よりほかない

意味2 このような状態・状況では、A以外に方法がない、他の選択肢がない。

例文2 ①試験に落ちたのだから、あきらめるよりほかないじゃないか。
②あなたよりほかに頼める人がいないのです。
③この実験を成功させるためには、彼の力を借りるよりほかはない。
④合格するためにはあなたが努力するほかに方法がないんですよ。

対比2 「Aしかない」（意味2　P.105）
「Aよりほか（に）ない」は「Aしかない」と置き換え可能だが、「Aしかない」はAの存在に視点があり、Aだけだ、ほかにはなにもないという意味のため、「Aよりほか（に）ない」より意味範囲が広い。
○　財布の中には10円しかない。
×　財布の中には10円よりほかにない。

接続2 ［動詞ール形］よりほかない
［名詞①］よりほかない

A わ A わ
AわBわ（で）C

意味1 Aの程度や数量が驚くほどだ。どんどん、次々にA。

(例文1) ①サッカー会場の外にもサポーターがいるわいるわ、大騒ぎをしていた。
②みんな若いだけあって、食べるわ食べるわ、料理はすぐになくなった。
③彼は初めての曲がヒットするわするわで、たちまち売れっ子歌手だ。
④何でも聞いてくださいと言ったばかりに、会場から質問が出るわ出るわ、予定時間をオーバーしてしまった。

(注意1) ・する動詞の場合は、後ろは「する」だけになることが多い。

(接続1) [動詞ール形] わ [動詞ール形] わ

(意味2) 「AわBわ（で）C」の形で。Cの理由をAだしBだしと説明する表現。

(例文2) ①二日酔いで吐き気がするわ、頭痛がするわ、最悪の一日だった。
②小遣いをくれるわ、ほしいものを買ってくれるわで、おじいちゃんとおばあちゃんはとても優しい。
③バイト先でトイレ掃除をさせられたが、汚いわ、臭いわで、一日でやめてしまった。
④このパソコン、使い方が簡単だわ、便利だわ、今や私の仕事の必需品になっている。

(注意2) ・AとBの品詞は同じでなくてもよい。
○社長は厳しいわ、仕事はたくさんあるわ、嫌になってしまった。

(接続2)
$\left\{\begin{array}{l}[動詞ール形]\\ [イ形容詞②]\\ [ナ形容詞⑧]\end{array}\right\}$ わ $\left\{\begin{array}{l}[動詞ール形]\\ [イ形容詞②]\\ [ナ形容詞⑧]\end{array}\right\}$ わ

A　わけがない
Aわけはない／Aないわけがない／Aわけない

(意味1) 絶対にAということにはならない、Aをしない、Aではないだろうと Aを強く否定する推量表現。Aを否定するだけの確信がある。

(例文1) ①正直な彼がうそをつくわけがない。
②ABCもわからないのに、あの人が英語の先生のわけがないよ。
③痛いわけがないのに、大声で泣くな。
④彼の部屋は半年も掃除をしていないらしいから、きれいなわけがない。

対比1　「Aはずがない」（意味1　P.282）

Aを否定するだけの確信の度合いが、「Aはずがない」の方が少し弱いが、意味に違いはない。

○　こんなにいい天気なんだから、雨なんて降るはずがないと思うけれど、一応かさを持っていこう。

「わけがない」というだけの強い確信がないために、「はずがない」の方をよく使う。

「Aはずがない」（意味2　P.282）

「Aはずがない」は予測が外れた現実にも使えるが、「Aわけがない」は不自然。

○　今日は雨が降るはずがないのに降ってきた。

×　今日は雨が降るわけがないのに降ってきた。

「Aわけにはいかない」（意味1　P.330）

「Aわけもない」（意味1　P.331）

意味2　今の状態・事情では絶対Aない。

例文2　①試合に負けたのは当然だ。点を入れなければ勝てるわけないよ。
②年金保険料を一度も払ってなければ、もらえるわけはない。
③こんなに高いもの、私が買えるわけないでしょ。
④「遊びに行こうよ」
「明日テストなんだから、行けるわけないじゃない。」

接続1,2　［動詞］わけがない
［イ形容詞②⑤］わけがない
［ナ形容詞④⑤⑥］わけがない
［名詞②③⑥］わけがない

意味3　「Aないわけが（は）ない」の形で。「絶対にAだ」という強い確信をもって使う推量表現。

例文3　①大学生なのに、小学生の問題がわからないわけがない。
②飲まないと約束したが、酒好きの父なら忘年会で飲まないわけがない。
③妹がこんなに美人なのだから、姉も美しくないわけがないよ。
④恋人が作ってくれた料理だから、おいしくないわけがないよ。

対比3　「Aはずがない」（意味3　P.283）

絶対にAだという確信の度合いが、「AないはずがないJの方が少し弱

いが、意味は同じ。
- ○ 約束したんだから来ないはずがないと思うが、もう一度電話しよう。
- ○ 約束したんだから絶対来ないわけがない。

「Aわけにはいかない」(意味2　P.330)

(接続3)［動詞―ナイ形］ないわけがない
　　　　［イ形容詞③］わけがない
　　　　［ナ形容詞⑦］わけがない
　　　　［名詞④］わけがない

A　わけだ
Aわけ

(意味1)　事情・状況から考えると、Aという道理・結果が当然導き出される。

(例文1)　①彼がひどい事を言ったから、彼女が泣いたわけだ。
　　　　②一人1000円だと、5人で5000円になるわけだ。
　　　　③「これは本物のダイヤモンドよ。」「それで高いわけね。」
　　　　④みんな忙しいと言って、結局、だれも私を手伝ってくれないわけね。

(注意1)　・文脈によって、Aは話し手自身の納得や相手に対する確認などの機能を持つ。

対比1　「Aはず（だ）」

「Aはず（だ）」は話し手の推測・主観が強く出る表現であるため、「たぶん」などと共起する。
- ○ 一人1000円だと、5人で5000円になるわけだ。
　　　　　　　　　　　　(前件をもとに単純計算して後件となる)
- ○ 一人1000円だと、〈たぶん〉5人で5000円になるはずなのに、どうして5800円なの。
　　　　　　　(前件をもとに推測すると、後件になると考えられるのに…)

「Aわけだ」は事情から導き出される結論Aを示し、「Aはずだ」はまず現状Aがあり、事情を聞くと現状が当然と思えるという意味もある。
- ○ 患者：先生、痛いんですよ。
　　医者：痛いはずだ。レントゲン写真を見ると、骨が折れているよ。
- ○ 患者：先生、どうして痛みが取れないんでしょうか。

医者：骨が折れているから、痛いわけだよ。

「Aということだ」（意味2　P.153）
「Aということだ」はAという事柄だけをのべる表現であり、「Aというわけだ」はAという結論に至った事情も含めてのべる表現である。
　○　この英文の意味は「机の下に猫がいる」ということだ。
　×　この英文の意味は「机の下に猫がいる」というわけだな。

意味2　Aは話を進めるための前提。
例文2　①私は5歳からピアノを習っているわけだが、一度も楽しいと思ったことはない。
　　　②君には15万円の収入しかないわけだ。それで結婚して生活していくのは厳しいことだよ。
　　　③夏休みも今日で終わるわけだが、みんな宿題はできたのだろうか。
　　　④当店では伝統を重んじた料理を提供しているわけですが、同時に新しい味の追求も続けております。
接続1,2　［動詞］　わけだ
　　　　［イ形容詞①］　わけだ
　　　　［ナ形容詞②］　わけだ
　　　　［名詞①③④⑤⑥］＋という＋わけだ

意味3　名詞として「理由・事情・意味・内容」などの言葉と言い換えできる。
例文3　①あなたがなぜそんなことをしたかというわけを聞かせてください。
　　　②どんなわけがあっても、やっていいことと悪いことがある。
　　　③彼女の家は上流階級だから、私のところとはわけが違う。
　　　④あの人は話すたびに言うことが違う。本当にわけのわからない人だ。

A　わけではない

Aというわけではない／AわけではないがB／Aないわけではない

意味1　Aだという前提を否定する表現。Aはしないが、Aはないけれども。
例文1　①今年大学を受けるわけではないが、来年のために調べておきます。

②あの人のことが好きなわけではないが、なんとなく気になる。
③私は好き好んでこの仕事をしているわけではない。
④汗をかいていますが、暑いわけではないんです。

(注意1) ・意味が文脈によって「100％ではない」「ほんの一部だ」と変わる。
　　○　この問題はみんながわかるわけではない。
　　　　　　　　　　　　　　　　　　　　　　（100％の人がわかるのではない）
　　○　みんなが宝くじに当たるわけではない。
　　　　　　　　　　　　　　　　　　　　　　（当たる人はほんのわずか一部だ）

対比1 「Aない」
「Aわけではない」はAという前提を否定する表現だが、「Aない」は単純な否定。
　　○　「お父さんお元気ですか」
　　　　「それが…、病気というわけではないんですが、入院しているんです。」　（入院しているが、病気という範疇には入らない状態だ）
　　×　「お父さんお元気ですか」
　　　　「それが…、病気ではないんですが、入院しているんです。」

(接続1) [動詞] わけではない
　　　　[イ形容詞①] わけではない
　　　　[ナ形容詞②] わけではない
　　　　[名詞①] わけではない

意味2 「Aないわけではない」の形で。AはするけれどもAはあるけれども。「Aない」ということを否定し「Aだ」ということを述べている。

(例文2) ①パーティーに出席しないわけではないが、気が進まない。
②勉強していないわけではない。やり方がまずいだけだ。
③この料理はおいしくないというわけではないが、ちょっと辛いですね。
④君の気持ちもわからないわけではないが、私は承知できない。

(注意2) ・婉曲表現なので、はっきり肯定する文に比べて含みを持つ。
　　○　このテストは難しくないわけではないが、全員100点だった。
　　○　このテストは難しいが、全員100点だった。

(接続2) [動詞ーナイ形] ないわけではない
　　　　[イ形容詞③] わけではない
　　　　[ナ形容詞⑦] わけではない

[名詞④] わけではない

A　わけに（は）いかない
Aわけにもいかない／Aないわけに（は）いかない／Aのようなわけに（は）いかない

意味1 いろいろな事情があって、Aをすることができない。

例文1 ①社長が働いているのだから、社員が休んでいるわけにもいかない。
②今日は車を運転してきたので、酒を飲むわけにはいかないんだ。
③テストがあるので、今日の授業は休むわけにいかない。
④財布を忘れたが、取りに帰るわけにもいかないし、ちょっと貸してくれないか。

対比1「Aわけがない」（意味1　P.326）
「Aわけがない」は、絶対にAではないという話し手の強い確信を持った推量表現であるが、「Aわけにはいかない」は、Aをすることができないという話し手の判断を示す。
　○　助けたいが、助けるわけにはいかないんだ。
　×　助けたいが、助けるわけがないんだ。
　○　テストがあるから、休むわけにはいかない。　　（私は休めない）
　○　テストがあるから、休むわけがない。　　　　　（休まないだろう）

接続1 [動詞ール形] わけに（は）いかない

意味2「Aないわけにはいかない」の形で。Aをしたくないが、いろいろな事情があってするしかないという意味。

例文2 ①社長の命令だから、日曜日でも出社しないわけにはいかないんだ。
②約束したから、行かないわけにはいかない。
③嫌いな酒でも上司に勧められたら、飲まないわけにはいかない。
④彼女がせっかく作ってくれたんだから、おなかが一杯でも食べないわけにいかない。

対比2「Aわけがない（Aないわけがない）」（意味3　P.327）
「Aないわけがない」は絶対にAだという強い確信をもった推量表現であり、「Aないわけにはいかない」は、Aをしたくないがしなければな

らないという話し手の判断を示す。
○　秀才の彼女が合格しないわけがない。
×　秀才の彼女が合格しないわけにはいかない。

「Aざるをえない」(意味1　P.103)
「Aざるをえない」は、唯一Aしか方法がないので話し手の意志に関係なく自然の成り行きとしてAをしなければならないという切羽詰まった状況であり、「Aないわけにはいかない」は理性的にAするべきだと自らの意志で行動すると判断した表現。
○　借金が返せなくなり、倒産せざるをえなくなった。
×　借金が返せなくなり、倒産しないわけにはいかなくなった。

(接続2) [動詞ーナイ形]　ないわけにはいかない

(意味3)　「Aのようなわけにはいかない」の形で。Aのかわりはできない、Aと同じにはできないという意味。
(例文3)　①先生のようなわけにはいかないが、少しぐらいなら教えられるよ。
　　　　②日本人がレディーファーストを気取ってもスマートにできない。欧米人のようなわけにはいかないものだ。
　　　　③いくら景気がいいといっても、ボーナスの額は大企業のようなわけにはいかない。
　　　　④アウェー（敵地）での試合は、ホームのようなわけにはいかない。
(接続3) [名詞②]　ようなわけにはいかない

A　わけもない
わけもなくB

(意味1)　話し手が望む状態Aについて、どうせ駄目だろうという否定の推量表現。投げやりな気持ちやまだ未練が残っている気持ちを表すことが多い。
(例文1)　①嘆いてみても、彼が戻ってきてくれるわけもない。
　　　　②20年も前の話だ。今さら調べても真相が明らかになるわけもないよ。
　　　　③出来るわけもないのに、あんなに仕事を抱えてどうするつもりだろう。
　　　　④体力的に見て、彼に勝てるわけもないよ。
対比1　「Aわけがない」(意味1　P.326)

「Aわけがない」は、絶対Aにはならないだろうと、Aを強く否定する表現で、「Aわけもない」はどうせだめだろうという投げやりな気持ちが含まれる。
　　○　あんな大きい家に住んでいて、お金がないわけがない。
　　×　あんな大きい家に住んでいて、お金がないわけもない。

接続1　［動詞―ル形］わけもない

意味2　物理的にAは無理だ、できないという意味。
例文2　①最高裁の判決が覆るわけもないから、あきらめろ。
　　　　②買えるわけもないのに、住宅展示場へ行くのが楽しみだ。
　　　　③オリンピックに出られるわけもないのに、彼は練習に励んでいる。
　　　　④嘆いてみても、死んだ人が生き返るわけもないんだけど…。

対比2　「Aわけでもない」
　　　　意味は同じで「Aわけもない」から「Aわけでもない」への変換は可能。ただし、接続が違う。「Aわけもない」のAは自動詞、可能の形のみ。「Aわけでもない」は「動詞」「イ形容詞の普通体」「名詞＋の（という）」「ナ形容詞―な」に接続する。
　　○　見たわけでもないのに、見たようなことを言う。
　　×　見たわけもないのに、見たようなことを言う。

接続2　［動詞（自動詞・可能の形）―ル形］わけもない

意味3　「Aはわけもない（ことだ）」の形で。Aは簡単なこと。すぐにできてしまうこと。
例文3　①小学生に算数を教えるなど、私にはわけもないことだ。
　　　　②通訳の仕事をしていたら、こんな文を読むのはわけもないことだろう。
　　　　③子供を脅して金をとるなど、凶悪犯の彼にはわけもなくできただろう。
　　　　④フルマラソンを何度も経験しているから、5キロぐらいわけもないよ。

注意3　・会話の中では「わけない」の形でも使われる。

意味4　「わけもなくB」の形で。理由もなく、無性にB。
例文4　①この音楽を聞くと、わけもなく彼に会いたくなる。
　　　　②彼はわけもなく、突然怒りだすので私は嫌いだ。
　　　　③ときどき、わけもなく海が見たくなるときがある。

④あまりにも静かだったので、わけもなく大声を出してみたくなった。

A 割(わり)に B
A割(わり)にはB

意味1 Aから予想されることとBが合わない、あるいは、簡単に結びつかない。

例文1 ①交渉が難航した割に、契約条件は我が社に有利なようにできた。
②昨日の日曜日は、天気がよかった割には人出が少なかった。
③あの事件は新聞やテレビで盛んに報道される割に、一般の関心は薄い。
④病気の割には元気な声だ。

対比1 「AにしてはB」(意味1　P.233)

意味2 AとBを対比させ、バランスがとれていないことを表す。

例文2 ①値段の割においしくない。
②身長の割には体重が少ない。
③東京で評判がよかった割には、大阪では人気がなかった。
④兄が出世した割には、弟は目立たないサラリーマンだった。

対比2 「AとしてはB」(意味3　P.176)
「AとしてはB」はAそのものの評価をBで述べる。「A割にはB」は、AとBのバランスがとれていないときに使う。
　　×　立派な建物としては、家具が貧相だ。
　　○　立派な建物の割りには、家具が貧相だ。

接続1,2 [動詞] 割に
　　　　[イ形容詞①] 割に
　　　　[ナ形容詞②] 割に
　　　　[名詞②③④⑥] 割に

A を お い て B な い
AをおいてほかにないBはAをおいてない

意味1 唯一AだけがBである。唯一Aだけである。

(例文1) ①この仕事が任せられるのは、彼をおいてほかにない。
　　　　②私があの方に恩返しできるのは、いまをおいてない。
　　　　③犯人が被害者と接触できたのは、その時をおいてなかったはずだ。
　　　　④彼女をおいて、私が相談できる人はいない。
(接続1) [名詞①] をおいて

A を限りに B
Aの限り（に・を）B／Aのを限りにB

(意味1) Aの時点でBをする。Aという出来事でおしまいになる。
(例文1) ①今日を限りに店をやめさせていただきます。
　　　　②今回を限りに、当審議会は解散いたします。
　　　　③ギャンブルはあの時を限りにやめたんだ。
　　　　④資金援助を断ったのを限りに、我々の交流事業は終わった。
(対比1) 「Aを最後にB」（意味1　P.338）
　　　　「Aを限りにB」はAという終わりの時点に焦点を当てて述べている。
　　　　「Aを最後にB」は続くべきものが続かなくなるというニュアンス。
　　　　○　彼とは梅田で別れたのを最後に、連絡が途絶えた。
　　　　×　彼とは梅田で別れたのを限りに、連絡が途絶えた。
(接続1) [動詞ータ形] ＋の＋を限りに
　　　　[名詞①] を限りに

(意味2) Aの限度まで目一杯にB。
(例文2) ①応援団は声を限りに叫び続けている。
　　　　②力の限り、戦ったのだから悔いはない。
　　　　③我々は言葉の限りを尽くして、彼を説得した。
　　　　④彼は我が子に愛情の限りを注いだ。
(注意2) ・「Aを限りにB」は慣用的表現であり、「Aの限り（を）B」の形でよく使われる。
(接続2) [名詞①] を限りに

A をかねて B
AとBをかねる

意味1 Bをすることが目的であるが、それにはAというもうひとつの目的もある。AとBは同じ程度の重みを持った目的である。

例文1 ①留学中の娘に会うのをかねて、洋服の買い付けにフランスへ行った。
②父の見送りをかねて、新空港を見てきた。
③募金の結果報告をかねて、お礼にうかがった。
④失恋した彼を励ますのをかねて、今度パーティーをしようよ。

対比1　「AがてらB」（意味2　P.59）
　　　　「AかたがたB」（意味1　P.56）

接続1　［動詞ール形］＋の＋をかねて
　　　　［名詞①］をかねて

意味2 Aをすると自然にBという結果をもたらす。一石二鳥という意味。

例文2 ①新聞を読むと、日本語の勉強をかねて日本事情も理解できる。
②この料理の本は英語で書かれているので、英語の勉強をかねて、料理の作り方も覚えられる。
③人に何かを教える職業は、仕事をかねて自分自身の勉強にもなる。
④野菜中心の食事はダイエットをかねて健康な体の維持にもなる。

意味3 「AとBをかねる」の形で。
二つ以上の役目をする。二つ以上の目的がある。

例文3 ①彼はこの学校の理事長と校長をかねている。
②私の誕生日は12月24日なので、毎年クリスマスとかねて祝ってもらうので損をした気分だ。
③美容と健康をかねて、週に一度はテニスをしている。
④趣味と実益をかねて、お菓子づくりを人に教えている。

接続2,3　［名詞①］をかねて

A を皮切りに B
Aを皮切りとしてB／Aを皮切りにしてB

意味1 Aはひとつづきの出来事Bのはじめの部分を表す。

例文1 ①A大学入試を皮切りに、今年も受験シーズンに突入した。
②一部の県での公費不正使用発覚を皮切りに、全国の自治体の乱脈会計が明らかになった。
③北海道を皮切りとして、コンサートツアーが予定されている。
④彼は小学校時代の話を皮切りにして、延々5時間も身の上話を続けた。

対比1 「Aを最初にB」
「Aを最初にB」は順番を表す言葉であり、一続きのものでなくてもよいが、「Aを皮切りにB」はBが長く続くことのはじめの部分という意味。
　○　野菜を最初に煮てください。
　×　野菜を皮切りに煮てください。

接続1 ［名詞①］を皮切りに

A をきっかけに B
AがきっかけでB

意味1 Aを発端・始まりとしてB。Aが影響を与えてB。

例文1 ①去年の社内旅行をきっかけに、二人の交際が始まった。
②父は大病したのをきっかけに、毎年検診を受けるようになった。
③社長の逮捕がきっかけで、ずさんな経営が露呈した。
④姉は失恋がきっかけで、仕事にのめり込むようになった。

注意1 ・AとBの因果関係がはっきりしているものには使えない。
　×　古い刺身を食べたのがきっかけで、食中毒になった。
「きっかけ」は「手がかり・動機」という意味の名詞でもある。
　○　あなたが日本に留学しようと思ったきっかけを教えてください。
　○　彼と話をしたいがなかなかきっかけがつかめない。

対比1 「Aを契機にB」（意味1　P.337）

接続1 ［動詞ータ形］＋の＋をきっかけに
　　　　［名詞①］をきっかけに

> # A　を禁じえない

意味1　Aという感情を強く感じていることを、控えめに述べる表現。Aは感情を表す名詞である。

例文1　①彼女の生い立ちには、同情を禁じえない。
②彼が裏で不正を働いているのでは、という疑いを禁じえなかった。
③あなたの仕事ぶりには、正直なところ失望を禁じえません。
④我々は優秀な仲間を失ったことに、深い悲しみを禁じえません。

注意1　・硬い慣用的表現なので、すべての感情表現につくわけではない。主に悪い感情。

接続1　[名詞①] を禁じえない

> # A　を契機に　B
> ## Aを契機としてB

意味1　Aは人生や時代において節目となるような出来事で、Bはその後の変化。

例文1　①バブル崩壊を契機に、日本の経済は下降していった。
②大震災を契機に、地震に対する関心が高まった。
③彼女は結婚を契機に、会社をやめた。
④彼は引退を契機に、念願の牧場主になった。

対比1　「Aをきっかけにｂ」（意味1　P.336）
　「Aを契機にB」のAは、節目となるような大きな出来事を示すかたい表現。「AをきっかけにB」のAは、Bになった単なる発端、始まりを示し、会話などでよく使われる。
　○　ささいな食い違いをきっかけに、大喧嘩になった。
　×　ささいな食い違いを契機に、大喧嘩になった。

接続1　[名詞①] を契機に

> # A　をこめて　B

意味1　Aという感情・気持ちをいっぱい入れてB。

(例文1) ①このセーターは、私が真心をこめて編んだものです。
　　　　②平和の祈りをこめて、折り鶴を折った。
　　　　③きみに警告の意味をこめて、この言葉を贈ろう。
　　　　④気合いをこめて、瓦（かわら）を割った。
(注意1) ・「こめる」という動詞には「入れる・詰める」という意味もある。
　　　　○　彼はピストルに弾をこめた。
(接続1) [名詞①] をこめて

A　を最後（さいご）に　B

(意味1) Aのあとに今まで続いていたものが続かないでB。Bの状態になってからAはない。
(例文1) ①5月を最後に長年親しまれてきたA社のマークは消えることになる。
　　　　②このコンサートを最後に彼女は歌手を引退するそうだ。
　　　　③空港で別れたのを最後に彼の姿は見ていない。
　　　　④あの選手は今日の試合に出るのを最後に、解説者に転身するらしい。
(対比1) 「Aを限りにB」(意味1　P.334)
(接続1) [動詞―ル形／タ形]＋の＋を最後に
　　　　[名詞①] を最後に

A　をしりめに　B

(意味1) Aは関係ない、Aを横目で見るようにB。Aを相手にせずB。
(例文1) ①大手メーカーの苦戦をしりめに我が社はシェアの拡大に成功した。
　　　　②渦中の大臣は報道陣をしりめに、すばやく車に乗り込んだ。
　　　　③脱落していく選手をしりめに、彼は快調に走り続けた。
　　　　④料金所の渋滞をしりめに、ETCをつけた車は次々と通過していった。
(対比1) 「AをよそにB」(意味1　P.345)
(接続1) [名詞①] をしりめに

A を中心に B
Aを中心としたB／Aを中心としてB

意味1 Bの範囲の真ん中はA。

例文1
①キャンプ・ファイヤーを中心にみんなは集まり、語り明かした。
②伊豆大島を中心としたマグニチュード3.7の地震が発生した。
③午後からは山沿いを中心ににわか雨が降るでしょう。
④台風は鹿児島市を中心に、九州南部一帯に大きな被害をもたらした。

意味2 Aを重要・主な対象としてB。

例文2
①会議では伝染病の予防対策を中心に話し合いが行われた。
②彼は推理小説を中心に作家活動を行っている。
③あの学部に入りたいのなら、社会科を中心に勉強しなさい。
④若者を中心として新しい言葉が広まっていく。

接続1,2 ［名詞①］を中心に

A を通じて B

意味1 Aを仲介として、AによってB。

例文1
①その事件はニュースを通じて知りました。
②我々は世界各地の情報をインターネットを通じて瞬時に集められる。
③この研修を通じて、多くのことを学びとった。
④彼とはテニスを通じて知り合いました。

対比1 「Aを通してB」

「Aを通じてB」には「Aを通してB」と置き換え可能な文が多い。「通す」はある地点から別の地点への物の通過・移動という意味で、「通じる」は結ぶ・つながるという意味のため、情報などに多く使われる。

○ この商品は小売り業者を通して買った。
○ この商品は小売り業者を通じて知った。
○ 窓ガラスを通して光が射しこんでいる。
× 窓ガラスを通じて光が射しこんでいる。

また、「Aを通してB」はAをもとにBと判断するという意味もあるが、

「Aを通じてB」はAを使って（情報源として）Bするという意味である。
　○　若者言葉を通して、現代の若者の考えを知ることができる。
　×　若者言葉を通じて、現代の若者の考えを知ることができる。

意味2　Aの期間・範囲はずっと同じBという状況・状態。Aは一区切りの期間であり、それを一単位としている。

例文2　①この地方は年間を通じて、温暖な気候である。
　②彼の博愛の精神は、生涯を通じて変わることがなかった。
　③当社の住宅は四季を通じて、快適な生活をお約束します。
　④この作品全体を通じて、著者は平和の尊さを訴えている。

対比2　「Aを通してB」
「Aを通じてB」はAという一まとまりの期間、範囲はずっとBという状態が変わらない。「Aを通してB」はBをするのにAという期間の全部を費やしたという表現。
　○　夜を通して語り合った。
　×　夜を通じて語り合った。
　○　「秋の交通安全運動」は全国を通じて繰り広げられる。
　×　「秋の交通安全運動」は全国を通して繰り広げられる。
「AにわたってB」（意味1　P.265）

注意2　・「1」以外の数、例えば「6年を通じて」などは使えないが、「6年間の学生生活を通じて、一度も先生にほめられたことがない」など、その期間を限定する場合は使える。

接続1,2　［名詞①］を通じて

A　を問わず　B

意味1　Aについて、そのいずれの場合もBである。Aの中の一つ一つに話し手の視点がある。

例文1　①これは年齢を問わず、楽しめるスポーツだ。
　②警察は国民の安全を守るために昼夜を問わず働いている。
　③この奨学金は国籍を問わず、だれでも申し込むことができる。

④経験（の有無）を問わず、採用します。

(対比1)「Aにかかわらず B」(意味1,2　P.218)

「Aにかかわらず B」はAに関係なくBが成立するという意味で、話し手の述べたいことはB。「Aを問わず B」はAの範囲を限定しはっきりとした選択肢を出し、そのいずれの場合もBであるという意味。

○　男女を問わず、楽しめるスポーツだ。
×　男女にかかわらず、楽しめるスポーツだ。

「Aにかかわらず B」と「Aを問わず B」は、意味の重なる部分もある。

○　年齢にかかわらず、楽しめるスポーツ　　　（どんな年齢層の人も）
○　年齢を問わず、楽しめるスポーツ　　　　　（大人も子どもも）

(接続1) [名詞①] を問わず

A　をはじめ　B
AをはじめとするB

(意味1) Aを代表としてB。話し手はAをBの代表的な存在と認識した表現であり、Aを例示的に使うこともある。

(例文1) ①校長先生をはじめ、諸先生方にもよろしくお伝えください。
②田中氏をはじめとする視察団一行は、昨夜現地入りした。
③川端康成は「雪国」をはじめ、数多くの小説を書いた。
④かぼちゃをはじめ、緑黄色野菜は体にとてもいい。

(意味2) Aを示し、次にB，C…と示す。順番があるものを並列的に述べる。

(例文2) ①今日から九州をはじめ、中国、四国地方は梅雨に入りました。
②駅前第1ビルをはじめ、第2、第3ビルも空き室が目立っている。
③合唱コンクールにはA組をはじめ、C組、E組が出場予定です。
④政府は小学校をはじめ、中学、高校にも注意を呼び掛けた。

(接続1,2) [名詞①] をはじめ

A をめぐって B
AをめぐるB／Aめぐり

意味1 AはBを行うときの目的や中心テーマである。

例文1
①彼ら3人は、一人の女性をめぐって争った。
②遺産をめぐって、遺族同士の喧嘩が絶えない。
③動物界では縄張りをめぐって、雄同士が闘っている。
④新入社員の待遇をめぐって、意見の対立がある。

注意1 ・一般にBをする主体は複数存在している。
　○　この法案をめぐって、話し合いは続いた。
　×　この法案をめぐって、私は考えた。
　○　優勝カップをめぐって、8チームが争った。
　×　我がチームは、優勝カップをめぐって必死に闘った。
一つのテーマについての選択肢が複数存在し、それについて迷っている場合は、この限りではない。
　○　表現ひとつをめぐっても、首相は最後まで大きな抵抗を見せた。

対比1 「**AについてB**」（意味1　P.247）
AがBの目的ではなく、中心テーマになっている場合、「AをめぐってB」は「AについてB」で置き換えられる。

意味2 「Aをめぐって～／Aめぐりの～」の形で。
順々に色々な場所へ移動していくこと。

例文2
①彼は諸国をめぐって修業してくるといった。
②お坊さんが家々をめぐって托鉢している。
③心臓から押し出された血液は体内をめぐって、また心臓に戻ってくる。
④温泉めぐりの旅やお寺めぐりをしたい。

対比2 「**Aまわり**」
「Aめぐり」は娯楽的・自発的に行なうことに使われ、「Aまわり」は義務・責任などを伴うことに用いることが多い。
　○　会社をまわって、就職活動をする。　　○得意先まわり
　×　会社をめぐって、就職活動をする。　　×得意先めぐり

接続1,2 [名詞①] をめぐって

A をもって B
AをもってしてもB／AをもってすればB

意味1 Aという時点でB。

例文1 ①当店は改装のため、本日をもってしばらく休業いたします。
②以上をもちまして、本日の公演はすべて終了いたしました。
③4月1日をもって、君たちを正社員に採用する。
④運動会は校長の挨拶をもって、閉会となります。

注意1 ・主に相手に告知するときに使う、硬い表現である。

意味2 Aを使って（Aで）B。

例文2 ①商品の発送をもって、当選発表に代えさせていただきます。
②論文の提出をもって、試験のかわりとする。
③いかなる手段をもってしても、彼を捜し出す覚悟だ。
④彼の財力をもってすれば、企業買収など簡単なことだ。

注意2 ・やや古い表現で、現代の口語では使わない。
　　　　× 地下鉄をもって学校へ行く。

対比1,2　「AでもってB」

「AをもってB」と意味は同じだが、口語的な表現。単に「で」といえばすむところを、少しもったいをつけていう感じがある。この言い方では「地下鉄でもって学校へ行く」も言える。

意味3 Aとともに、Aという心の状態でB。

例文3 ①村人たちは満面の笑みをもって、我々を迎えてくれた。
②子どもたちはスター選手を尊敬の眼差しをもって見上げた。
③遺族は被告人を憎しみをもってにらみつけた。
④少女は恥じらいをもって少年に花束を差し出した。

対比3　「AとともにB」（意味3　P.182）

「AをもってB」はAの心の状態でB。「AとともにB」はAといっしょにB。「AをもってB」から「AとともにB」への置き換えは可能。
　　　○ 夫とともに会に出席する。
　　　× 夫をもって会に出席する。

意味4 Aを理由にB。

例文4 ①私、この度、老齢をもって会社の第一線から退くことになりました。
②買主は商品の瑕疵(かし)をもって、売買契約を破棄することができる。
③一身上の都合をもって、今月いっぱいで退社致します。
④体力の限界をもって、この競技から引退することにした。

意味5 「AをBと決める（断定する）」という意味を重々しく表現する。

例文5 ①食は中国をもって第一とする。
②茶道は千利休をもって祖となす。
③三カ月の課程をもって修了とす。
④人は何をもって幸せと感じるのか。

接続1～5 ［名詞①］をもって

A　をもとに　B
AをもとにしてB

意味1 AはBの基礎・土台。

例文1 ①これは事実をもとに書かれた小説である。
②警察は目撃者の情報をもとにして、犯人のモンタージュ写真を作った。
③彼は退職金をもとに商売を始めた。
④私は日本での経験をもとに、帰国後は両国のために働きたい。

接続1 ［名詞①］をもとに

A　をものともせず　B
AをものともせずにB

意味1 Bの障害となるAがあるが、それをあっさりと乗り越えて気にせずB。

例文1 ①悪天候をものともせず、救助隊は雪山に向かった。
②洪水の勢いは堤防などものともせずに、つき崩した。
③課長は部下たちの反対をものともせずに、自分の考えを押し通した。
④彼は向かい風などものともせずに、幅跳びの新記録を出した。

接続1　[名詞①] をものともせず

A　を余儀（よぎ）なくされる

意味1　意志に反して他に選択肢のない状況Aに追い込まれる。

例文1　①このままでは、相手の要求を飲むことを余儀なくされるぞ。
②怪我（けが）のため、出場辞退を余儀なくされた。
③長引く不況で、我が社も雇用調整を余儀なくされた。
④様々な災害により仮設住まいを余儀なくされる人々は多い。

対比1　「Aざるをえない」（意味1　P.103）
どちらもほかに選択肢がなく、意志に反して何かをしなければならないという意味だが、「Aを余儀なくされる」のほうが窮地に追いこまれるという状況に話し手の視点がある。
○　あれだけ頼まれれば、引き受けざるをえない。
×　あれだけ頼まれれば、引き受けることを余儀なくされた。

接続1　[動詞ール形] ＋こと＋を余儀なくされる
[動詞ーナイ形] ない＋こと＋を余儀なくされる
[名詞①] を余儀なくされる

A　をよそに　B

意味1　Aを無視するかのようにB。

例文1　①その場の騒然とした空気をよそに、講師は淡々と語り続けた。
②大規模な反対運動をよそに、核実験は行われた。
③忠告をよそに、危険水域で泳ぐ。
④同期生の華やかな活躍をよそに、彼は大学院に残り、研究を続けた。

対比1　「AをしりめにB」（意味1　P.338）
「AをしりめにB」はAという状況を横目で見ながら、自分は優位な位置に立つということがBにくる。「AをよそにB」のBは優位な位置に立つという意味でなくても使える。
○　受験勉強の追い込みに一生懸命な級友たちをしりめに、彼女は推薦

入試で楽々と合格した。
○ 受験勉強の追い込みに一生懸命な級友たちをよそに、彼女は推薦入試で楽々と合格した。

さらに、「AをよそにB」のAは他者からの心配・反対・期待・応援などが多い。
○ 忠告をよそに危険水域で泳いでいる。
× 忠告をしりめに危険水域で泳いでいる。

意味2 Aという状態とは対照的な状態B。
例文2 ①周囲の不安の声をよそに、本人はいたって強気でいる。
②加熱するファンの期待をよそに、チームの成績は下降していった。
③マスコミの興奮をよそに、選挙戦は静かに始まった。
④パソコン需要の低迷をよそに、携帯市場の活況は持続している。

接続1,2 ［動詞―ル形］＋の＋をよそに
［名詞①］をよそに

A んがために B
AんがためB／AんがためのB

意味1 Aを目的としてB。Aこそが話し手にとってBの唯一の目的だと強調している。

例文1 ①戦後の荒廃した日本で人々は生きんがために、どんなことでもしなければならなかった。
②参加することに意義があるオリンピックなのに、最近では勝たんがために薬の力を借りる選手までいる始末だ。
③入学試験に合格せんがための勉強など、つまらない。
④売らんがための過激な広告は排除されるべきだ。

注意1 ・Aを強調しているため、Bには「手段を選ばない」「普通ではしない」ということが来ることが多い。
○ 彼女はきれいにならんがために、整形手術までした。
× 彼女はきれいにならんがために、化粧をした。

対比1 「AんとしてB」（意味1　P.347）

「AんとしてB」はAをしようとして、そのためにBをするという意味であり、「AんがためにB」はBをするのはなぜかというと、それはAのためだとAを強調している。
○　私は彼に追いつかんとして、努力している。
（追いつくように努力している）
○　私は彼に追いつかんがために、努力している。
（追いつくことが努力をする唯一の目的である）
○　非常ベルを押さんとして、手をのばした。
×　非常ベルを押さんがために、手をのばした。
○　私はこんなつまらないことをせんがために、ここに来たのではない。
×　私はこんなつまらないことをせんとして、ここに来たのではない。
「AためにB」(意味1　P.126)

接続1　[動詞－ナイ形] んがために

A　んとして　B
AんとB／Aんとしている

意味1　AをしようとしてBという努力をした、AをしようとしたがBという結果になった。

例文1　①親に少しでも楽な暮らしをさせんとして、彼は一生懸命働いている。
②財宝を手に入れんとして、命を落とす冒険家もいる。
③株で大もうけをせんと、全財産を失ってしまった。
④新型ウィルスの蔓延を防がんとして、様々な対策がとられた。

対比1　「AようとB」
意味は同じだが、「AんとしてB」のAは簡単に達成できることではなく困難を伴うものであり、BにはAを達成するための普通では考えられないような過程が来る。
○　新車を買おうと、アルバイトをしている。
×　新車を買わんと（して）、アルバイトをしている。
「AんがためにB」(意味1　P.346)

意味2　「Aんとしている」の形で。今まさにAという状況・状態になる直前と

いう意味。
(例文2) ①この寺は開祖以来、700年を迎えんとしている。
②今、水平線のかなたに真っ赤な太陽が沈まんとしている。
③経済優先社会で、昔から受け継がれてきた伝統が消えんとしている。
④大波が港を呑(の)み込まんと打ち寄せてきた。
(対比2) 「Aようとしている」
意味は同じ。「Aんとしている」のほうが、硬い表現。
(接続1,2) [動詞ーナイ形] んとして

A　んばかりに　B
AんばかりのB／Aと言(い)わんばかりにB

(意味1) Aは「いまにも～しそうなほど」というBの程度や勢い・迫力を表す。
(例文1) ①「許してくれ」と彼は泣かんばかりに頼んだ。
②ろう人形の今にも動き出さんばかりの迫力に圧倒された。
③彼女のあふれんばかりの若さが、ぼくにはまぶしかった。
④今にも雨が降り出さんばかりの空模様だ。
(対比1) 「AとばかりにB」(意味1　P.187)
「AんばかりにB」は程度を表し、「AとばかりにB」は様子を表す。
×　彼はその料理を食べんばかりに舌なめずりをした。
○　彼はその料理を食べるぞとばかりに舌なめずりをした。

(意味2) 「Aと言わんばかりにB」の形で。
実際は言っていないが、Aと言っているかのようにB。
(例文2) ①ショーのイルカはありがとうと言わんばかりに頭を下げた。
②さあ、行こうと言わんばかりに犬は散歩ひもをくわえてきた。
③その話はするなと言わんばかりに上司は私をにらみつけた。
④赤ん坊はミルクがほしいと言わんばかりに、大声で泣いている。
(対比2) 「AとばかりにB」(意味1　P.187)
「AとばかりにB」は「Aと言わんばかりにB」の略で意味は同じ。
(接続1,2) [動詞ーナイ形] んばかりに

索　引

太字は基本、斜体は派生、細字は対比

あ
あいだに	40
あげく	**26**, 30, 38, 262
あげくが	*26*
あげくに	*26*, 117
あげる	267
あたり	**28**, *28*, 68, 81, 93, 248
あたりの	*28*
あっての	**30**
あまり	26, **30**
あまりに	*30*

い
いかんだ	*31*
いかんで	**31**
いかんでは	*31*
いかんにかかわらず	*31*
いかんによって	*31*
いかんによらず	*31*
いくら〜とはいえ	184
以上	**31**, 39, 51, 52, 70, 147
以上だ	65
以上は	*31*
一方	**33**, 57, 286
一方だ	**34**, 274, 276
一方で	*33, 34*
一方の	*34*
いまひとつ	**35**
いまひとつ〜ない	**35**
以来	**35**, 142

う
うえ	*36, 38*
うえで	**36**, 100, 107, 212
うえでは	*36*
うえに	27, **38**, 227
うえは	31, **39**, 70, 147
うちに	**39**
うちに入らない	**42**
うちは	40
うる	**43**

え
えない	*43*
える	**43**

お
おかげだ	*44*
おかげで	**44**, 110
おきに	**45**, 92
おそれがある	**46**
おなじ〜なら	**47**
折り	*47*
折りに	**47**, 100
折りには	*47*

か
が〜だから	**49**, 299
が〜だから〜も	*49*
が〜だと	*49*
が〜だと〜も	*49*
か〜ないかのうちに	**48**, 63, 122, 313
がいうには	215
かえって	**50**
かかる	54
がきっかけで	*336*
かぎり	32, **51**, *53*, 70, 120, 221
かぎりだ	*51*, **53**
かぎりで	*51*
かぎりの	*53*
かぎりは	*51*
かける	**53**, 116
がごとき	*85*
がたい	**55**, 225
かたがた	**55**, 335
がために	**56**, 127, 280
がための	*56*
かたわら	33, **57**, 195
がちだ	**57**, 72, 75, 138
がちに	*57*
がちの	*57*
がてら	**58**, 132, 335
かどうかはいざしらず	*201*
かと思いきや	*162*
かと思うと	**60**, 121
かと思ったら	*60*
がないものか	*303*
かなんか	*206*
かねない	**61**
かねる	**61**
かのようだ	**62**, 319, 320
かのような	*62*
かのように	*62*
かはさておき	*280*
が早いか	49, **63**, 122, 313
がまま	*295*
がゆえ	*315*
がゆえに	*315*
がゆえの	*315*
から〜にかけて	**64**, 64
から〜にかけての	*64*
から〜まで	**64**, 64
からある	**65**, 303
からいうと	**66**, 68, 71
からいって	*66*
からいる	**65**
からいわせれば	*215*
からこそ	**82**, 82, 83, 315
からしたら	*68*
からして	**67**, 68
からすら	*109*

からする	65		こそすれ～ない	82
からすると	29, 66, 67, **68**, 71		こそなれ～ない	82
からすれば	68		こと	86, 309
からといって	**69**, 161, 180, 312		ことから	84
からとて	69		ごとき	85
からとて～ない	179		ごときに	85
からには	32, 39, 51, 52, **69**, 146		ごとく	85
からにほかならない	259		ことこそ	82, 82
からの	65		ごとし	85
からは	69		ことだ	**86**, 86
からみて	70		ことだから	86, **88**
からみても	70		ことだし	88
からみると	66, 68, **70**, 235		ことで	84
からみれば	70		こととて	179
かろうが～なかろうが	316		ことなく	**89**, 90
かろうと～なかろうと	316		ことなしに	89, **89**, 197, 199
かわりに	71		ことに	**90**
がわりに	71		ごとに	28, 46, **91**, 125
き			ことにきまっている	224
きって	76		ことにしている	93
きどり	**72**		ことにする	**93**, 94
きどりで	72		ことになる	93, **94**, 94, 95
ぎみだ	58, **72**		ことには	90
ぎみで	72		ことは	**95**, 159, 192, 255
ぎみの	72		ことはある	96
疑問詞かはいざしらず	201		ことはない	**96**, 191, 294
疑問詞からともなく	189		こともない	96, 191
疑問詞ことか	**73**, 74		こむ	267
疑問詞でも	75		これといった～はない	97
疑問詞でもなく	147		これといって～はない	**97**
疑問詞にともなく	189		**さ**	
疑問詞へともなく	189		さ	**97**, 297
疑問詞ものか	303		際	99
疑問詞やら	73, 74, **74**		最中（さいちゅう）に	**98**
疑問詞ようが	**75**, 317		際に	37, 47, **99**, 229
疑問詞ようと	75		際は	99
疑問詞ようとも	**75**, 75		さえ	**100**, 109, 123
逆に	50		さえ～たら	102
きらいがある	58, **75**		さえ～ば	102
きる	**76**, 133, 266		さえしない	100
きわまりない	**77**, 270		さえすれば	102
きわまる	77		最中（さなか）に	**98**
く			さらに	38
くさい	**78**, 138		ざるをえない	**103**, 108, 109, 331, 345
くせに	**78**		**し**	
くらい（ぐらい）	**79**, 29, 276, 289, 290		しかない	**104**, 324
くらい（ぐらい）～はない	79		しかも	38
くらい（ぐらい）だ	79		次第	**105**
くらい（ぐらい）なら	79		次第だ	**105**, 106
け			しまつだ	**106**
げだ	**81**		じゃあるまいか	292
結果	26		じゃあるまいし	145
げな	81		上	38, **107**
げに	81		しようと思えばできる	139
こ			**す**	
こそ	**82**		数詞ばかり	81, **276**, 290
こそあれ～ない	82		数詞ほど	81, 289

ずくめ	**107**, 129
ずじまい	**108**
ずにいられない	103, 104, **108**, 193
ずにはいられない	108
ずにはおかない	192
ずにはすまない	193
すら	100, **109**, 123

せ

せいか	110
せいで	44, **110**, 126

そ

そういえば	157
そうだ	81, 152, 164
そのうえ	38
そばから	**110**
それに比べて〜は	226, 258
それにしても	235, 249
それに対して	244, 258
それにつけても	249
それにひきかえ	257
それにもまして	263

た

たあまり	30
た勢いで	123
たが最後	**111**
たきり〜ない	**112**, 137, 204
たきりだ	**112**, 296
たくても〜ない	**112**, 210, 322
たくとも〜ない	112
だけあって	**113**, 115, 150
だけだ	294
だけでなく	221, 227, 251
だけではない	219
だけに	113, 114, **114**, 150, 280
だけのことはある	113
だけのものがある	306
たことがない	118
たことになる	94
だす	54, **115**
た末	26, 27, **116**
た末に	116
ただ〜だけだ	117
ただ〜のみ	117
ただ〜のみだ	117
たためしがない	118
たとえ〜だとしても	118
たとえ〜ても	**118**
たとえ〜としても	118
たとえ〜ようとも	118
たところ	52, **119**, 123, 275
たところで	**120**, 172, 185
たところでは	119
たとたん	121
たとたんに	49, 60, 63, **121**, 124, 181, 203, 313
だに	101, 110, **122**
だの〜だの	314
たばかり	273

たはずみで	123
たはずみに	119, 121, **123**
たびごとに	124
たびに	91, **124**, 249
ため	126
ために	56, 110, **126**, 288, 320, 347
たものか	303, 310
たら	173
たら、とたんに	122
たら〜たで	**127**, 201
だらけ	107, **128**, 296
たら最後	111
たらそれまでだ	283
たりとも〜ない	**129**
たる	**129**
たるもの	129
たるや	**130**, 158, 160
だれが〜ものか	303
だろうが〜でなかろうが	316
だろうと〜でなかろうと	316

ち

ちゃ〜、ちゃ〜	144
ちょっとした	**131**

つ

つ〜つ	**131**
ついでに	59, **132**
っきり	**132**
つくし	**133**
づくし	108
つくす	76, **133**, 267
つくせない	133
っけ	**134**, 308
づけ	**133**, 297
っこない	**135**
ったらない	160
つつ	**135**, 195
つつある	**136**
つづける	268
つつも	135
ってものだ	154
っぱなし	**137**, 296
っぱなしで	112, 137
っぷり	286
っぽい	58, 78, **138**
っぽく	138

て

て	195, 296
て〜て〜まくる	292
て〜ないことはない	**139**
て〜ないこともない	139
て〜ないこともないが〜	139
であれ〜であれ	140, 152, 162, 239
ている	136
てから	36, 141
てからでないと	**141**
てからというもの	35, **141**
てからというものは	141

てこそ	*82*, **82**, **83**
でさえ	*100*
でしかない	*104*
てしょうがない	**142**, **143**, **144**, **149**
ですら	*109*
てたまらない	**142**, **143**, **149**
でなくてなんだろう	*146*
てならない	**142**, **144**, **149**
てなるものか	*303*
ては〜、ては〜	**144**, *144*
ではあるまいか	*292*
ではあるまいし	**145**
てはかなわない	**145**
てばかり	**35**, *273*
てばかりもいられない	*273*
てはじめて	**145**
てはじめての	*145*
てはたまらない	**143**, **145**
ではなくてなんだろう	**146**
てまえ	**31**, **39**, **70**, **146**
ても〜ても	*240*
てもかまわず	*300*
でもって	*343*
でもなく	**147**, *189*
でもなしに	*147*
てもらおうじゃないか	*318*
てもらおうではないか	*318*
てやまない	**142**, **143**, **144**, **148**
と	
と〜があいまって	**149**
と〜をかねる	*335*
とあって	**114**, **115**, **149**, **151**
とあっては	**150**, **151**, *213*
といい〜といい	**140**, **151**, *162*
といいながら	*184*
という	*152*
ということだ	**152**, **155**, **164**, *328*
というしまつだ	**106**, *106*
というところだ	**153**
というものだ	**153**, **154**
というものではない	**155**
というものでもない	*155*
というより〜だ	**155**
というわけではない	*328*
といえども	**156**, *161*, *185*
といえば	**157**, *159*, *166*
といえば〜が	*157*
といったところだ	*153*
といったところで	*120*
といったら	**96**, **130**, **157**, **158**, *158*
といったら〜が	*158*
といったらありゃしない	*160*
といったらない	**130**, **160**
といっても	**69**, **156**, **160**, *185*, *312*
といわず〜といわず	**141**, *152*, **161**
と言わんばかりに	*348*
とおす	*267*

と思いきや	**162**
と思うと	*60*
とおり	*163*, *295*
どおり	*163*
とおりに	**163**
どおりに	*163*
とか	*153*, **164**
とか〜とか	*164*, *204*, *314*
と聞いては	*151*
ときたら	*157*, **165**
時に	**48**, *100*
ところ	**166**
どころか	*167*, *170*
どころか〜まで	*167*
どころか〜も	**167**, *273*, *277*, *279*
どころじゃない	*170*
ところだ	**169**
ところで	*166*
どころではない	**169**, **170**, *209*, *272*
ところとなった	**171**
ところに	*166*
ところによって	*171*
ところによる	*171*
ところによると	**171**, *264*
ところによれば	*171*
どころの騒ぎではない	*170*
ところへ	*166*
ところを	*166*
とさえ	*100*
とした	*174*
としたって	*172*
としたところで	*120*, **172**
としたら	**173**
と知っては	*151*
として	*174*, *176*
としては	**176**, *205*, *233*, *333*
としても	**177**, *180*, *237*, *238*
とすら	*109*
とする	*174*
とすれば	*173*
途中に	*98*
とて	**69**, *177*, **179**
とて〜ない	*179*
とともに	*121*, **181**, *230*, *231*, *250*, *252*, *343*
となると	*189*, *190*
とは	**183**
とはいいながら	**183**, *312*
とはいうものの	**69**, *160*, *183*, *185*, *262*, *311*
とはいえ	*120*, *156*, *161*, **184**, *262*, *312*
とは言えない	*42*
とはかぎらない	**186**
とばかりに	**187**, *348*
とばかりはいえない	**188**
とも〜ともいえない	*188*
とも〜ともつかない	**188**
ともなく	*147*, **189**
ともなしに	*189*

ともなると	**189**
ともなれば	*189*

な

ない	*329*
ない以上	*31*
ないうちに	*39*
ないこととて	*179*
ないことには	*191*
ないことには〜ない	**191**
ないことはない	95, 96, **191**
ないこともないが	*191*
ないではいられない	*108*
ないではおかない	**192**, *193*
ないではすまない	109, *192*, **193**
ないでもない	*194*
ないとはかぎらない	*186*
ないともかぎらない	*186*
ないなら〜ないで	*201*
ないはずがない	*282*
ないまでも	**194**
ないものか	*303*
ないものでもない	**194**
ないわけがない	*325*, 330
ないわけではない	*328*
ないわけにいかない	*330*
ないわけにはいかない	*330*
なかで	*42*
ながら	57, 135, **195**, 296
ながらに	*195*
ながらの	*195*
ながらも	*195*
なくして	**197**, 199
なくして〜ない	*197*
なくしては	*197*
なければならない	*103*
なしで	90, **197**, *199*, *266*
なしでは〜ない	*197*
なしに	90, 197, *198*, **198**, *266*
なしには〜ない	*198*
など	**200**, *207*, *208*
などの	*200*
なにが〜ものか	*303*
なにかにつけ	*249*
なみ	**201**
なみに	*201*
なみの	*201*
なら〜で	128, **201**
ならいざしらず	*201*
ならではの	**202**
ならともかく	*284*
なり	112, 121, 122, **203**, *296*, 313
なり〜なり	165, **204**, *317*
なりに	176, 177, **205**
なりの	*205*
なんか	**200**, **206**, *209*
なんか〜	**206**
なんて	*200*, *207*, **208**
なんて〜	**207**
なんてものではない	170, **209**
なんてもんじゃない	*209*
なんと〜	*207*

に

に〜ない	113, 179, **210**, *322*
に〜もなにもあったものではない	**210**
に〜もなにもない	*210*
にあたって	*212*
にあたっての	*212*
にあたらない	**211**, *254*
にあたり	37, **212**, *216*, *229*, *253*
にあって	*213*
にあっては	151, **213**, *216*
に至って	*214*
に至っては	*214*
に至っても	*214*
に至る	**214**
に至るまで	*214*
にいわせれば	**215**, *235*
において	*212*, **215**, *222*, *224*
においては	*213*, *215*
においても	*215*
に応じて	**217**, *265*
にかかったら	*217*
にかかっては	*217*
にかかわらず	**218**, *262*, *341*
にかかわる	**219**, *219*, *224*
に限ったことではない	**219**, *221*
に限って	**220**
に限っては	*220*
に限らず	220, **221**, *270*
に限り	52, **221**
にかけては	216, **222**, *224*
にかたくない	**222**
にかわって	*223*
にかわり	**223**
に関して	216, 219, 222, **223**, 244, 247
に関する	*223*
にきまっている	**224**
にくい	55, **225**, *225*
に比べて〜は	**226**, *244*, *257*
にくわえ	*227*
にくわえて	38, **227**
に越したことはない	**228**
にこそ	*82*
にこたえて	**228**, *243*
にこたえる	*228*
に際し	*229*
に際して	99, *212*, **229**, *253*
にさえ	*100*
に先立ち	*230*
に先立つ	*230*
に先立って	**230**
にしたがい	*230*
にしたがって	181, 182, **230**, *243*, *250*, *252*
にしたって	*235*

にしたところで	*172*	にもかまわず	*300*
にして	**231**	に基づいて	**263**, *264*
にしては	*176*, **233**, *236*, *333*	に基づき	*263*
にしてみれば	*71*, *215*, **234**	にもまして	*263*
にしても	*177*, *178*, *234*, **235**, *240*, *251*	によって	*172*, *217*, *263*, **264**
にしても〜にしても	*140*, *237*, **239**	によっては	*264*
にしのびない	**240**, *245*	による	*264*
にしろ〜にしろ	*239*	によると	*264*
にすぎない	**241**, *241*, *259*	によれば	*264*
にすら	*109*	にわたった	*265*
にせよ〜にせよ	*239*	にわたって	**265**, *340*
に相違ない	**241**, *246*	にわたり	*265*
に即した	*242*	にわたる	*265*
に即して	**242**, *243*	**ぬ**	
にそった	*242*	ぬいた	*266*
にそって	*229*, *231*, *242*, **242**, *261*	ぬきで	*198*, *199*, **265**
に対して	*223*, *226*, **244**, *247*, *248*, *256*, *258*, *260*	ぬきでは〜ない	*265*
に対する	*244*	ぬきにして	*265*
にたえない	*240*, **245**, *245*	ぬきの	*265*
にたえる	*245*	ぬく	*76*, *133*, **266**
にだに	*122*	ぬこととて	*179*
に足る	**245**	**の**	
に違いない	*241*, **246**, *256*	の〜ないのって	**268**
について	*223*, *244*, **247**, *248*, *342*	の〜ないのの	**268**
についての	*247*	のあまり	*30*
については	*247*	の至り	**269**
につき	*28*, *245*, *247*, **247**	の限り	*334*
につけ	*124*, *236*, **249**	の限りに	*334*
につけ〜につけ	*249*	の限りを	*334*
につけても	*249*	のきわみ	*77*, **269**
につれて	*181*, *231*, **250**, *252*, *291*	の結果	*26*, *117*
にとって	**251**	のことだ	*86*, *88*, *152*
にとっては	*251*	の末	*116*
にとっても	*237*, *251*	の末に	*116*
にとどまらず	**251**, *277*	の名のもとで	*270*
にともない	*252*	の名のもとに	*270*
にともなう	*252*	のに	*79*, *262*, *271*
にともなって	*182*, *230*, *250*, **252**, *291*	のまま	*295*
になると	*190*	のみならず	*221*, **270**
に臨み	*253*	のもとで	**270**
に臨んだ	*253*	のやら〜のやら	*313*
に臨んで	*212*, *229*, **253**, *261*	のようなわけにいかない	*330*
にはあたらない	*211*	のようなわけにはいかない	*330*
にはおよばない	*211*, **254**	のを限りに	*334*
には違いない	*95*, *246*, **255**	**は**	
には違いないが	*255*	は	*95*
に反し	*256*	は〜が	*95*
に反した	*256*	は〜しかない	*104*
に反して	*244*, **256**	は〜とあいまって	*149*
にひきかえ	*226*, *227*, *244*, **257**	は〜として	*174*
にほかならない	*241*, **259**	は〜ならではだ	*202*
に間違いない	*241*	ば〜ほど	*291*
に向かって	*244*, **259**, *261*	ば〜ものを	**271**
に面した	*261*	は〜をおいてない	*333*
に面して	*242*, *253*, *260*, **261**	場合じゃない	*271*
にもおよばない	*254*	場合ではない	*171*, **271**
にもかかわらず	*27*, *184*, *218*, **262**, *300*, *312*	は言うにおよばず	*285*

はいざしらず	*201*	ぽっきり	*132*
はいなめない	**272**	ほど	79, 274, 276, **289**, *291*
はおろか	168, 169, **272**, 277, 279	ほど〜ない	81, *289*
はおろか〜さえ	*272*	ほどでもない	*254*
はおろか〜すら	*272*	ほどに	250, 252, **291**
ばかり	34, 166, **273**, 274, 275, 294	ほどの	*289*
ばかりが〜ではない	**278**, 278	**ま**	
ばかりか〜まで	*277*	まい	**292**, 304
ばかりか〜も	168, 251, 273, **277**, 279	まえに	40, 41
ばかりしていないで	*279*	まくる	**292**
ばかりだ	*273*	まじき	**293**
ばかりで〜ない	278, **278**	までだ	274, **293**
ばかりでなく	168, 273, 277, **279**	までのことだ	*293*
ばかりに	56, 114, **280**	までもない	96, **294**
ばかりの	*273*, 289	までもなく	*294*
ばこそ	82, 84	まま	112, 137, 163, 195, 204, **295**, *295*
はさておいて	*280*	まみれ	129, 134, **296**
はさておき	**280**, 284	まわり	*342*
はじめる	54, 116	**み**	
はず	*327*	み	98, **297**
はずがない	**282**, 325, 326	**む**	
はずのない	*282*	向きだ	*298*
はずはない	*282*	向きの	**298**, 298
ばそれまでだ	**283**	向け	**298**
ばっかり	*273*	向けに	*298*
ばっかりに	*280*	向けの	298, *298*
はともかく	281, **284**	**め**	
はともかくとして	*284*	めいた	*299*
は別にして	*281*	めいて	*299*
はもちろん〜も	254, **285**, 286	めく	**299**
はもとより	**285**, 285	めぐり	*342*
反対に	*50*	**も**	
反面	33, **286**	も	100, 101
ひ		も〜ない	*129*
ぴたり	*133*	も〜なら〜も	49, **299**
ひとり〜のみならず	*270*	も〜ば〜も	*299*
ふ		もいなめない	*272*
ぶり	**286**	もおよばない	*254*
ぶりに	*286*	もかまわず	262, **300**
ぶりの	*286*	もさることながら	**301**
へ		もし〜ても	*119*
べからざる	*287*	もそこそこに	**301**
べからず	*287*	もそこそこにする	*301*
べき	*287*	もつかない	*255*
べきことに	*90*	もなしに	*198*
べきだ	126, **287**	もの	65, **303**
べきではない	*287*	もの（文末）	**302**
べく	*287*	ものか	292, **303**, 304, 307
べくして	*287*	ものがある	**306**
べくもない	*287*	ものかどうか	305, **307**
べし	*287*	ものだ	87, 135, 154, **308**
へすら	*109*	ものだから	**309**
ほ		ものではない	304, **310**
ほかない	*324*	ものとして	*174*
ほかに〜ない	*324*	ものなら	**311**
ほかは〜ない	*324*	ものなら〜てみたい	*311*
ほかはない	*324*	ものなら〜てみろ	*311*

ものの	**311**	わけにもいかない	*330*
もほどほどにする	*302*	わけはない	*325*
もん（文末）	*302*	わけもない	326, **331**
もんか	*303*	わけもなく	*331*
もんじゃない	*310*	割に	176, 233, **333**
もんだから	*309*	割には	*333*
や		**を**	
や否や	49, 63, 122, 203, **312**	をおいて〜ない	**333**
やら〜やら	165, **313**	をおいてほかにない	*333*
ゆ		を限りに	**334**, 338
ゆえ	84, **315**	をかねて	56, 59, **335**
ゆえに	*315*	を皮切りとして	*336*
ゆえの	*315*	を皮切りに	**336**
よ		を皮切りにして	*336*
ようが〜まいが	**316**, 317	をきっかけに	**336**, 337
ようが〜ようが	75, 204, 316, **317**	を禁じえない	**337**
ようがない	**318**	を契機として	*337*
ようじゃないか	*318*	を契機に	336, **337**
ようだ	*319*	をこめて	**337**
ようではないか	**318**	を最後に	334, **338**
ようと	*347*	を最初に	*336*
ようと〜まいと	*316*	をしりめに	**338**, 345
ようと〜ようと	*317*	を中心とした	*339*
ようとしたところ	*166*	を中心として	*339*
ようとしている	*348*	を中心に	**339**
ようとしても〜ない	177, 210, **322**	を通じて	265, **339**
ようとしても〜ものではない	*178*	を通して	339, 340
ようとすらしない	*109*	を問わず	218, **340**
ような	*319*	をはじめ	**341**
ように	62, 126, **319**	をはじめとする	*341*
ようにする	*319*	をめぐって	247, **342**
ようになる	*319*	をめぐる	*342*
ようにも〜ない	113, 179, 210, **322**	をもって	182, **343**
ようによっては	*323*	をもってしても	*343*
ようによる	*323*	をもってすれば	*343*
用の	*298*	をもとに	**344**
ようのない	*318*	をもとにして	*344*
ようもない	*318*	をものともせず	**344**
ようものなら	*323*	をものともせずに	*344*
よりほかない	104, 105, **324**	を余儀なくされる	103, **345**
よりほかにない	*324*	をよそに	338, **345**
よりほかはない	*324*	**ん**	
ら		んがため	*346*
らしい	138	んがために	126, **346**, 347
わ		んがための	*346*
わ〜わ	**324**	んと	*347*
わ〜わで	*324*	んとして	346, **347**
わけ	*327*	んとしている	*347*
わけがない	282, 283, **325**, 330, **331**	んばかりに	187, **348**
わけだ	153, **327**	んばかりの	*348*
わけではあるまいし	*145*		
わけではない	**328**		
わけではないが	*328*		
わけでもない	*332*		
わけない	*325*		
わけにいかない	**330**		
わけにはいかない	103, 326, 327, **330**		

あとがき

　長年、日本語能力試験１、２級の合格や大学、大学院進学を目指す上級日本語学習者の指導をしていて感じたことは、せっかく覚えた表現も、実際の会話や文章表現に使えなければ無意味だということです。試験のためだけの日本語学習ではなく、"使える日本語"の習得のためには何が必要なのか。それには微妙な日本語の意味の違いが理解できることが重要だと気づきました。日本語には膨大な数の類義表現（意味の似ているもの）や類型表現（形の似ているもの）があります。それらの表現を整理した教材を作りたいと思い、本書の作成に取りかかったのは16年も前のことでした。その成果は、『くらべてわかる日本語表現文型ノート』（大阪ＹＷＣＡ日本語教師会発行）として世に問うことができました。おかげさまで一般書店に出回っていないにもかかわらず、多くのご支持をいただきました。

　しかし、長い年月の間には時代にそぐわない例文なども増えてきたため、この度、Ｊリサーチ出版のご支援を頂き、全面改訂の新版を出す運びとなりました。インターネットや新聞などに現れる新しい日本語にも配慮し、より自然な表現になるよう努めました。また、『くらべてわかる日本語表現文型ノート』を大阪ＹＷＣＡで使用してきた中で、教師や学習者にとってわかりにくい、難しすぎるという声のあった表現なども改めました。

　『パターンで学ぶ日本語能力試験問題集』と同様、Ｊリサーチ出版、編集の塩崎氏、デザインの江口氏にもお世話になりました。心より、感謝いたします。

　　　　　　　　　　　　　　　　　　大阪ＹＷＣＡ　　岡本牧子
　　　　　　　　　　　　　　　　　　　　　　　　　氏原庸子

●著者
大阪YWCA日本語教師会会員

岡本 牧子（おかもと まきこ）
氏原 庸子（うじはら ようこ）

カバーデザイン　滝デザイン事務所
レイアウト・DTP　江口うり子（アレピエ１）

くらべてわかる　日本語表現文型辞典
A Guide to Useful Japanese Sentence Patterns
— Comparing and Understanding the Differences

平成20年（2008年）8月1日　初版第1刷発行
令和7年（2025年）3月10日　　第7刷発行

著　者	岡本牧子・氏原庸子
発行人	福田 富与
発行所	有限会社　Jリサーチ出版
	〒166-0002 東京都杉並区高円寺北 2-29-14-705
	電話 03(6808)8801(代)　FAX 03(5364)5310(代)
	編集部 03(6808)8806
	https://www.jresearch.co.jp
印刷所	株式会社シナノ パブリッシング プレス

ISBN 978-4-901429-72-6　　禁無断転載。
©Makiko Okamoto, Yoko Ujihara 2008 Printed in Japan

日本語教育の現場から生まれた
「くらべてわかる」シリーズ

**くらべてわかる
日本語表現文型辞典**
大阪YWCA／
岡本牧子・氏原庸子 共著
2000円

**くらべてわかる
初級 日本語表現
文型ドリル**
大阪YWCA／
岡本牧子・氏原庸子 共著
1400円　●英中韓部分訳付

**くらべてわかる
中級 日本語表現
文型ドリル**
大阪YWCA／
岡本牧子・氏原庸子 共著
1500円　●英中韓部分訳付

**くらべてわかる
日本語表現
文型辞典　初級編**
大阪YWCA／氏原庸子・
清島千春・佐伯玲子・
井関幸・小出芳生・
里井有里 共著
1600円　●英ベ対訳付

**くらべてわかる
日本語表現
文型辞典　初中級編**
大阪YWCA／氏原庸子・
清島千春・佐伯玲子・
井関幸 共著
1600円　●英ベ対訳付

**くらべてわかる
てにをは日本語
助詞辞典**
大阪YWCA／氏原庸子・
清島千春・井関幸・
影島充紀・佐伯玲子 共著
1800円

**くらべてわかる
てにをは日本語
助詞ドリル
入門・初級コース**
大阪YWCA／氏原庸子・
清島千春・井関幸・
影島充紀・佐伯玲子 共著
1500円　●英中ベ部分訳付

Jリサーチ出版　https://www.jreearch.co.jp

Jリサーチ出版の日本語関連書

Speak Japanese! どんどん話せるようになる！日本語会話シリーズ

すぐに使える 接客日本語会話 大特訓 決まり文句700 英語版
水谷信子 監修・著
1600円（税抜）CD2枚付

すぐに使える 接客日本語会話 大特訓 決まり文句700 中国語版
水谷信子 監修・著
1600円（税抜）CD2枚付

気持ちが伝わる 日本語会話 基本表現 180
清ルミ著
1600円（税抜）CD付

わかる! 話せる! 日本語会話 基本文型 88
水谷信子 監修・著
1600円（税抜）CD付

日本人がよく使う 日本語会話 お決まり表現 180
清ルミ著
1600円（税抜）CD付

わかる! 話せる! 日本語会話 発展文型 125
水谷信子 監修・著
1800円（税抜）CD付

どんどん話せる! 日本語会話 フレーズ大特訓 必須 700
水谷信子監修
棚橋明美・アニタ ゲスリング・岡村佳代 共著
1600円（税抜）CD2枚付

すぐに使える 日本語会話 超ミニフレーズ 200
水谷信子 監修
1600円（税抜）CD2枚付

すぐに使える 日本語会話 超ミニフレーズ 発展 210 中〜上級編
水谷信子 監修
1800円（税抜）CD2枚付

日本語能力試験対応 日本語単語スピードマスター シリーズ

倉品さやか 著／A5変型／各CD2枚付（＊を除く）

3ヶ国語対訳つき 英中韓

N1レベル	N2レベル	N3レベル	N4・N5レベル
ADVANCED 2800	INTERMEDIATE 2500	STANDARD 2400	BASIC 1800
定価1600円（税抜）	定価1600円（税抜）	定価1400円（税抜）	定価1400円（税抜）

タイ語・ベトナム語・インドネシア語版
- ADVANCED2800　定価1800円（税抜）
- INTERMEDIATE2500　定価1800円（税抜）
- STANDARD2400　定価1600円（税抜）
- BASIC1800　定価1600円（税抜）

マレーシア語・ミャンマー語・フィリピノ語版
- STANDARD2400　定価1600円（税抜）

ネパール語・カンボジア語・ラオス語版
- STANDARD2400　定価1600円（税抜）

フランス語・スペイン語・ポルトガル語版＊
- BASIC1800　定価1600円（税抜）音声ダウンロード付

---

https://www.jresearch.co.jp　Jリサーチ出版
〒166-0002 東京都杉並区高円寺北2-29-14-705
TEL03-6808-8801　FAX03-5364-5310